#내신 대비서
#고득점 예약하기

영어전략

Chunjae
Makes
Chunjae

▼

[영어전략] 중학 3 문법·쓰기

편집개발　　신현겸, 김채원, 박효정
영문 교열　　Matthew D. Gunderman
제작　　　　황성진, 조규영
디자인총괄　김희정
표지디자인　윤순미, 한은비
내지디자인　디자인 톡톡

발행일　　　2022년 1월 15일 초판　2022년 1월 15일 1쇄
발행인　　　(주)천재교육
주소　　　　서울시 금천구 가산로9길 54
신고번호　　제2001-000018호
고객센터　　1577-0902
교재 내용문의　(02)3282-8870

고득점을 예약하는 내신 대비서

문법·쓰기

영어전략

중학3

시험에 잘 나오는

개념BOOK 1

천재교육

영어전략

문법·쓰기

영어전략
중학 3

시험에 잘 나오는
개념BOOK1

차례

개념BOOK 하나면
영어 공부 끝!

사역동사

>> 정답 p. 40

- 목적격 보어는 목적어의 상태나 동작 등을 보충 설명해 주는 것으로 명사, 형용사, ❶ [　　　　], 분사 등을 쓴다.
- '(~로 하여금) …하게 하다'라는 뜻을 가진 사역동사 let, make, have 등이 오면 목적격 보어로 ❷ [　　　　]을 쓴다.
- ❸ [　　　　]은[는] '(~가 …하는 것을) 도와주다'라는 뜻의 동사로 목적격 보어로 동사원형과 to부정사 둘 다 쓸 수 있다.

make는 '~시키다', have는 '~하게 하다', let은 '~하게 하다, 허락하다' 라는 뜻으로 의미가 조금씩 달라.

get은 '~시키다'라는 뜻으로 사역동사같지만 목적격 보어로 to부정사를 써야 해.

The map made him feel confused.

🗝 ❶ to부정사 ❷ 동사원형 ❸ help

바로 확인

다음 괄호 안에서 알맞은 것을 고르시오.

❶ She makes him (wash / to wash) the dishes.

❷ Alex let her (check / to check) his cellphone.

❸ Dad asked me (water / to water) the pots.

- '(~가 …하는 것을) 보다/듣다/느끼다'라는 뜻의 지각동사 see, watch, hear, feel 등이 오면 목적어 뒤에 목적격 보어로 ❶ [   ]이나 -ing 형태의 현재분사를 쓴다. 진행의 의미를 강조하고자 할 때 ❷ [   ]를 쓴다.

> I saw my father wash/
> washing his car.

🔑 ❶ 동사원형 ❷ 현재분사

바로 확인

다음 괄호 안에서 알맞은 것을 고르시오.

❶ Jimin felt the house (to shake / shaking).

❷ She saw her mom (to knit / knit) a wool scarf.

❸ People watched a small boat (passing / to pass) over the river.

개념 03 목적어와 목적격 보어의 관계

>> 정답 p. 40

- 5형식에서 목적어와 목적격 보어의 관계가 능동이면 목적격 보어로 현재분사를 쓰고, ❶ [   ]이면 목적격 보어로 ❷ [   ]를 쓴다.

I saw **him playing** the cello. (그가 첼로를 연주하는 것 – 능동의 관계)
　　　목적어　현재분사

I found **my watch broken**. (내 시계가 고장난 것 – 수동의 관계)
　　　목적어　p.p.(과거분사)

I had my hair permed.

답 ❶ 수동 ❷ p.p.(과거분사)

바로 확인

다음 괄호 안에서 알맞은 것을 고르시오.

❶ Bobby had the wall (paint / painted) in yellow.

❷ I saw Sam (nodding / nodded) in the corner.

❸ Mike wants the math problem (solving / solved) quickly.

- 과거에 일어난 일이 현재까지 영향을 미치거나 관련이 있는 경우 **❶** [　　　　]를 쓴다. 하지만 명확한 과거를 나타내는 표현과 함께 쓰여 과거의 한 시점에 일어난 일을 나타낼 경우에는 **❷** [　　　　]를 쓴다.

현재완료 →

과거　　　　현재　　　　미래

We **have** already **had** a meal.

I **went** to the library *yesterday*.

(yesterday라는 명확한 과거 표현이 있으므로 과거시제를 씀.)

> yesterday, last week, ago 등 명확한 과거를 나타내는 표현과 현재완료를 함께 쓸 수 없어.

It has rained for five hours.

圓 **❶** 현재완료 **❷** 과거시제

바로 확인

다음 우리말을 영어로 옮길 때 빈칸에 알맞은 말을 쓰시오.

❶ 그들은 이미 그 책을 읽었다.

➡ They ＿＿＿＿＿ already ＿＿＿＿＿ the book.

❷ Sam은 지난 주말에 미술관에 갔다.

➡ Sam ＿＿＿＿＿ to the gallery last weekend.

현재완료의 형태와 의미

>> 정답 p. 40

형태	have/has + ❶
의미	• 완료: (막/이미) ~했다 (과거에 시작한 일이 현재 끝난 상태) I **have** already **eaten** dinner. • ❷ : ~해 본 적이 있다 (과거부터 현재까지의 경험) I **have been** to Vancouver. • 계속: (계속) ~해 왔다 (과거에 일어난 일이 현재까지 계속 됨.) She **has lived** in Italy since 2017. • 결과: ~했다 (과거의 일이 원인이 되어 그 결과가 현재에 영향을 미침.) My uncle **has gone** to Germany.

I have worked here for five years.

답 ❶ p.p.(과거분사) ❷ 경험

바로 **확인**

다음 문장의 밑줄 친 현재완료의 의미를 쓰시오.

❶ We have once seen a UFO. _____

❷ He has already arrived at the office. _____

❸ She has lost her new wallet. _____

현재완료의 부정문, 의문문

>> 정답 p. 41

- 현재완료의 부정문은 have/has와 p.p. 사이에 부정어 not, never 등을 쓴다.

have/has + ❶ _____ + p.p.

- 현재완료의 의문문은 have/has를 문장 맨 앞에 두고 뒤에 「주어 + p.p.」의 형태로 쓴다.

❷ _____ + 주어 + p.p. ~?

目 ❶ 부정어(not, never 등) ❷ Have/Has

바로 확인

다음 우리말에 맞게 주어진 단어를 이용해 빈칸에 알맞은 말을 쓰시오.

❶ 그는 작년부터 계속 아무 책도 읽지 않았다. (not, have, read)

➡ He _____ _____ _____ any books since last year.

❷ 당신은 외국 여행을 해 본 적이 있나요? (you, travel, have)

➡ _____ _____ _____ abroad?

07 현재완료진행

>> 정답 p. 41

- 과거에 시작된 동작이나 상태가 현재까지 계속 진행되고 있음을 강조할 때 현재완료진행을 쓴다.

형태	have/has + [ ] + -ing
의미	(계속) ~해 오고 있다

She **has been standing** on one leg for fifty minutes.

현재완료진행은 보통 for(~동안), since(~ 이래로) 등의 표현과 함께 쓰여.

believe(믿다), know(알다), understand(이해하다), like(좋아하다), belong(속하다) 등과 같이 상태나 감각, 느낌을 나타내는 동사는 진행형으로 쓰지 않기 때문에 현재완료진행으로 쓸 수 없어.

답 been

바로 확인

다음 우리말에 맞게 괄호 안에서 알맞은 것을 고르시오.

❶ Chris는 한 시간 동안 책을 읽고 있다.

➡ Chris has (reading / been reading) a book for an hour.

❷ 우리는 2019년부터 그 바이러스와 싸워 오고 있다.

➡ We have (been fighting / been fought) the virus since 2019.

- 과거완료는 과거의 특정 시점 **①** [　　　　]에 일어난 일을 나타낼 때 쓴다.

- 과거의 특정 시점을 기준으로 하여 그때까지의 완료, 경험, 계속, 결과를 나타낼 때 「**②** [　　　　] + p.p.」 형태의 과거완료를 쓴다.

When I came back home, he had slept on the bed.

답 **①** 이전 **②** had

바로 확인

다음 괄호 안에서 알맞은 것을 고르시오.

① I found the bag that I (had lost / lost).

② Cathy believed that she (has / had) met him before.

③ The train (has / had) already left when he arrived at the station.

개념 09 과거완료의 부정문, 의문문

>> 정답 p. 41

- 과거완료의 부정문: had와 p.p. 사이에 ❶ [　　　　] (not, never 등)를 쓴다.
- 과거완료의 의문문: ❷ [　　　　] + 주어 + p.p. ~?

과거부터 더 앞선 과거를 '대과거'라고 부르기도 해.

She said she had never seen a spider before.

답 ❶ 부정어 ❷ Had

바로 확인

다음 우리말에 맞게 주어진 단어를 이용해 빈칸에 알맞은 말을 쓰시오.

❶ 우리가 도착했을 때 비행기는 이륙하지 않았다. (not, had, take)

➡ The airplane ＿＿＿＿＿ ＿＿＿＿＿ ＿＿＿＿＿ off when we arrived.

❷ 그녀는 전에 그 영화를 본 적이 있었나요? (had, see, she)

➡ ＿＿＿＿＿ ＿＿＿＿＿ ＿＿＿＿＿ the movie before?

● 주어가 어떤 동작의 대상이 되어 '~되다, ~ 당하다'의 의미를 나타낼 때는 「주어 + be동사 + ❶ ⬚ (+ by + 행위자)」 형태의 ❷ ⬚ 로 쓴다. 단, 행위자가 일반인이거나 언급할 필요가 없을 경우 「by + 행위자」는 생략한다.

(능동태 문장) My mom makes a chocolate cake.

(수동태 문장) A chocolate cake is made by my mom.

The computer is fixed by my brother.

답 ❶ p.p.(과거분사) ❷ 수동태

바로 **확인**

다음 문장을 수동태로 바꿀 때 빈칸에 알맞은 말을 쓰시오.

❶ Emily bakes the cookies.

➡ The cookies _____ _____ _____ Emily.

❷ My mom trims my dog's hair.   * trim : 다듬다, 손질하다

➡ My dog's hair _____ _____ _____ my mom.

- 수동태의 시제는 ❶ [　　　　]의 시제 변화로 나타낸다.

현재시제	am/are/is + p.p.
과거시제	was/were + p.p.
미래시제	will[be going to] + ❷ [　　　　] + p.p.

The tablet computer **is used** for my online class.
(= I use the tablet computer for my online class.)
The theater **was remodeled** last month.
(= People remodeled the theater last month.)
The movie **will be shown** next week.
(= People will show the movie next week.)

현재시제와 과거시제의
경우 be동사와 주어의 수
일치에 주의해야 해!

답 ❶ be동사 ❷ be

바로 확인

다음 괄호 안에서 알맞은 것을 고르시오.

❶ We will (invite / be invited) to the concert.

❷ Trains (are cleaned / cleans) every day.

❸ A lot of plans (will prepare / were prepared) for the project.

>> 정답 p. 42

개념 12 수동태의 부정문, 의문문

● 수동태의 부정문과 의문문 형태

	부정문	의문문
현재·과거시제	be동사 + **❶**[_____] + p.p.	(의문사 +) be동사 + 주어 + p.p. ~?
미래시제	will not[won't] be + p.p. / be동사 + not going to be + p.p.	(의문사 +) Will + 주어 + **❷**[_____] + p.p. ~? / (의문사 +) be동사 + 주어 + going to be + p.p. ~?

Are the tickets sold out?

답 ❶ not ❷ be

바로 확인

다음 괄호 안에서 알맞은 것을 고르시오.

❶ The work (will be not / will not be) finished by next month.

❷ Is your dinner (cooked / be cooked) by your husband?

❸ When will your new house (be built / is built)?

조동사가 있는 수동태

>> 정답 p. 42

- 조동사가 있는 수동태의 형태

조동사 + **❶** ☐ + p.p.
(부정문) 조동사 + not + be + p.p.
(의문문) (의문사 +) **❷** ☐ + 주어 + be + p.p. ~?

The door **must be closed** by the last person who leaves the office.

The window cannot be broken by the boy.

웹 ❶ be ❷ 조동사

바로 확인

다음 우리말에 맞게 주어진 단어를 이용해 문장을 완성하시오.

❶ 안전 장비는 모든 근로자에 의해 착용되어져야 한다.

➡ Safety equipment _____ _____ _____ by all workers. (wear)

❷ 그 수학 문제는 Amy에 의해 풀어질 수 없다.

➡ The math problem _____ _____ _____ by Amy. (solve)

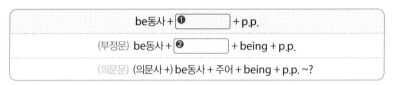
- 진행형 수동태의 형태

be동사 + ❶ [   ] + p.p.
(부정문) be동사 + ❷ [   ] + being + p.p.
(의문문) (의문사 +) be동사 + 주어 + being + p.p. ~?

The computer **is being fixed** by my uncle.

(부정문) ➡ The computer **is not being fixed** by my uncle.

(의문문) ➡ **Is the computer being fixed** by my uncle?

The snowman
is being built
by three girls.

답 ❶ being ❷ not

바로 **확인**

다음 우리말에 맞게 주어진 단어를 이용해 문장을 완성하시오.

❶ 그 지붕은 Tom에 의해 페인트칠 되고 있다.

➡ The roof _____ _____ _____ by Tom. (paint)

❷ 쿠키가 우리 언니에 의해 구워지고 있나요?

➡ _____ cookies _____ _____ by my sister? (bake)

● 완료형 수동태의 형태

have/has/had + ❶ + p.p.
(부정문) have/has/had + 부정어(not, never 등) + been + p.p.
(의문문) (의문사 +) Have/Has/Had + ❷ + been + p.p. ~?

The house **has been built** for a year.

(부정문) ➡ The house **has not been built** for a year.

(의문문) ➡ **Has** the house **been built** for a year?

> My room has not been cleaned for a week. So I will clean it today.

답 ❶ been ❷ 주어

바로 확인

다음 우리말에 맞게 괄호 안에서 알맞은 것을 고르시오.

❶ 그 프로젝트는 5월까지 끝나지 않았다.

　➡ The project had (not been finished / been not finished) by May.

❷ 그 미술품들은 얼마나 오래 전시되고 있나요?

　➡ How long (the artworks have / have the artworks) been exhibited?

16 동사구의 수동태

>> 정답 p. 42

- look after, turn on, take care of 등과 같이 「동사 + 전치사」, 「동사 + 부사」 등의 형태로 이루어진 ❶ [　　　　]의 수동태는 동사를 「be동사 + ❷ [　　　　]」로 바꾸고, 전치사나 부사는 동사 뒤에 그대로 쓴다.

My grandmother **took** *care of* me.

➡ I **was taken** *care of* by my grandmother.

> The candles on the cake were blown out **by Sam.**

📖 ❶ 동사구 ❷ p.p.(과거분사)

바로 확인

다음 우리말에 맞게 주어진 표현을 이용해 문장을 완성하시오.

❶ 그녀는 많은 사람들로부터 존경받고 있다.

➡ She ＿＿＿＿＿ ＿＿＿＿＿ ＿＿＿＿＿ ＿＿＿＿＿ by many people.
(look up to)

❷ 6시 정각에 모든 전등이 켜진다.

➡ All the lights ＿＿＿＿＿ ＿＿＿＿＿ ＿＿＿＿＿ at six o'clock. (turn on)

개념 17 by가 아닌 전치사를 쓰는 수동태

>> 정답 p. 43

● 일반적으로 수동태의 행위자는 「❶□□□ + 행위자」로 나타내지만, by 이외의 다른 ❷□□□를 쓰는 경우도 있다.

be made of/from	~로 만들어지다	be interested in	~에 관심이 있다
be surprised at	~에 놀라다	be worried about	~을 걱정하다
be tired of	~에 싫증나다	be satisfied with	~에 만족하다
be scared of	~을 두려워하다	be filled with	~로 가득 차 있다
be known to	~에게 알려지다	be pleased with	~에 기뻐하다
be known for	~로 유명하다	be crowded with	~로 붐비다
be known as	~로 알려지다	be covered with[in]	~로 덮여 있다

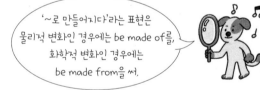

'~로 만들어지다'라는 표현은
물리적 변화인 경우에는 be made of를,
화학적 변화인 경우에는
be made from을 써.

답 ❶ by ❷ 전치사

바로 확인

다음 우리말을 영어로 옮길 때 빈칸에 알맞은 말을 쓰시오.

❶ 치즈는 우유로 만들어진다.
　➡ Cheese _____ _____ _____ milk.

❷ 나는 이 컴퓨터 게임에 싫증이 난다.
　➡ I _____ _____ _____ this computer game.

조동사 + have + p.p.

>> 정답 p. 43

- 조동사와 동사의 현재완료형이 결합된 「조동사 + ❶ [　　] + p.p.」는 다음과 같은 의미를 가진다.

must have + p.p.	~했음에 틀림없다
	과거의 일에 대한 강한 ❷ [　　]
can't[cannot] have + p.p.	~했을 리가 없다
	과거의 일에 대한 강한 의심
may/might have + p.p.	~했을지도 모른다
	과거의 일에 대한 약한 추측
❸ [　　] have + p.p.	~했어야 했다
	과거의 일에 대한 후회나 유감
could have + p.p.	~할 수 있었다
	과거의 일에 대한 유감

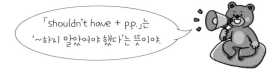

「shouldn't have + p.p.」는 '~하지 말았어야 했다'는 뜻이야.

❷ ❶have ❷추측 ❸should

바로 확인

다음 우리말에 맞게 괄호 안에서 알맞은 것을 고르시오.

❶ 그녀가 그 꽃병을 깼을 리가 없다.

➡ She (should / can't) have broken the vase.

❷ 나는 축구할 때 조심했어야 했다.

➡ I (should / must) have been careful when I played soccer.

19 to부정사의 주어 역할과 가주어

≫ 정답 p. 43

- to부정사(구)가 주어로 쓰일 때 주어 자리에 가주어 **❶** [　　　　]을 쓰고 진주어인
  to부정사(구)는 문장 뒤에 쓸 수 있다. 이때 가주어 it은 **❷** [　　　　]하지 않는다.
  To finish the report in an hour is impossible.
  ➡ **It** is impossible to finish the report in an hour.

It is very hard to take care of three children.

답 **❶** it **❷** 해석

바로 확인

다음 우리말에 맞게 괄호 안에서 알맞은 것을 고르시오.

❶ 그와 이야기하는 것은 즐겁다.
➡ (It / That) is enjoyable to talk with him.

❷ 겨울에 등산하는 것은 쉽지 않다.
➡ (It / What) is not easy to climb the mountain in winter.

개념 20 to부정사의 목적어 역할과 가목적어 >> 정답 p. 43

- 「주어 + 동사 + 목적어 + ❶ [ ]」 형태의 5형식 문장에서 to부정사(구)가 목적어로 쓰일 때 목적어 자리에 가목적어 ❷ [ ]을 쓰고 진목적어인 to부정사(구)를 문장 뒤에 쓴다. 가목적어 it은 해석하지 않는다.

가목적어 it과 함께 자주 쓰이는 동사로 make, find, think, believe, consider 등이 있어.

I think it rude to talk aloud in the library.

답 ❶ 목적격 보어 ❷ it

바로 확인

다음 우리말에 맞게 괄호 안에서 알맞은 것을 고르시오.

❶ Nancy는 거짓말하는 것은 잘못된 것이라고 믿는다.
 ➡ Nancy believes (that / it) wrong to tell a lie.

❷ 우리는 난민들을 돕는 것이 꼭 필요하다는 것을 안다.
 ➡ We know it necessary (to help / help) refugees.

to부정사의 의미상 주어

>> 정답 p. 43

- to부정사의 행동을 하는 주체가 되는 주어, 즉 to부정사의 의미상 주어는 보통 to 부정사 앞에 「①＿＿＿＿ + 명사/목적격 대명사」를 써서 나타낸다.
- 성격이나 태도를 나타내는 형용사 뒤에 to부정사가 올 경우, to부정사의 의미상 주어는 「②＿＿＿＿ + 명사/목적격 대명사」로 쓴다.

It was very kind **of her** to help the weak child.

<u>to부정사의 의미상 주어: she의 목적격 대명사 her</u>

to부정사의 의미상 주어가 일반 사람들이나 문장의 주어와 같을 경우에는 의미상 주어를 따로 쓰지 않아!

성격이나 태도를 나타내는 형용사에는 nice, kind, wise, stupid, brave, polite, foolish, rude, careless 등이 있어.

답 ❶ for ❷ of

바로 **확인**

다음 괄호 안에서 알맞은 것을 고르시오.

❶ It will be great (for / of) them to get some rest.

❷ It is very brave (for / of) you to chase the thief.

❸ It is not easy (for / of) me to finish the work by tomorrow.

❶ _____ + 형용사/부사 + to부정사 = so + 형용사/부사 + that + 주어 + can't ~	너무 ~해서 …할 수 없는
형용사/부사 + ❷ _____ + to부정사 = so + 형용사/부사 + that + 주어 + can ~	…할 만큼 충분히 ~한/하게
seem + ❸ _____ = It seems that + 주어 + 동사	~해 보이다, ~인[하는] 것 같다

* enough는 형용사로 명사 앞에 쓸 수 있지만 too는 명사 앞에 쓰지 않는다.

We have **enough** *money* to buy the furniture.

The flowers are too beautiful for me to pass by.

답 ❶ too ❷ enough ❸ to부정사

바로 **확인**

다음 우리말에 맞게 빈칸에 알맞은 말을 쓰시오.

❶ Alfred는 너무 피곤해서 차를 운전할 수 없다.

➡ Alfred is _____ tired _____ drive a car.

❷ 그녀는 커피를 마실만큼 충분히 나이가 들었다.

➡ She is old _____ _____ drink coffee.

● 동명사를 쓰는 주요 표현들

go -ing	~하러 가다
feel ❶ _____ -ing	~하고 싶다/싶은 기분이다
on/upon -ing	~하자마자
worth -ing	~할 가치가 있는
be busy -ing	~하느라 바쁘다
be used ❷ _____ -ing	~하는 것에 익숙하다
cannot help -ing	~하지 않을 수 없다
look forward to -ing	~하기를 고대하다
spend + 시간/돈 + (on) -ing	~하는 데 시간/돈을 쓰다
stop/prevent/keep + A + from -ing	A가 ~하는 것을 막다/방해하다
have difficulty/trouble (in) -ing	~하는 데 어려움을 겪다

답 ❶ like ❷ to

바로 확인

다음 우리말에 맞게 주어진 단어를 이용해 문장을 완성하시오.

❶ 나는 이번 주말에 낚시하러 가고 싶다.

➡ I want to _____ _____ this weekend. (fish)

❷ Kelly는 그녀의 방을 청소하느라 바쁘다.

➡ Kelly _____ _____ _____ her room. (clean)

● ❶ [   ] to 뒤에는 명사 또는 동명사를 쓰지만, ❷ [   ]의 to는 전치사가
아니기 때문에 뒤에 명사나 동명사가 아닌 동사원형을 쓴다.

My sister is used **to washing** the dog.
전치사 to + 동명사

It is necessary **to close** the door when you go out.
to부정사

> I look forward
> to having a birthday
> party.

답 ❶ 전치사 ❷ to부정사

바로 확인

다음 문장의 밑줄 친 to가 전치사인지, to부정사의 to인지 쓰시오.

❶ It is polite of her <u>to</u> treat our guests like that. _____

❷ He is used <u>to</u> eating alone. _____

❸ She wants <u>to</u> speak three languages. _____

● 기억해야 할 비슷한 표현들

❶ [ ] to + 동사원형	~하곤 했다, 한때는 ~했다
be used to + 동사원형	~하는 데 사용되다
be used to -ing = be accustomed to -ing	~하는 것에 익숙하다
cannot ❷ [ ] -ing = cannot (help) but + 동사원형	~하지 않을 수 없다

We are used to singing on the stage.

답 ❶ used ❷ help

바로 확인

다음 괄호 안에서 알맞은 것을 고르시오.

❶ My dad used to (take / taking) part in marathon races.

❷ I am used to (read / reading) a book early in the morning.

❸ We cannot help (follow / following) the rules to keep our health.

현재분사

>> 정답 p. 44

- 분사란 동사를 ❶ [　　　]처럼 사용하기 위해 형태를 바꾼 것이다. 주로 명사 앞에서 명사를 수식하는데, 분사 뒤에 어구가 붙어 길어진 경우에는 명사 뒤에서 수식하기도 한다.
- -ing 형태의 현재분사는 '～하는, ～하고 있는'이라는 뜻으로 진행과 ❷ [　　　]의 의미가 있다.

Look at the boy **feeding** a dog. The boy feeds a **starving** dog.

Look at the boy and girl using chopsticks.

답 ❶ 형용사 ❷ 능동

바로 확인

다음 주어진 단어를 알맞게 배열하여 문장을 완성하시오.

❶ Who is ＿＿＿ ＿＿＿ ＿＿＿ a big coat? (boy, wearing, the)

❷ She carried ＿＿＿ ＿＿＿ ＿＿＿ on her back. (baby, the, crying)

❸ Be careful not to wake ＿＿＿ ＿＿＿ ＿＿＿ up. (baby, sleeping, the)

● 과거분사는 보통 [**❶**] 형태로 '~한, ~해진'이라는 뜻으로 완료와 [**❷**]의 의미를 갖는다. 현재분사와 마찬가지로 주로 명사 앞에서 명사를 수식하며 분사 뒤에 어구가 붙어 길어진 경우 명사 뒤에서 수식하기도 한다.

I saw the picture **painted** by Salvador Dali. There are melting clocks in it.

그림이 그려진 것이므로 수동을 나타내는 과거분사

My mom likes to collect various **fallen** leaves in the fall.

나뭇잎이 떨어진 것이므로 수동을 나타내는 과거분사

Two cats are sitting on the chair made by my dad.

답 **❶** -ed **❷** 수동

바로 확인

다음 괄호 안에서 알맞은 것을 고르시오.

❶ Have you heard about the bell (calling / called) Big Ben?

❷ The woman (dressed / dressing) in black was a popular singer.

❸ They try to find some (hiding / hidden) treasure in the sea.

- 동명사와 현재분사의 형태는 모두 -ing로 같지만 그 역할은 다르다. 동명사는 ❶ [   ] 역할을 하며 '~하는 것'으로 해석하고, 현재분사는 ❷ [   ] 역할을 하여 '~하는, ~하고 있는'이라고 해석한다.

My mom loves flowers. Her hobby is **watering** flowers.
　　　　　　　　　　　　　　　　물을 주는 것(문장에서 보어 역할로 명사로 쓰임)

The lady **watering** flowers is my mom.
　　　　물을 주고 있는(앞의 The lady를 수식하는 형용사로 쓰임)

The girl waiting for the bus is my best friend Jenny.

답 ❶ 명사 ❷ 형용사

바로 확인

다음 문장의 밑줄 친 부분이 동명사인지, 현재분사인지 쓰시오.

❶ He is responsible for <u>making</u> the house clean. _____

❷ I draw my puppy <u>smelling</u> the flowers. _____

❸ My hobby is <u>reading</u> a comic book in bed. _____

개념 29 동사와 분사의 쓰임 구별

>> 정답 p. 45

● 접속사로 연결된 절이 아닌 하나의 절에는 주어와 동사가 각각 **❶ [   ]** 개씩 온다. 동사를 써야 할지 분사를 써야 할지 헷갈리는 경우 문장에 다른 **❷ [   ]** 가 있는지 살펴본다.

The number of the students **attending** this class **has increased**.

　　　　　　　　　　　　　　　 앞의 the students를 수식하는 분사　　　 문장의 동사

The young man **driving** the car **is drunk**.

　　　 앞의 The young man을 수식하는 분사　　 동사

동사의 과거형과 과거분사의
형태가 -ed로 같은 경우도
있으니 주의해야 해!

> The girl standing on one leg looked comfortable.

답 ❶한 ❷동사

바로 확인

다음 문장의 밑줄 친 부분이 동사인지, 분사인지 쓰시오.

❶ They are looking at the <u>falling</u> stars. _____

❷ The actor dressed in blue <u>won</u> the best actor prize. _____

❸ We looked at the fire <u>burning</u> in the fireplace. _____

분사구문 만들기 (1)

≫ 정답 p. 45

- 「접속사 + 주어 + 동사」로 이루어진 부사절의 주어와 주절의 주어가 같을 때, 부사절의 접속사와 주어를 생략하고 동사를 [   ] 형태로 바꿔 나타내는 것을 분사구문이라고 한다.

~~After she~~ watched the match, she began to cry.

➡ **Watching** the match, she began to cry.

Arriving at home, she saw her son listen to music loudly.

📖 현재분사(-ing)

바로 **확인**

다음 문장을 분사구문으로 바꿀 때 빈칸에 알맞은 말을 쓰시오.

① Because I arrived on time, I could get on the train.

➡ _____ on time, I could get on the train.

② When she washed the dishes, she listened to the radio loudly.

➡ _____ the dishes, she listened to the radio loudly.

31 분사구문 만들기 (2)

>> 정답 p. 45

- 「being + p.p.」 형태의 분사구문에 쓰인 [ ]은 생략한다.

~~Because I~~ was badly injured, I couldn't walk for a month.

➡ **(Being)** Badly **injured**, I couldn't walk for a month.

(Being) Tired from the trip, I went to bed early.

> Tackled during the game, my leg was broken.

🔲 being

바로 확인

다음 문장을 분사구문으로 바꿀 때 빈칸에 알맞은 말을 쓰시오.

① Because the car was washed an hour ago, it looked new.

➡ _____ an hour ago, the car looked new.

② As he was pleased at the news, he jumped high.

➡ _____ at the news, he jumped high.

34 2주 · 개념 ③

32 분사구문의 부정문

>> 정답 p. 45

- 「접속사 + 주어 + 동사」의 부사절이 **❶** 인 경우, 분사구문을 만들 때 분사 바로 **❷** 에 부정어 not 또는 never를 쓴다.

As we were not hungry, we skipped dinner.

➡ **Not being** hungry, we skipped dinner.

Although the movie was not filmed in English, it became popular all over the world.

➡ **Not (being) filmed** in English, the movie became popular all over the world.

Not studying hard, I couldn't get a good score.

답 ❶ 부정문 ❷ 앞

바로 확인

다음 문장을 분사구문으로 바꿀 때 괄호 안에서 알맞은 것을 고르시오.

❶ As she didn't know his phone number, she couldn't contact him.
➡ (Not knowing / Knowing not) his phone number, she couldn't contact him.

❷ When Allen doesn't feel good, he goes to the aquarium.
➡ (Do not feel / Not feeling) good, Allen goes to the aquarium.

33 현재분사(-ing)로 시작하지 않는 분사구문 >> 정답 p. 46

- 분사구문을 만들 때 [❶   ]는 보통 생략하지만 분사구문의 의미를 명확하게 하기 위해 남겨두기도 한다.

  Before *eating* breakfast, I jog along the river.
  = Before I eat breakfast

- 분사구문은 대개 부사절의 「접속사 + 주어」를 생략하지만, 부사절의 주어와 주절의 주어가 [❷   ]하지 않는 경우에는 분사구문의 주어를 생략하지 않는다.

  It *being* a holiday, I can go on a picnic with my children.
  = As it is a holiday

- 분사구의 형태가 「being + p.p.」인 경우 [❸   ]을 생략한다.

  Written in a clear hand, the memo is easy to read.
  = As the memo is written in a clear hand

> Today being very hot,
> they are sitting outside.

답 ❶ 접속사 ❷ 일치 ❸ being

바로 확인

다음 괄호 안에서 알맞은 것을 고르시오.

❶ (Sitting / I sitting) on the grass, a yellow butterfly flew to me.

❷ (Being leaving / Left) to himself, he began to play the computer games.

❸ (After finishing / Finished) the project, he could take a vacation.

개념 34 분사구문의 해석

>> 정답 p. 46

- 분사구문은 생략된 [**❶**   ]의 의미를 맥락에 맞게 유추하여 해석한다.
- 생략된 접속사는 종류에 따라 '**❷**   (~할 때), 이유/원인(~해서), 동시동작 (~하면서), 연속동작(그리고 나서 ~하다), 조건(~하면), 양보(~이지만)' 등의 다양한 의미로 해석한다.

Being very tall, she has some trouble finding long pants.

➡ (**❸**   의 의미) **Because** she is very tall, ~.

Studying hard, he will pass the exam.

➡ (조건의 의미) **If** he studies hard, ~.

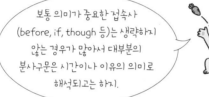

보통 의미가 중요한 접속사 (before, if, though 등)는 생략하지 않는 경우가 많아서 대부분의 분사구문은 시간이나 이유의 의미로 해석되고는 하지.

🔖 ❶ 접속사 ❷ 시간 ❸ 이유

바로 확인

다음 문장의 밑줄 친 부분을 바르게 해석하시오.

❶ <u>Drinking a glass of wine</u>, they looked at sunset.

➡ _____

❷ <u>Having a lot of homework</u>, Drake was stressed.

➡ _____

35 분사구문에서 분사의 의미 구별

>> 정답 p. 46

- 분사구문에 ❶ [   ]가 없다면 주절의 주어와 같다는 뜻이므로 분사와 주절의 주어의 관계를 살펴봐야 한다. 분사구문에 현재분사가 있으면 주절의 주어와 능동의 관계이고, ❷ [   ]가 있으면 수동의 관계이다.

Folding an umbrella, she entered the office.
주절의 주어 she와 능동의 관계(she가 우산을 접는 것)

Born in France, Fred is proficient in French.
주절의 주어 Fred와 수동의 관계(Fred가 태어난 것)

Injured in the soccer match, I wore a cast.

* wear a cast: 깁스하다

답 ❶ 주어 ❷ 과거분사

바로 확인

다음 우리말에 맞게 괄호 안에서 알맞은 것을 고르시오.

❶ 코트를 벗으면서 그녀가 자리에 앉았다.
　➡ (Taking / Taken) off her coat, she sat on a chair.

❷ 천둥소리에 겁이 나서 그 소년은 큰 소리로 울기 시작했다.
　➡ (Scaring / Scared) by the thunder, the boy began to cry loudly.

개념 36 · with +명사 + 분사

>> 정답 p. 46

- '~가 …한/된 채로'라는 뜻의 부대상황을 나타낼 때는 「❶[with]+ 명사 + 분사」를 쓴다. 일종의 분사구문으로 명사와 분사의 의미 관계에 따라 현재분사 또는 과거분사를 쓴다.

- 명사와 분사가 능동의 관계이면 ❷[현재분사], 수동의 관계이면 과거분사를 쓴다.

with + 명사 +	현재분사	~가 …한 채로
	❸[과거분사]	~가 …된 채로

He was standing in front of her house with *tears* **running** down his
cheeks.
명사 tears와 능동의 관계

I saw the man sit on the bench with *his legs* **crossed**.
명사 his legs와 수동의 관계

📋 ❶ with ❷ 현재분사 ❸ 과거분사

바로 확인

다음 괄호 안에서 알맞은 것을 고르시오.

❶ I like to read a book with music (playing / played).

❷ He is thinking very deeply with his eyes (closing / closed).

❸ We were talking about the issue with our coffee (getting / got) cold.

정답

p. 04 답 ① wash ② check ③ to water
- 그 지도는 그를 혼란스럽게 만들었다.
① 그녀는 그가 설거지를 하도록 시킨다.
② Alex는 그녀가 그의 휴대 전화를 확인하게 했다.
③ 아빠는 나에게 화분에 물을 주라고 요청했다.

p. 05 답 ① shaking ② knit ③ passing
- 나는 아빠가 세차하는/세차하고 있는 것을 보았다.
① 지민이는 집이 흔들리는 것을 느꼈다.
② 그녀는 그녀의 엄마가 털목도리를 뜨는 것을 보았다.
③ 사람들은 작은 배 하나가 강을 건너가고 있는 것을 지켜보았다.

p. 06 답 ① painted ② nodding ③ solved
- 나는 그가 첼로를 연주하는 것을 보았다.
- 나는 내 시계가 고장난 것을 발견했다.
- 나는 머리를 파마했다.
① Bobby는 벽을 노란색으로 칠했다.
② 나는 Sam이 구석에서 고개를 끄덕이는 것을 보았다.
③ Mike는 그 수학 문제가 빨리 풀리기를 바라고 있다.

p. 07 답 ① have, read ② went
- 우리는 이미 식사를 했다.
- 나는 어제 도서관에 갔다.
- 비가 다섯 시간 동안 계속 내리고 있다.

p. 08 답 ① 경험 ② 완료 ③ 결과
- 나는 이미 저녁을 먹었다.
- 나는 밴쿠버에 가 본 적이 있다.

- 그녀는 2017년부터 이탈리아에서 살고 있다.
- 나의 삼촌은 독일에 갔다.(가고 없는 상태)
- 나는 여기에서 5년 동안 일해 왔어.
❶ 우리는 UFO를 한 번 본 적이 있다.
❷ 그는 이미 사무실에 도착했다.
❸ 그녀는 새 지갑을 잃어버렸다.

p. 09 🗒 ❶ has not read ❷ Have you traveled
- 나는 배낭여행을 가 본 적이 없어.

p. 10 🗒 ❶ been reading ❷ been fighting
- 그녀는 50분 동안 한 발로 서 있다.

p. 11 🗒 ❶ had lost ❷ had ❸ had
- 내가 집에 돌아왔을 때 그는 침대에서 자고 있었다.
❶ 나는 내가 잃어버렸던 가방을 찾았다.
❷ Cathy는 그녀가 전에 그를 만났었다고 믿었다.
❸ 그가 역에 도착했을 때 기차는 이미 떠났었다.

p. 12 🗒 ❶ had not taken ❷ Had she seen
- 그녀는 전에 거미를 본 적이 전혀 없었다고 말했다.

p. 13 🗒 ❶ are baked by ❷ is trimmed by
- 엄마가 초콜릿 케이크를 만든다. → 초콜릿 케이크는 엄마에 의해 만들어진다.
- 그 컴퓨터는 나의 오빠에 의해 고쳐진다.
❶ Emily가 쿠키를 굽는다. → 쿠키들은 Emily에 의해 구워진다.
❷ 엄마가 내 개의 털을 다듬으신다. → 내 개의 털이 엄마에 의해 다듬어진다.

p. 14 🗒 ❶ be invited ❷ are cleaned ❸ were prepared
- 그 태블릿 컴퓨터는 나의 온라인 수업을 위해 사용된다.

= 나는 온라인 수업을 위해 그 태블릿 컴퓨터를 사용한다.

• 그 극장은 지난달에 개조되었다.

= 사람들이 지난달에 그 극장을 개조했다.

• 그 영화는 다음 주에 상영될 것이다.

= 사람들이 다음 주에 그 영화를 상영할 것이다.

❶ 우리는 그 콘서트에 초대될 것이다.

❷ 기차는 매일 청소된다.

❸ 그 프로젝트를 위해 여러 가지 계획들이 준비되었다.

p. 15

답 ❶ will not be ❷ cooked ❸ be built

● 표는 다 팔렸나?

❶ 그 일은 다음 달까지 끝나지 않을 것이다.

❷ 당신의 저녁식사는 당신의 남편에 의해 요리되나요?

❸ 당신의 새 집은 언제 지어질 건가요?

p. 16

답 ❶ must be worn ❷ cannot[can't] be solved

• 문은 사무실을 떠나는 마지막 사람에 의해 잠겨져야 한다.

● 그 창문은 그 소년에 의해 깨질 수가 없다.

p. 17

답 ❶ is being painted ❷ Are, being baked

• 그 컴퓨터는 나의 삼촌에 의해 수리되고 있다. → 그 컴퓨터는 나의 삼촌에 의해 수리되고 있지 않다. → 그 컴퓨터가 나의 삼촌에 의해 수리되고 있나요?

● 눈사람이 3명의 소녀들에 의해 만들어지고 있다.

p. 18

답 ❶ not been finished ❷ have the artworks

• 그 집은 1년 동안 지어졌다. → 그 집은 1년 동안 지어지지 않았다. → 그 집은 1년 동안 지어졌나요?

● 내 방이 일주일 동안 청소되지 않았어. 그래서 오늘 내가 청소할 거야.

p. 19

답 ❶ is looked up to ❷ are turned on

• 할머니가 나를 돌봐주셨다. → 나는 할머니의 돌봄을 받았다.

● 케이크 위에 촛들이 Sam에 의해 꺼졌다.

p. 20

답 ❶ is made from ❷ am tired of

p. 21

답 ❶ can't ❷ should

p. 22

답 ❶ It ❷ It
• 한 시간 안에 그 보고서를 끝내는 것은 불가능하다.
● 세 명의 아이들을 돌보는 것은 아주 힘들어.

p. 23

답 ❶ it ❷ to help
● 나는 도서관에서 큰 소리로 이야기하는 것은 무례한 것이라고 생각해.

p. 24

답 ❶ for ❷ of ❸ for
• 약한 아이를 도와주다니 그녀는 아주 친절했다.
❶ 그들은 휴식을 좀 취하는 것이 좋을 것이다.
❷ 그 도둑을 쫓다니 너는 아주 용감하다.
❸ 내가 내일까지 그 일을 끝내는 것은 쉽지 않다.

p. 25

답 ❶ too, to ❷ enough to
• 우리는 그 가구를 살만큼 충분한 돈이 있다.
● 꽃들이 너무 예뻐서 나는 지나칠 수 없어.

p. 26

답 ❶ go fishing ❷ is busy cleaning

p. 27

답 ❶ to부정사 ❷ 전치사 ❸ to부정사
• 우리 언니는 강아지를 목욕시키는 것에 익숙하다.
• 밖에 나갈 때 문을 반드시 닫아야 한다.
● 나는 생일 파티 여는 것을 고대하고 있다.

❶ 우리 손님들을 그렇게 대하다니 그녀는 예의가 바르다.

❷ 그는 혼자 먹는 것에 익숙하다.

❸ 그녀는 세 가지 언어를 말하고 싶어 한다.

p. 28 📖 ❶ take ❷ reading ❸ following

● 우리는 무대 위에서 노래하는 것에 익숙해.

❶ 우리 아빠는 마라톤 경주에 참가하곤 했다.

❷ 나는 아침 일찍 책을 읽는 것에 익숙하다.

❸ 우리는 건강을 지키기 위한 그 규칙들을 따르지 않을 수 없다.

p. 29 📖 ❶ the boy wearing ❷ the crying baby ❸ the sleeping baby

• 개에게 먹이를 주고 있는 저 소년을 보아라. 그 소년은 굶주린 개에게 먹이를 주고 있다.

• 젓가락을 사용하고 있는 저 소년과 소녀를 보아라.

❶ 큰 코트를 입고 있는 그 소년은 누구인가요?

❷ 그녀는 우는 아기를 등에 업었다.

❸ 잠자는 아기를 깨우지 않도록 조심해라.

p. 30 📖 ❶ called ❷ dressed ❸ hidden

• 나는 살바도르 달리에 의해 그려진 그림을 봤다. 흘러내리는 시계들이 그 그림에 있다.

• 우리 엄마는 가을에 다양한 낙엽을 모으는 것을 좋아하신다.

● 고양이 두 마리가 우리 아빠가 만든 의자에 앉아 있다.

❶ '빅벤'이라고 불리는 종에 대해 들어 본 적 있나요?

❷ 검은색 옷을 입고 있는 그 여자는 인기 있는 가수였다.

❸ 그들은 바다에서 숨겨진 보물을 찾기 위해 노력하고 있다.

p. 31 📖 ❶ 동명사 ❷ 현재분사 ❸ 동명사

• 우리 엄마는 꽃을 사랑한다. 그녀의 취미는 꽃에 물을 주는 것이다.

• 꽃에 물을 주고 있는 여인은 우리 엄마다.

● 버스를 기다리고 있는 저 소녀가 나의 가장 친한 친구인 Jenny다.

❶ 그는 집을 깨끗하게 만들 책임이 있다.

② 나는 꽃향기를 맡고 있는 우리 강아지를 그렸다.

③ 나의 취미는 침대에서 만화책을 보는 것이다.

p. 32

답 ① 분사 ② 동사 ③ 분사

• 이 수업에 들어오는 학생들의 수가 증가했다.

• 그 차를 운전하고 있는 젊은 남자는 술에 취했다.

● 한쪽 다리로 서 있는 그 여자아이는 편안해 보였다.

① 그들은 떨어지는 별들을 보고 있다.

② 파란색 옷을 입은 그 배우가 최고 배우상을 받았다.

③ 우리는 벽난로에서 타고 있는 불을 바라보았다.

p. 33

답 ① Arriving ② Washing

• 그 경기를 본 후에 그녀는 울기 시작했다.

● 집에 도착했을 때 그녀는 아들이 음악을 크게 듣는 것을 보았다.

① 제 시간에 도착해서 나는 그 기차를 탈 수 있었다.

② 설거지를 할 때 그녀는 라디오를 크게 들었다.

p. 34

답 ① Washed ② Pleased

• 심하게 부상을 당해서 나는 한 달 동안 걸을 수 없었다.

• 여행으로 피곤해서 나는 일찍 잠자리에 들었다.

● 경기를 하는 동안 태클을 당해서 내 다리가 부러졌어.

① 그 차는 한 시간 전에 세차되어서 새것처럼 보였다.

② 그는 그 소식에 기뻐서 높이 뛰었다.

p. 35

답 ① Not knowing ② Not feeling

• 배가 고프지 않아서 우리는 저녁을 걸렀다.

• 영어로 촬영되지 않았지만 그 영화는 전 세계에서 인기를 얻게 되었다.

● 열심히 공부하지 않아서 나는 좋은 성적을 얻을 수 없었어.

① 그의 전화번호를 모르기 때문에 그녀는 그에게 연락할 수 없었다.

② 기분이 좋지 않을 때 Allen은 수족관에 간다.

p. 36

답 ❶ I sitting ❷ Left ❸ After finishing

• 아침을 먹기 전에 나는 강을 따라 조깅을 한다.

• 휴일이어서 나는 아이들과 소풍을 갈 수 있다.

• 알아보기 쉬운 글씨체로 쓰여 있어서 그 메모는 읽기 쉽다.

● 오늘 아주 더운데도 불구하고 그들은 밖에 앉아 있다.

❶ 잔디 위에 앉아 있을 때 노랑나비가 나에게 날아왔다.

❷ 혼자 남겨졌을 때 그는 컴퓨터 게임을 하기 시작했다.

❸ 그 프로젝트를 마친 후에 그는 휴가를 갈 수 있었다.

p. 37

답 ❶ 와인을 한 잔 마시면서 ❷ 숙제가 많아서

• 너무 키가 커서 그녀는 긴 바지를 찾는데 다소 어려움이 있다.

• 열심히 공부하면 그는 시험에 합격할 것이다.

❶ 와인을 한 잔 마시면서 그들은 일몰을 보았다.

❷ 숙제가 많아서 Drake는 스트레스를 받았다.

p. 38

답 ❶ Taking ❷ Scared

• 우산을 접으면서 그녀가 사무실로 들어왔다.

• 프랑스에서 태어나서 Fred는 프랑스어에 유창하다.

● 축구 시합에서 부상을 입어서 나는 깁스를 했어.

p. 39

답 ❶ playing ❷ closed ❸ getting

• 그는 눈물이 뺨으로 흐른 채로 그녀의 집 앞에 서 있었다.

• 나는 다리를 꼰 채로 벤치에 앉아 있는 그 남자를 보았다.

❶ 나는 음악이 나오는 상태에서 책 읽는 것을 좋아한다.

❷ 그는 눈을 감은 채로 아주 깊게 생각하고 있는 중이다.

❸ 우리는 커피가 식은 채로 그 문제에 대해 이야기를 하고 있었다.

영어전략

문법·쓰기

영어전략
중학 3

BOOK 1

이 책의 구성과 활용

이 책은 3권으로 이루어져 있는데
본책인 BOOK1, 2의 구성은 아래와 같아.

주 도입

만화를 읽은 후 간단한 퀴즈를 풀며 한 주 동안 학습
할 문법 사항을 익혀 봅니다.

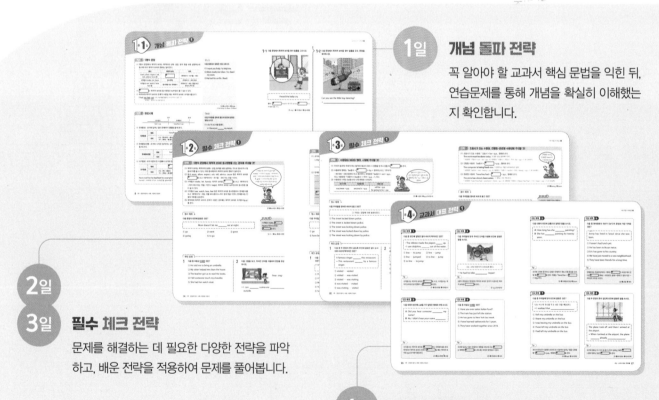

1일 개념 돌파 전략

꼭 알아야 할 교과서 핵심 문법을 익힌 뒤,
연습문제를 통해 개념을 확실히 이해했는
지 확인합니다.

2일

3일 필수 체크 전략

문제를 해결하는 데 필요한 다양한 전략을 파악
하고, 배운 전략을 적용하여 문제를 풀어봅니다.

4일 교과서 대표 전략

내신 기출 문제의 대표 유형을 풀어 보며 실제 학교 시험
유형을 익힙니다.

부록 **시험에 잘 나오는 개념 BOOK**

부록을 뜯어서 미니북으로 활용하세요!
시험 전에 개념을 확실하게 짚어 주세요.

주 마무리와 권 마무리의 특별 코너들로
영어 실력이 더 탄탄해질 거야!

주 마무리 코너

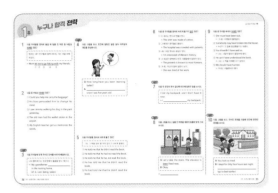

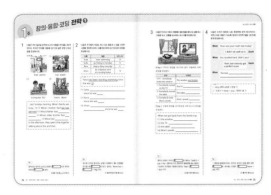

누구나 합격 전략

난이도가 낮은 문제들을 통해 앞서 학습한 내용에 대한 기초 이해력을 점검합니다.

창의·융합·코딩 전략

융복합적 사고력과 문제 해결력을 키울 수 있는 재미있는 문제들을 풀어 봅니다.

권 마무리 코너

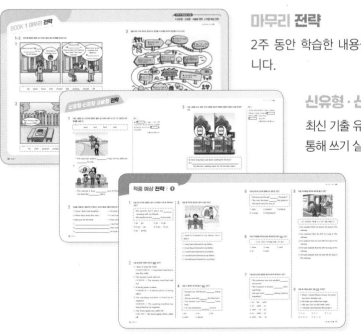

마무리 전략

2주 동안 학습한 내용을 이미지나 만화를 통해 총정리합니다.

신유형·신경향·서술형 전략

최신 기출 유형을 반영한 다양한 서술형 문제들을 통해 쓰기 실력을 키웁니다.

적중 예상 전략

실제 학교 시험 유형의 예상 문제를 풀며 실전에 대비합니다.

이 책의 차례

문장의 형식, 시제, 수동태, 조동사

1 5형식의 목적격 보어, 현재완료진행

그림의 상황을 바르게 나타낸 문장은?
a. The girl allows the boy to cut in line.
b. The girl wants the boy to go to the end of the line.

2 과거완료

When Chris arrived at the party, his friends had already eaten the cake.

다음 중 먼저 일어난 일은?
a. 친구들이 케이크를 먹은 것
b. Chris가 파티에 도착한 것

3 수동태

I heard that you are interested in films. Why don't we go to the film festival?

Sounds great. The festival will be held in May, right?

No, it has been postponed from May to June.

대화에서 알 수 있는 사실은?
a. The film festival will be held in May.
b. The film festival will be held in June.

4 조동사 + have + p.p.

It feels like my skin is burning.

We should have put on sunscreen.

여학생의 말에서 알 수 있는 사실은?
a. 두 사람은 자외선 차단제를 발랐다.
b. 두 사람은 자외선 차단제를 바르지 않았다.

개념 1 · 5형식 문장

○ 5형식 문장에서 목적격 보어는 목적어의 상태·성질·동작 등을 보충 설명하는데 동사에 따라 목적격 보어의 형태는 달라진다.

동사	목적격 보어	의미
want, allow, expect, ask, tell, advice, force 등	❶	(목적어가) ~하기를 …하다
사역동사 make, let, have	동사원형	(목적어가) ~하게 하다
지각동사 see, watch, hear, feel 등	동사원형 또는 현재분사	(목적어가) ~하는 것을 보다/듣다/느끼다 등

○ ❷ ___는 목적격 보어로 동사원형과 to부정사 둘 다 쓸 수 있다.

○ 목적어와 목적격 보어의 관계가 수동일 때는 목적격 보어로 과거분사(p.p.)를 쓴다.
I had <u>my hair</u> <u>cut</u>. 나는 머리를 잘랐다. (머리카락이 잘린 것)
　　　　목적어　목적격 보어(과거분사)

Quiz

다음 괄호에서 알맞은 것을 고르시오.

(1) I want you (help / to help) me.

(2) Mom made me (clean / to clean) my room.

(3) He had his car (fix / fixed).

답 ❶ to부정사 ❷ help / (1) to help (2) clean (3) fixed

개념 2 · 완료시제

| 과거완료 | 과거 | 현재완료 | 현재 |

had + p.p. 　　　　　　have/has + p.p.

○ 현재완료: 과거에 일어난 일이 현재까지 영향을 줄 때 쓴다.

현재완료	형태	have/has + ❶	
	의미	·완료: (막/이미) ~했다 ·계속: (계속) ~해 왔다	·경험: ~해 본 적이 있다 ·결과: ~했다(그 결과 지금 ~하다)

○ 현재완료진행: 과거에 시작된 동작이나 상태가 현재까지 계속 진행 중임을 강조할 때 쓴다.

현재완료진행	형태	have/has + ❷ + -ing
	의미	(계속) ~해 오고 있다

○ 과거완료: 과거 이전의 한 시점에서 과거의 한 시점까지 일어난 일을 나타낼 때 쓴다.

과거완료	형태	❸ + p.p.(과거분사)	
	의미	·완료: (막) ~했었다 ·계속: (계속) ~해 왔었다	·경험: ~해 본 적이 있었다 ·결과: ~했었다(그 결과 과거 ~했다)

Kevin *told* her he **had lost** his smartphone. (말한 과거 시점보다 더 이전에 잃어버림)
Kevin은 그녀에게 자기가 스마트폰을 잃어버렸다고 말했다.

Quiz

다음 우리말을 영어로 옮길 때 빈칸에 알맞은 말을 쓰시오.

(1) 나는 막 보고서를 끝냈다.

➡ I have just _____ my report.

(2) 나는 잃어버렸던 지갑을 찾았다.

➡ I found the wallet that I _____ lost.

답 ❶ p.p.(과거분사) ❷ been ❸ had / (1) finished (2) had

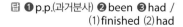

1-1 다음 문장에서 목적격 보어를 찾아 밑줄을 그으시오.

I heard the baby cry.

풀이 | ① [　　　] hear는 목적격 보어로 ② [　　　]이나 현재분사를 쓴다.

🗊 cry / ❶ 지각동사 ❷ 동사원형

1-2 다음 문장에서 목적격 보어를 찾아 밑줄을 긋고, 문장을 해석하시오.

Can you see the little boy dancing?

➡ _____

2-1 다음 문장의 빈칸에 알맞은 것을 〈보기〉에서 골라 쓰시오.

┌ 보기 ┐
has　　had　　have
└──────────────┘

He tells me that he _____ already seen the movie.

풀이 | '(이미) ~했다'라는 ① [　　　]의 의미로 「② [　　　] + p.p.」 형태인 현재완료를 쓴다.

🗊 has / ❶ 완료 ❷ have/has

2-2 다음 우리말을 영어로 옮길 때 빈칸에 알맞은 말을 쓰시오.

┌──────────────────────────┐
│ 그녀가 왔을 때, 그는 한 시간 동안 기다려 왔었다. │
└──────────────────────────┘

➡ He _____ for an hour when she came.

개념 3 수동태의 의미, 형태, 시제

- 수동태 문장은 주어가 동작의 대상이 되어 '~되다, ~ 당하다'의 의미를 가지며 「주어 + be동사 + ❶ [   ] (+ by + 행위자)」 어순으로 쓴다.
- 수동태 시제는 be동사의 시제 변화로 나타낸다.

과거시제	현재시제	미래시제
was/were + p.p.	am/are/is + p.p.	will be + p.p. be going to be + p.p.

- 조동사가 있는 수동태, 진행형 수동태, 완료형 수동태

조동사가 있는 수동태	조동사 + be + p.p.	All laws **must be followed**. 모든 법은 지켜져야 한다.
진행형 수동태	be동사 + being + p.p.	Cookies **are being baked**. 쿠키가 구워지고 있다.
완료형 수동태	have/has/had + ❷ [ ] + p.p.	The mystery **has been revealed**. 그 미스터리는 밝혀졌다.

개념 4 다양한 형태의 수동태

- 「동사 + 전치사」, 「동사 + 부사」 등 두 개 이상의 단어로 이루어진 동사구의 수동태는 ❶ [   ] 를 「❷ [   ] + p.p.」로 바꾸고, 동사 뒤에 나오는 전치사나 부사는 그대로 쓴다.
  My grandmother *took care of* me. 할머니가 나를 돌봐 주셨다.
  ➡ I **was taken** *care of* by my grandmother. 나는 할머니에 의해 돌보아졌다.
- by 이외의 전치사를 사용하는 수동태 표현

be interested in	~에 관심이 있다	be worried about	~을 걱정하다
be surprised at	~에 놀라다	be filled with	~로 가득 차 있다
be tired of	~에 싫증나다	be satisfied with	~에 만족하다
be known to	~에게 알려지다	be crowded with	~로 붐비다
be known for	~로 유명하다	be covered with[in]	~로 덮여 있다

개념 5 조동사 + have + p.p.

must ❶ [ ] + p.p.	과거의 일에 대한 강한 ❷ [ ]	~했음에 틀림없다
can't[cannot] have + p.p.	과거의 일에 대한 강한 의심	~했을 리가 없다
may/might have + p.p.	과거의 일에 대한 약한 추측	~했을지도 모른다
could have + p.p.	과거의 일에 대한 유감	~할 수 있었다
should have + p.p.	과거의 일에 대한 후회나 유감	~했어야 했다

3-1 다음 우리말을 영어로 옮길 때 빈칸에 알맞은 것은?

> 그 탑은 멀리서도 보일 수 있다.
> ➡ The tower can _____ from far away.

① see   ② be seen   ③ be seeing

풀이 | 조동사 **❶**[_____]이 있고 수동의 의미이므로 조동사가 있는 수동태 「조동사 + **❷**[_____] + p.p.」로 나타낸다.

🔓 ② / ❶ can ❷ be

3-2 다음 우리말을 영어로 옮길 때 주어진 단어를 이용하여 빈칸에 알맞은 말을 쓰시오.

> 소풍은 취소될 것이다. (will, cancel)

➡ The picnic _____.

4-1 다음 문장의 빈칸에 공통으로 알맞은 것은?

> • I'm not satisfied _____ my test result.
> • The street is crowded _____ many people.

① in   ② of   ③ with

풀이 | 수동태에서 행위자는 일반적으로 **❶**[_____]를 이용해 나타내지만, 다른 **❷**[_____]를 쓰는 경우도 있다.

🔓 ③ / ❶ by ❷ 전치사

4-2 다음 문장의 빈칸에 알맞은 말이 순서대로 바르게 짝지어진 것은?

> • I'm tired _____ this work.
> • The actress is known _____ her acting skills.

① in ··· of   ② of ··· for   ③ for ··· with

5-1 다음 우리말을 영어로 옮길 때 괄호에서 알맞은 것을 고르시오.

> 너는 좀 더 조심했어야 했다.

➡ You (could / should) have been more careful.

풀이 | '~했어야 했다'라는 뜻으로 과거의 일에 대한 후회나 **❶**[_____]을 나타내는 표현은 「**❷**[_____] have + p.p.」이다.

🔓 should / ❶ 유감 ❷ should

5-2 다음 우리말을 영어로 옮길 때 괄호에서 알맞은 것을 고르시오.

> 그가 창문을 깼을 리가 없다.

➡ He (cannot / must not) have broken the window.

1 다음 문장의 빈칸에 알맞지 <u>않은</u> 것은?

My mom _____ me read many books.

① has   ② lets   ③ helps

④ wants   ⑤ makes

2 다음 우리말을 영어로 옮길 때 빈칸에 알맞은 것은?

> 그는 두 시간째 운전을 하고 있다.
> ➡ He has _____ driving for two hours.

① be   ② to be   ③ been

④ being   ⑤ to being

3 다음 두 문장의 뜻이 같도록 빈칸에 알맞은 말이 바르게 짝지어진 것은?

> I did the laundry, and then my mom came home.
> = When my mom came home, I _____ already _____ the laundry.

① had … did   ② had … done   ③ had … doing

④ have … did   ⑤ have … done

4 다음 문장을 수동태로 전환할 때 밑줄 친 부분을 바르게 고쳐 쓰시오.

> The girls are making a snowman.
> ➡ A snowman is <u>be</u> made by the girls.

➡ _____

5 다음 문장을 수동태로 전환할 때 빈칸에 알맞은 말을 쓰시오.

> People turned off all the lights.
> ➡ All the lights were _____ .

6 다음 문장의 빈칸에 알맞은 말을 〈보기〉에서 골라 쓰시오.

> ┌ 보기 ┐
>
> can't   must   should

(1) I missed the bus. I _____ have got up earlier.

(2) He didn't talk to me yesterday. He _____ have been
angry with me.

전략 1 5형식 문장에서 목적격 보어로 동사원형을 쓰는 경우에 주의할 것!

(1) 목적격 보어는 목적어의 상태나 성질, 동작을 보충 설명하는 것으로 명사(구)나 형용사(구)를 쓸 수 있다. 이때 동사에 따라 목적격 보어의 형태가 달라진다.

(2) 동사 want, allow, expect, ask, tell, advice, cause 등은 목적격 보어로 ❶ [   ] 를 쓰고 '(목적어가) ~하기를 …하다'라는 뜻을 가진다.

(3) 사역동사 make, let, have는 목적격 보어로 ❷ [   ] 을 쓰고 '(목적어가) ~하게 하다'라는 뜻을 가진다. help는 목적격 보어로 to부정사와 동사원형 둘 다 쓸 수 있다.

(4) 지각동사 see, watch, hear, feel 등은 목적격 보어로 동사원형이나 현재분사를 쓰고 '(목적어가) ~하는 것을 보다/듣다/느끼다' 등의 뜻을 가진다. 현재분사는 진행의 의미를 강조한다.

(5) 목적어와 목적격 보어의 관계가 수동인 경우에는 목적격 보어로 과거분사(p.p.)를 쓴다.

> 사역동사도 의미가 조금씩 달라. make는 '~시키다', have는 '~하게 하다', let은 '~하게 하다/허락하다'라는 뜻이야. 또, get은 '~시키다'라는 뜻은 있지만 사역동사는 아니어서 목적격 보어로 to부정사를 써야 해!

🔑 ❶ to부정사 ❷ 동사원형

필수 예제

다음 문장의 빈칸에 알맞은 것은?

Mom doesn't let me _____ out at night.

① go   ② went   ③ gone
④ going   ⑤ to go

문제 해결 전략

사역동사 make, ❶ [   ], have는 목적격 보어로 ❷ [   ] 을 쓴다.

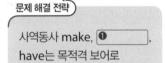

🔑 ① / ❶ let ❷ 동사원형

확인 문제

1 다음 중 어법상 <u>어색한</u> 것은?

① He told me to bring an umbrella.

② My sister helped me clean the house.

③ The teacher got us to read the books.

④ I felt someone touch my shoulder.

⑤ She had her watch steal.

2 다음 그림을 보고, 주어진 단어를 이용하여 문장을 완성하시오.

(hear, sing)

➡ I can _____ someone _____ outside.

전략 **2** 현재완료의 의미와 형태에 주의할 것!

(1) 과거에 일어난 일이 현재와 관련이 있거나 현재까지 영향을 미치고 있음을
나타낼 때 **❶** [　　　　] 를 쓰고, 형태는 「have/has + p.p.」이다.

과거 ── 현재완료 ──> 현재 ── 미래

현재완료는 yesterday, last week, ago 등 과거를 나타내는 표현과 함께 쓸 수 없어!

(2) 현재완료의 의미는 다음과 같다.

완료	(막/이미) ~했다 * already, yet, just 등과 자주 쓰임.	I **have** *already* **had** dinner. 나는 이미 저녁을 먹었다.
경험	~해 본 적이 있다 * ever, never, before, once 등과 자주 쓰임.	I **have** *never* **seen** the movie. 나는 그 영화를 본 적이 없다. * 완료시제의 부정문은 have/has와 p.p. 사이에 부정어를 넣는다.
❷ [　　]	(계속) ~해 왔다 * 「for + 기간」, 「since + 과거 시점」, always 등과 　자주 쓰임.	**Have** you **known** her *for* ten years? 당신은 그녀를 10년 동안 알아 왔나요? * 완료시제의 의문문은 「Have/Has + 주어 + p.p. ~?」 어순이다.
결과	~했다(그 결과 지금 ~하다)	She **has lost** her bag. 그녀는 그녀의 가방을 잃어버렸다. (지금 그것을 가지고 있지 않다.)

🔑 **❶** 현재완료 **❷** 계속

필수 예제

다음 우리말을 영어로 옮길 때 빈칸에 알맞은 것은?

> 나는 중국에 가 본 적이 있다. ➡ I _____ to China.

① go　　　　② went　　　　③ am going

④ have been　　　　⑤ have gone

문제 해결 전략

「have/has + been to」는 '~에 가 본 적이 있다'라는 의미로 **❶** [　　] 을 나타내는 반면, 「have/has + gone to」는 '~에 가 버렸다(가고 없다)'는 **❷** [　　] 를 나타낸다.

🔑 ④ / **❶** 경험 **❷** 결과

확인 문제

1 다음 중 〈보기〉의 문장과 현재완료의 의미가 가장 가까운 것은?

> ┌ 보기 ┐
> I have lived here since 2019.

① They have been to Hawaii.

② I have never eaten Indian food.

③ We have just finished the work.

④ Has Tom spent all of his money?

⑤ Susan has learned French for a year.

2 다음 그림을 보고, 현재완료를 이용해 빈칸에 알맞은 말을 쓰시오.

〈3 hours ago〉　　　　〈Now〉

➡ It _____ for three hours.

전략 3 현재완료진행의 의미와 형태에 주의할 것!

(1) 과거에 시작된 동작이나 상태가 [❶   ]까지 계속 진행되고 있음을 강조할 때 현재완료진행을 쓴다.

(2) 현재완료진행은 「have/has + [❷   ] + -ing」로 쓰고, '(계속) ~해 오고 있다'로 해석한다.

He started reading a book two hours ago. He is still reading it.
그는 2시간 전에 책을 읽기 시작했다. 그는 여전히 그것을 읽고 있다.

➡ He **has been reading** a book for two hours.
그는 2시간 동안 책을 읽고 있다.

(3) 현재완료진행의 부정문은 「주어 + have/has + not/never + been + -ing」이고, 의문문은 「Have/Has + 주어 + been + -ing ~?」이다.

주의 believe(믿다), know(알다), understand(이해하다), like(좋아하다), belong(속하다) 등과 같이 상태나 감각, 느낌을 나타내는 동사는 현재완료진행으로 쓸 수 없다.

현재완료진행은 주로 for(~ 동안), since(~부터, ~ 이래로) 등의 표현과 함께 쓰이고, 현재완료와 마찬가지로 명확한 과거를 나타내는 표현과는 같이 쓰지 않아!

답 ❶ 현재 ❷ been

필수 예제

다음 우리말을 영어로 바르게 옮긴 것은?

그녀는 한 시간째 그림을 그리고 있다.

① She painted a picture for an hour.

② She is painting a picture for an hour.

③ She has painting a picture for an hour.

④ She has being painted a picture for an hour.

⑤ She has been painting a picture for an hour.

문제 해결 전략

과거에 시작된 일이 현재까지 계속 [❶   ] 중임을 강조하는 현재완료진행의 형태는 「have/has + been + [❷   ]」이다.

답 ⑤ / ❶ 진행 ❷ -ing

확인 문제

1 다음 대화의 빈칸에 알맞은 것은?

A: How long have you been doing your homework?

B: I have been doing it _____.

① yesterday   ② right now

③ for two hours   ④ with my friend

⑤ two hours ago

2 다음 문장의 빈칸에 〈보기〉의 단어들을 바르게 배열하시오.

보기
been   taking   have

➡ I _____ tennis lessons since last year.

전략 **4** 과거완료의 의미와 형태에 주의할 것!

(1) 과거 이전의 한 시점에서 과거의 한 시점까지 일어난 일을 나타낼 때 [❶ ⬜️]를 쓰고, 형태는 「❷ ⬜️ + p.p.」이다. 현재완료와 마찬가지로 완료, 경험, 계속, 결과를 나타낸다.

```
대과거                   과거
|←――― 과거완료 ―――→|
          had + p.p.
```

과거 이전의 과거를 '대과거'라고 부르기도 해.

(2) 과거완료의 부정문은 「had + not/never + p.p.」이고, 의문문은 「Had + 주어 + p.p. ~?」이다.

답 ❶ 과거완료 ❷ had

필수 예제

다음 우리말을 영어로 옮길 때 빈칸에 알맞은 말이 순서대로 바르게 짝지어진 것은?

> 나는 점심식사를 했기 때문에 배가 고프지 않았다.
> ➡ I _____ hungry since I _____ lunch.

① wasn't ⋯ had eaten
② wasn't ⋯ have eaten
③ had not been ⋯ ate
④ had not been ⋯ had eaten
⑤ have not been ⋯ ate

문제 해결 전략

과거에 일어난 두 가지 일 중 더 먼저 일어난 일의 시제는 [❶ ⬜️]로, 나중에 일어난 일은 [❷ ⬜️]로 쓴다.

답 ① / ❶ 과거완료 ❷ 과거시제

확인 문제

1 다음 우리말을 영어로 바르게 옮긴 것은?

> 우리가 그 집을 다시 짓기 전에 그것은 몇 년째 비어 있었다.

① The house is empty for several years before we rebuilt it.
② The house would be empty for several years before we rebuilt it.
③ The house had been empty for several years before we rebuilt it.
④ The house has been empty for several years before we rebuilt it.
⑤ The house has being empty for several years before we rebuilt it.

2 다음 우리말에 맞게 주어진 단어를 이용해 빈칸에 알맞은 말을 쓰시오.

> Kate는 한국에 오기 전에는 김치를 먹어 본 적이 전혀 없었다.

➡ Kate _____ before she came to Korea. (never, eat, kimchi)

1 다음 문장의 빈칸에 알맞지 <u>않은</u> 것은?

> The doctor _____ me to exercise regularly.

① told　　　　② made　　　　③ wanted

④ forced　　　⑤ advised

2 다음 문장의 빈칸에 알맞은 것을 <u>모두</u> 고르면?

> I saw Susie _____ the piano.

① play　　　　② to play　　　　③ playing

④ played　　　⑤ having played

3 다음 중 어법상 <u>어색한</u> 것은?

① They have already had dinner.

② She has lost her favorite scarf.

③ I have never been to Yeosu.

④ I have seen the documentary last month.

⑤ He has been working for this company for ten years.

4 다음 우리말을 영어로 바르게 옮긴 것은?

> 어젯밤부터 계속 눈이 내리고 있다.

① It is snowing since last night.

② It was snowing since last night.

③ It has snowing since last night.

④ It has been snowing since last night.

⑤ It had been snowing since last night.

문제 해결 전략

❶ [   ]에 시작된 동작이나 상태가 현재까지 계속 진행 중임을 강조할 때 「have/has + ❷ [   ] + -ing」 형태인 현재완료진행을 쓴다.

🖉 ❶ 과거 ❷ been

5 다음 우리말을 영어로 옮길 때 빈칸에 알맞은 것은?

> 그는 서울로 이사 오기 전에 부산에 살았었다.
> ➡ Before he moved to Seoul, _____.

① he lives in Busan

② he is living in Busan

③ he had lived in Busan

④ he has lived in Busan

⑤ he has been living in Busan

문제 해결 전략

과거 이전의 한 시점에서 과거의 한 시점까지 일어난 일을 나타낼 때 동사는 「❶ [   ] + p.p.」 형태인 ❷ [   ]를 쓴다.

🖉 ❶ had ❷ 과거완료

6 다음 그림을 보고, 주어진 단어를 이용해 빈칸에 알맞은 말을 쓰시오.

문제 해결 전략

과거 특정 시점보다 더 이전에 일어난 동작이나 사건을 '❶ [   ]'라고 부르고 과거완료인 「❷ [   ] + p.p.」로 나타낸다.

🖉 ❶ 대과거 ❷ had

➡ I found out that I _____ my homework at home.
(leave)

전략 1 수동태의 의미와 형태, 시제에 주의할 것!

(1) 주어가 동작의 주체가 아닌 동작의 대상이 되어 그 영향을 받거나 당할 때 ❶ [   ]를 쓴다.

(2) 수동태의 형태는 「be동사 + ❷ [   ] (+ by + 행위자)」이고, '(주어가) …에 의해 ~되다/당하다'라고 해석한다. 부정문은 「be동사 + not + p.p.」이고, 의문문은 「(의문사 +) be동사 + 주어 + p.p. ~?」이다.

(3) 수동태의 시제는 be동사의 시제 변화로 나타낸다.

행위자가 일반인이거나 굳이 언급할 필요가 없을 때, 또는 불분명할 때는 「by + 행위자」를 생략해.

과거시제	현재시제	미래시제
was/were + p.p.	am/are/is + p.p.	will be + p.p. be going to be + p.p.

답 ❶ 수동태 ❷ p.p.(과거분사)

필수 예제

다음 우리말을 영어로 바르게 옮긴 것은?

> 그 거리는 경찰에 의해 봉쇄되었다.

① The street locked down police.

② The street is locked down police.

③ The street was locking down police.

④ The street was locked down by police.

⑤ The street was locking down by police.

문제 해결 전략

동작의 대상이 주어가 될 때 ❶ [   ]를 쓰는데, 그 형태는 「be동사 + ❷ [   ] (+ by + 행위자)」이다.

답 ④ / ❶ 수동태 ❷ p.p.(과거분사)

확인 문제

1 다음 중 두 문장의 뜻이 같도록 빈칸에 알맞은 말이 순서대로 바르게 짝지어진 것은?

> A famous singer _____ this restaurant.
> = This restaurant _____ by a famous singer.

① visited ⋯ visited

② visited ⋯ was visited

③ visited ⋯ was visiting

④ was visited ⋯ visited

⑤ was visiting ⋯ visited

2 다음 문장의 빈칸에 알맞은 말을 〈보기〉에서 골라 바꿔 쓰시오.

> 보기
> sell   serve   invite

(1) Were the tickets _____ out?

(2) I was not _____ to the concert.

(3) Breakfast will be _____ between 7 and 9.

전략 **2** 조동사가 있는 수동태, 진행형·완료형 수동태에 주의할 것!

(1) 조동사가 있는 수동태: 「조동사 + be + p.p.」 형태로 쓴다.

The work must be done today. 그 일은 오늘 끝내져야 한다.

* 부정문은 「조동사 + not + be + p.p.」로, 의문문은 「(의문사 +) 조동사 + 주어 + be + p.p. ~?」로 나타낸다.

(2) 진행형 수동태: 「be동사 + ❶ [   ] + p.p.」 형태로 쓴다.

The computer is being fixed now. 그 컴퓨터는 지금 수리되어지고 있다.

* 부정문은 「be동사 + not + being + p.p.」로, 의문문은 「(의문사 +) be동사 + 주어 + being + p.p. ~?」로 나타낸다.

(3) 완료형 수동태: 「have/has/had + ❷ [   ] + p.p.」 형태로 쓴다.

The pizza has already been eaten. 그 피자는 이미 먹어졌다.

* 부정문은 「have/has/had + not/never + been + p.p.」로, 의문문은 「(의문사 +) Have/Has/Had + 주어 + been + p.p. ~?」로 나타낸다.

> 진행형은 being,
> 완료형은 been으로
> 기억하면 쉬워!

📋 ❶ being ❷ been

필수 예제

다음 우리말을 영어로 바르게 옮긴 것은?

> 비행 편이 지연될지도 모른다.

① The flight delayed.

② The flight is delayed.

③ The flight may be delay.

④ The flight may is delayed.

⑤ The flight may be delayed.

문제 해결 전략

'~일지도 모른다'라는 불확실한 추측을 나타내는 조동사는 ❶ [   ]나 might이다. 조동사가 있는 수동태의 형태는 「조동사 + ❷ [   ] + p.p.」이다.

📋 ⑤ / ❶ may ❷ be

확인 문제

1 다음 중 어법상 어색한 것은?

① The rules should be followed.

② When will the wall be painted?

③ The swimming class will be canceled.

④ The patient is been seeing by the doctor.

⑤ The novel has been read by a lot of people.

2 다음 우리말에 맞게 주어진 표현을 바르게 배열해 빈칸에 쓰시오.

(1) 그 영화는 지금 촬영되고 있다.

➡ _____ now.

(filmed, is, being, the movie)

(2) 많은 돌고래들이 수년간 죽임을 당해 왔다.

➡ _____ for years.

(have, many dolphins, killed, been)

전략 3 동사구의 수동태, by가 아닌 전치사를 쓰는 수동태에 주의할 것!

(1) 동사구의 수동태: 동사를 「be동사 + [❶　　　　]」로 바꾸고, 부사나 전치사 등 나머지는 뒤에 그대로 쓴다.

(2) by 이외의 다른 [❷　　　　]를 쓰는 수동태 표현

> turn on, look after, take care of처럼 동사가 단독으로 쓰이지 않고 뒤에 부사나 전치사 등이 따라 나오는 것을 '동사구'라고 불러.

be interested in ~에 관심이 있다	be worried about ~을 걱정하다
be surprised at ~에 놀라다	be filled with ~로 가득 차 있다
be tired of ~에 싫증나다	be satisfied with ~에 만족하다
be scared of ~을 두려워하다	be pleased with ~에 기뻐하다
be known to ~에게 알려지다	be crowded with ~로 붐비다
be known for ~로 유명하다	be covered with[in] ~로 덮여 있다
be known as ~로 알려지다	be made of/from ~로 만들어지다

주의 be made of는 물리적 변화인 경우에 쓰고, be made from은 화학적 변화인 경우에 쓴다.

The chair **is made of** wood. 그 의자는 나무로 만든다. (의자가 된 나무의 화학적 성질이 변한 것은 아님.)

Paper **is made from** wood. 종이는 나무로 만든다. (나무가 화학적 변화를 거쳐 종이가 된 것임.)

답 ❶ p.p.(과거분사) ❷ 전치사

필수 예제

다음 문장의 빈칸에 공통으로 알맞은 것은?

- She was pleased _____ the surprise party.
- The box is filled _____ old clothes.

① at ② of ③ to
④ for ⑤ with

> 문제 해결 전략
>
> '~에 기뻐하다'는 be pleased [❶　　　]이고, '~로 가득 차 있다'는 be filled [❷　　　]이다.

답 ⑤ / ❶ with ❷ with

확인 문제

1 다음 중 밑줄 친 부분이 어법상 어색한 것은?

① Cheese is <u>made for</u> milk.

② I'm not <u>interested in</u> sports.

③ We were <u>surprised at</u> the loud noise.

④ My mom is <u>worried about</u> my grandmother.

⑤ He is <u>known to</u> everyone in this village.

2 다음 우리말에 맞게 주어진 표현을 바르게 배열해 완전한 문장을 쓰시오.

> 사슴 한 마리가 트럭에 치었다.
>
> (by, a deer, was, over, run, a truck)

➡ _____

전략 4 「조동사 + have + p.p.」의 의미를 구별할 것!

• 조동사와 동사의 현재완료형이 결합된 「조동사 + have + p.p.」는 다음과 같은 의미를 가진다.

❶ [ ] have + p.p.	~했음에 틀림없다(과거의 일에 대한 강한 추측)
can't[cannot] have + p.p.	~했을 리가 없다(과거의 일에 대한 강한 의심)
may/might have + p.p.	~했을지도 모른다(과거의 일에 대한 약한 추측)
should have + p.p.	~했어야 했다(과거의 일에 대한 후회나 유감)
❷ [ ] have + p.p.	~할 수 있었다(과거의 일에 대한 유감)

「shouldn't have + p.p.」도 많이 쓰는 표현인데, '~하지 말았어야 했다'라는 뜻이야.

답 ❶ must ❷ could

필수 예제

다음 두 문장의 뜻이 같도록 빈칸에 알맞은 말을 쓰시오.

문제 해결 전략

'~했어야 했다'라는 뜻으로 ❶ [ ]의 일에 대한 후회나 유감을 나타내는 표현은 「❷ [ ] have + p.p.」이다.

답 should / ❶ 과거 ❷ should

I regret that I didn't listen to my mom.
= I _____ have listened to my mom.

확인 문제

1 다음 우리말을 영어로 바르게 옮긴 것은?

> 너는 이 이야기에 관해 들었을지도 모른다.

① You could have heard about this story.

② You may have heard about this story.

③ You can't have heard about this story.

④ You must have heard about this story.

⑤ You should have heard about this story.

2 다음 대화의 빈칸에 주어진 단어를 이용해 알맞은 말을 쓰시오.

> A: I have a stomachache.
> B: You ate three hamburgers. You
> _____ eaten that much.
> (should)

1 다음 문장의 빈칸에 알맞은 것은?

> The temple is _____ by many tourists.

① visit
② visits
③ visited
④ visiting
⑤ to visit

2 다음 중 밑줄 친 부분이 생략 가능한 것은?

① Juliet is loved by Romeo.
② The cake was made by my sister.
③ French is spoken by people in France.
④ The classroom is cleaned by the students.
⑤ The poem was written by a famous writer.

3 다음 중 빈칸에 알맞은 말이 순서대로 바르게 짝지어진 것은?

> • The book will _____ made into a sci-fi movie.
> • The award ceremony is _____ watched by millions of people.

① be … being
② be … been
③ being … being
④ being … been
⑤ been … being

4 다음 중 빈칸에 들어갈 말이 나머지 넷과 <u>다른</u> 것은?

① I am satisfied _____ myself.

② The room was filled _____ smoke.

③ The street is covered _____ fallen leaves.

④ Most teenagers are worried _____ their future.

⑤ The shopping mall was crowded _____ many people.

5 다음 우리말을 영어로 바르게 옮긴 것은?

> 수업 후에 컴퓨터들 전원은 꺼져야 한다.

① The computers should turn off after the class.

② The computers should be turned after the class off.

③ The computers should be turn off after the class.

④ The computers should be turned off after the class.

⑤ The computers should be turning off after the class.

6 다음 그림을 보고, 주어진 단어를 이용해 빈칸에 알맞은 말을 쓰시오.

➡ I messed up my math test. I _____ harder. (study)

대표 예제 1

다음 중 빈칸에 알맞은 말이 바르게 짝지어진 것은?

> • The referee made the players _____ up.
> • I saw dolphins _____ out of the water.

① line ··· to jump ② line ··· jump

③ line ··· jumped ④ to line ··· jump

⑤ to line ··· to jump

Tip

사역동사는 목적격 보어로 ❶ [   ]을 쓰고, 지각동사는 목적격 보어로 동사원형이나 ❷ [   ]를 쓴다.

🔑 ❶ 동사원형 ❷ 현재분사

대표 예제 2

다음 우리말에 맞게 주어진 단어를 이용해 빈칸에 알맞은 말을 쓰시오.

> 그는 그의 자전거가 수리되게 했다.

➡ He had his bike _____. (repair)

Tip

5형식 문장에서 목적어와 목적격 보어의 관계가 수동이면 목적격 보어로 [   ]를 쓴다.

🔑 p.p.(과거분사)

대표 예제 3

다음 대화의 빈칸에 call을 각각 알맞은 형태로 바꿔 쓰시오.

> A: Did you hear someone _____ my name?
> B: No, I didn't hear your name _____.

Tip

지각동사는 목적격 보어로 ❶ [   ]이나 현재분사를 쓴다. 목적어와 목적격 보어의 관계가 ❷ [   ]일 때는 목적격 보어로 p.p.(과거분사)를 쓴다.

🔑 ❶ 동사원형 ❷ 수동

대표 예제 4

다음 중 어법상 어색한 것은?

① Have you ever eaten Italian food?

② The train has just left the station.

③ He has gone to New York last week.

④ I have learned taekwondo for 5 years.

⑤ They have worked together since 2010.

Tip

과거에 일어난 일이 현재까지 영향을 미칠 때 쓰는 ❶ [   ]는 명확한 ❷ [   ]를 나타내는 표현과 함께 쓸 수 없다.

🔑 ❶ 현재완료 ❷ 과거

대표 예제 5

다음 대화의 빈칸에 공통으로 알맞은 말을 쓰시오.

A: How long has she _____ painting?

B: She has _____ painting for twenty years.

Tip

과거에 시작된 동작이나 상태가 현재까지 계속 진행 중임을 강조할 때 ❶_____ 을 쓴다. 형태는 「have/has + ❷_____ + -ing」이다.

🔲 ❶현재완료진행 ❷been

대표 예제 6

다음 중 현재완료의 의미가 〈보기〉의 문장과 가장 가까운 것은?

┌ 보기 ├
Jenny has lived in Seoul since she was born.

① I haven't had lunch yet.

② He has been to Busan twice.

③ Eric has gone to his country.

④ We have just moved to a new neighborhood.

⑤ They have been friends for a long time.

Tip

현재완료는 완료((막/이미) ~했다), ❶_____(~해 본 적이 있다), ❷_____((계속) ~해 왔다), 결과(~했다(그 결과 지금 ~하다))의 의미로 쓰인다.

🔲 ❶경험 ❷계속

대표 예제 7

다음 중 우리말에 맞게 빈칸에 알맞은 것은?

나는 버스에 우산을 두고 내린 것을 깨달았다.
➡ I realized that _____.

① I left my umbrella on the bus

② I leave my umbrella on the bus

③ I was leaving my umbrella on the bus

④ I have left my umbrella on the bus

⑤ I had left my umbrella on the bus

Tip

과거 이전의 한 시점에서 과거의 한 시점까지 일어난 일을 나타낼 때 「❶_____ + p.p.」 형태의 ❷_____를 쓴다.

🔲 ❶had ❷과거완료

대표 예제 8

다음 두 문장의 뜻이 같도록 빈칸에 알맞은 말을 쓰시오.

The plane took off, and then I arrived at the airport.
= When I arrived at the airport, the plane _____ already _____.

Tip

과거에 일어난 두 가지 일 중 더 먼저 일어난 일은 ❶_____, 나중에 일어난 일은 ❷_____로 쓴다.

🔲 ❶과거완료 ❷과거시제

대표 예제 9

다음 주어진 단어를 바르게 배열해 우리말을 영어로 옮길 때 네 번째에 오는 것은?

그 선생님은 많은 학생들에게 존경받는다.

(is, by, teacher, students, respected, the, many)

① teacher   ② by   ③ the

④ many   ⑤ respected

Tip

주어가 행위의 대상이 되는 「❶   」의 형태는 「be동사 + ❷   」(+ by + 행위자)」이다.

🔑 ❶ 수동태 ❷ p.p.(과거분사)

대표 예제 10

다음 그림을 보고, 빈칸에 알맞은 말을 쓰시오.

➡ The robber is _____ chased by the police.

Tip

진행형 수동태는 「❶   」 + ❷   」 + p.p.」로 쓴다.

🔑 ❶ be동사 ❷ being

대표 예제 11

다음 우리말을 영어로 바르게 옮긴 것은?

저녁식사는 언제 준비가 될까요?

① When is the dinner prepare?

② When is the dinner prepared?

③ When will the dinner be prepare?

④ When will the dinner be prepared?

⑤ When will be the dinner prepared?

Tip

미래시제 수동태 「will + ❶   」 + p.p.」의 의문문은 「(의문사 +) ❷   」 + 주어 + be + p.p. ~?」로 쓴다.

🔑 ❶ be ❷ will

대표 예제 12

다음 문장을 수동태로 바꿀 때 빈칸에 알맞은 말을 쓰시오.

Parents must look after their children.

➡ Children _____ by their parents.

Tip

「동사 + 부사」, 「동사 + 전치사」 형태의 ❶   」를 수동태로 바꿀 때 동사를 「❷   」 + p.p.」로 바꾸고 뒤에 부사나 전치사는 그대로 쓴다.

🔑 ❶ 동사구 ❷ be동사

대표 예제 13

다음 중 밑줄 친 부분이 어법상 어색한 것은?

① All the furniture was made of wood.

② Switzerland is known to its beautiful nature.

③ David is worried about his job interview.

④ My older brother is interested in making films.

⑤ The actor was not satisfied with his performance.

Tip

수동태의 행위자는 일반적으로 「❶ ⬚ + 행위자」로 나타내지만, 다른 ❷ ⬚ 를 쓰는 경우도 있으므로 주의해야 한다.

답 ❶ by ❷ 전치사

대표 예제 14

다음 두 문장의 뜻이 같도록 빈칸에 알맞은 말을 쓰시오.

It is certain that he broke the vase.
= He must ＿＿＿＿＿＿ the vase.

Tip

'~했음에 틀림없다'라는 뜻으로 ❶ ⬚ 의 일에 대한 강한 추측을 나타내는 표현은 「❷ ⬚ have + p.p.」이다.

답 ❶ 과거 ❷ must

대표 예제 15

다음 우리말을 영어로 옮긴 문장에서 어법상 어색한 부분을 찾아 밑줄을 긋고, 바르게 고쳐 쓰시오.

그들의 새 앨범이 막 출시되었다.
➡ Their new album has being just released.

➡ ＿＿＿＿＿＿＿＿

Tip

현재완료 수동태의 형태는 「have/has + ❶ ⬚ + ❷ ⬚ 」이다.

답 ❶ been ❷ p.p.(과거분사)

대표 예제 16

다음 대화에서 어법상 어색한 부분을 찾아 밑줄을 긋고, 바르게 고쳐 쓰시오.

A: There are so many cars on the street. We're going to be late.
B: We should leave earlier.

➡ ＿＿＿＿＿＿＿＿

Tip

'~했어야 했다'라는 뜻으로 ❶ ⬚ 사실에 대한 후회나 유감을 나타내는 표현은 「❷ ⬚ have + p.p.」이다.

답 ❶ 과거 ❷ should

1 다음 중 빈칸에 알맞은 말이 순서대로 바르게 짝지어진 것은?

> • I had the repairman _____ the TV.
> • I had the TV _____ by the repairman.

① repair … repair
② repair … repaired
③ to repair … repair
④ to repair … repaired
⑤ repair … to repair

Tip
사역동사는 목적격 보어로 ❶[   ]을 취하지만, 목적어와 목적격 보어의 관계가 수동이 되면 ❷[   ]를 써야 한다.

🔑 ❶ 동사원형 ❷ 과거분사

2 다음 대화의 빈칸에 알맞지 <u>않은</u> 것은?

> **A:** Have you ever been to Jeju?
> **B:** Yes. I've been there _____ .

① once
② twice
③ before
④ several times
⑤ last summer

Tip
과거부터 현재까지의 경험을 나타낼 때 ❶[   ]를 쓴다. 현재완료는 ❷[   ]의 명백한 시점을 나타내는 표현과 함께 쓸 수 없음에 유의한다.

🔑 ❶ 현재완료 ❷ 과거

3 다음 중 우리말을 영어로 바르게 옮긴 것은?

> 그녀는 삼 년째 그 책을 쓰고 있다.

① She is writing the book for three years.
② She was writing the book for three years.
③ She has writing the book for three years.
④ She has been writing the book for three years.
⑤ She has been written the book for three years.

Tip
과거에 시작된 동작이나 상태가 현재까지 계속 진행 중일 때 ❶[   ]을 쓰고, 형태는 「have/has + ❷[   ] + -ing」이다.

🔑 ❶ 현재완료진행 ❷ been

서술형
4 다음 그림을 보고, 빈칸에 알맞은 말을 쓰시오.

➡ When I arrived at the theater, the tickets _____ already _____ out.

Tip
과거의 한 시점을 기준으로 그때까지의 ❶[   ], 경험, 계속, 결과는 ❷[   ]로 나타낸다.

🔑 ❶ 완료 ❷ 과거완료

5 다음 문장의 빈칸에 알맞은 것은?

English is _____ in many countries.

① speak
② speaks
③ spoke
④ spoken
⑤ speaking

6 다음 그림을 보고, 빈칸에 알맞은 말을 〈보기〉에서 골라
쓰시오. (단, 필요하면 형태를 바꾸시오.)

┌─ 보기 ├─────────────────
　　at　　with　　cover　　surprise
└──────────────────────

(1)

➡ The top of the mountain is _____
_____ snow.

(2)

➡ She was _____ _____ the spider.

7 다음 주어진 문장을 수동태로 바르게 바꾼 것은?

Americans looked up to Abraham Lincoln.

① Abraham Lincoln looked up to by Americans.
② Abraham Lincoln was looked by Americans.
③ Abraham Lincoln was looked up to Americans.
④ Abraham Lincoln was looked up to by Americans.
⑤ Abraham Lincoln was look up to by Americans.

8 다음 대화의 밑줄 친 우리말을 영어로 옮기시오.

A: You look worried. What's up?
B: My mom got very angry because I lied to her.
A: Oh. 너는 그녀에게 거짓말을 하지 말았어야 했어.

➡ _____

1 다음 우리말을 영어로 옮길 때 밑줄 친 부분 중 어법상 어색한 것은?

> 엄마는 내가 친구들과 함께 하이킹 가는 것을 허락하셨다.

➡ Mom <u>let</u> <u>me</u> <u>to go</u> <u>hiking</u> <u>with</u> my friends.
       ① ②   ③   ④   ⑤

2 다음 중 어법상 어색한 것은?

① Could you help me carry the baggage?

② His boss persuaded him to change his mind.

③ I saw Jeremy walking his dog in the park yesterday.

④ The old man had his wallet stolen in the airport.

⑤ My English teacher got us memorize the words.

서술형

3 다음 우리말에 맞게 주어진 단어를 바르게 배열하시오.

> 나의 할아버지는 양로원에서 돌봄을 받고 계신다.
> ➡ My grandfather _____
> in the nursing home.
> (of, is, care, being, taken)

서술형

4 다음 그림을 보고, 빈칸에 알맞은 말을 넣어 여학생의 대답을 완성하시오.

> **Q:** How long have you been learning ballet?
> **A:** _____
> since I was five years old.

5 다음 우리말을 영어로 바르게 옮긴 것은?

> 그는 그 책을 읽어 본 적이 없다고 나에게 말했다.

① He told me that he didn't read the book.

② He told me that he had not read the book.

③ He told me that he has not read the book.

④ He has told me that he didn't read the book.

⑤ He had told me that he didn't read the book.

6 다음 중 우리말을 영어로 바르게 옮기지 <u>않은</u> 것은?

① 이 셔츠는 면으로 만들어졌다.

➡ This shirt was made of cotton.

② 그 병원은 환자들로 붐볐다.

➡ The hospital was crowded with patients.

③ 나는 서양 역사에 관심이 있다.

➡ I'm interested of Western history.

④ 그 속담은 대부분의 한국 사람들에게 알려져 있다.

➡ The proverb is known to most Koreans.

⑤ 그녀는 자신의 일에 싫증이 났다.

➡ She was tired of her work.

서술형

7 다음 두 문장의 뜻이 같도록 빈칸에 알맞은 말을 쓰시오.

> I lost my backpack, and I don't have it now.
>
> = I ＿＿＿＿＿＿＿＿＿＿ my backpack.

서술형

8 다음 그림을 보고, 밑줄 친 부분을 대화의 흐름에 맞게 고쳐 쓰시오.

> **A:** Let's take the stairs. The elevator is <u>been</u> fixed now.
> **B:** Okay.

➡ ＿＿＿＿＿＿＿＿＿＿

9 다음 중 우리말 해석이 <u>어색한</u> 것은?

① She must have been sick.

➡ 그녀는 아팠음에 틀림없다.

② Somebody may have broken into the house.

➡ 누군가 그 집에 침입했을지도 모른다.

③ You shouldn't have said so.

➡ 너는 그렇게 말하지 말았어야 했다.

④ He can't have understood the book.

➡ 그는 그 책을 이해할 수가 없었다.

⑤ We should have hurried.

➡ 우리는 서둘렀어야 했다.

서술형

10 다음 그림을 보고, 주어진 표현을 이용해 빈칸에 완전한 문장을 쓰시오.

> **A:** You look so tired.
> **B:** I slept for only four hours last night.
>
> ＿＿＿＿＿＿＿＿＿＿
>
> (go to bed earlier)

1 다음은 지난 일요일 오전에 미나의 가족들이 한 일을 나타낸 것이다. 주어진 단어를 이용해 〈보기〉와 같은 문장 구조로 글을 완성하시오.

〈보기〉

(1)

(hair, perm)   (car, wash)

(2)

(3)

(computer, fix)   (room, clean)

Last Sunday morning, Mina's family was busy. 〈보기〉 Mina's mother had her hair permed. (1) Mina's father had _____ _____. (2) Mina's older brother had ____ _____. (3) Mina had _____.
In the afternoon, they spent time together talking about this and that.

2 다음은 친구들이 지금도 하고 있는 활동과 그 일을 시작한 시점을 정리한 표이다. 표를 참고하여 〈보기〉와 같이 문장을 완성하시오.

이름	활동	시작 나이
Yuna	learn swimming	10
Suho	go hiking on Sundays	12
Nara	keep a diary everyday	8
Jihun	do volunteer work at a nursing home	14

보기

Yuna has been learning swimming since she was 10.

(1) Suho _____
     since he was _____.
(2) Nara _____
     since she was _____.
(3) Jihun _____
     _____ since he was _____.

Tip

목적어와 목적격 보어의 관계가 [❶   ]이면 목적격 보어로 [❷   ]를 쓴다.

답 ❶수동 ❷p.p.(과거분사)

Tip

과거에 시작된 동작이나 상태가 현재까지 계속 진행됨을 강조할 때 [❶   ]을 쓴다. 형태는 「have/has + [❷   ] + -ing」이다.

답 ❶현재완료진행 ❷been

3 다음은 민수네 가족이 여행에서 돌아왔을 때의 집 상황이다. 그림을 보고, 상황을 묘사하는 보고서를 완성하시오.

Step 1 주어진 문장을 〈보기〉와 같이 수동태로 바꿔 문장을 완성한다.

문장	➡	수동태
〈보기〉 Somebody broke the window.		The window was broken.
(1) Somebody turned on the TV.		The TV _____.
(2) Somebody moved the table.		The table _____.
(3) Somebody stole Mom's jewels.		Mom's jewels _____.

Step 2 수동태 문장을 과거완료로 바꿔 보고서 문장을 완성한다.

> When we got back from the family trip.
> (1) the window _____.
> (2) the TV _____.
> (3) the table _____.
> (4) Mom's jewels _____.

Tip

행위의 대상이 주어인 ❶_____의 형태는 「be동사 + p.p. (+ by + 행위자)」이고, 행위자가 불분명할 때는 생략이 가능하다. 과거완료 수동태의 형태는 「had + ❷_____ + p.p.」이다.

📋 ❶ 수동태 ❷ been

4 다음은 수지가 엄마와 나눈 휴대전화 문자 메시지이다. 자연스러운 대화가 되도록 엄마의 마지막 말을 〈조건〉에 맞게 완성하시오.

> *Mom* How was your math test today?
>
> I didn't do well on it. *Susie*
>
> *Mom* You studied hard, didn't you?
>
> Yeah, but nobody got a perfect score. *Susie*
>
> *Mom* The test _____
> _____.

┌ 조건 ┐
1. very difficult를 이용할 것
2. 「조동사 + have + p.p.」 형태로 쓸 것

Tip

'~했음에 틀림없다'라는 뜻으로 과거의 일에 대한 강한 ❶_____을 나타내는 표현은 「❷_____ have + p.p.」이다.

📋 ❶ 추측 ❷ must

창의·융합·코딩 전략 ②

5 다음은 주말에 Charlie의 가족이 벼룩시장에 갔을 때의 상황이다. 그림을 보고, 주어진 표현을 이용해 문장을 완성하시오.

(1)

➡ The stroller is _____ Charlie. (be, carry up)

(2)

➡ The flea market _____ always _____ a lot of people enjoying themselves. (be, crowd)

6 다음은 David가 해야 할 일을 나타낸 표이다. 표를 보고, 완료시제를 이용해 빈칸에 알맞은 말을 넣어 글을 완성하시오.

Time	What David should do	Done
5 : 30 p.m.	To do his homework	O
6 : 30 p.m.	To take a shower	X

When David's mother went out at 5 p.m., she said to David, "Do what you should do before I come back." David (1) _____ before his mother came back at 7 : 00 p.m. However, he (2) _____ by the time she came back.

Tip

진행형 수동태는 「be동사 + ❶ [   ] + p.p.」이고, 수동태의 행위자는 일반적으로 「❷ [   ] + 행위자」로 나타내지만 다른 전치사를 쓰는 경우도 있다.

탑 ❶ being ❷ by

Tip

과거의 특정 시점 이전에 시작된 동작이나 상태가 과거의 특정 시점까지 영향을 미쳤을 때 ❶ [   ] 로 나타내며 「❷ [   ] + p.p.」의 형태이다. 부정문일 경우는 not 을 분사 앞에 쓴다.

탑 ❶ 과거완료 ❷ had

7 다음 〈보기〉와 같이 A, B에서 하나씩 이용해 문장을 완성하시오.

A	B
~~your car~~	check
your bike	repair
your eyesight	cut
your fingernails	~~wash~~

┌ 보기 ├
Your car is dirty. You should <u>have your car washed.</u>

(1) Your bike is broken. You should _____

_____.

(2) Your eyesight is falling. You should _____

_____ regularly.

(3) Your fingernails are too long. You should

_____.

8 다음은 Jimmy의 일기이다. 〈보기〉의 표현을 이용해 빈칸에 알맞은 말을 넣어 Jimmy의 생각풍선을 완성하시오.

Tuesday, April 20

I had a terrible morning. I got up late, so I didn't have enough time for breakfast. Even worse, I missed the school bus, so I had to ask Mom to drive me to school again. Mom was upset with me.

┌ 보기 ├
could   get up   have   should

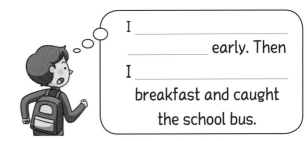

I _____
_____ early. Then
I _____
breakfast and caught
the school bus.

2주 to부정사, 동명사, 분사

1 to부정사

I find it hard to memorize my lines.

Don't worry. You're smart enough to memorize the lines.

I'm not. And I'm too nervous to act.

남학생의 생각으로 알맞은 것은?
a. I'm so nervous that I can act.
b. I'm so nervous that I can't act.

2 동명사의 관용 표현

Are you going to Vicky's party?

Well, I don't feel like going out tonight, but I couldn't help accepting her invitation.

대화에서 알 수 있는 사실은?
a. 여학생은 Vicky의 초대를 승낙했다.
b. 여학생은 Vicky의 초대를 거절했다.

3   현재분사, 과거분사

Sam, guess which one is me.

Hmm, the girl walking the dog?

No, she's my twin sister Kate. I was wearing my favorite dress designed by my mom.

Wow, it's pretty. Who is this crying girl?

It's my sister Lucy.

사진 속에서 Kate를 고르면?
a. the girl wearing pants
b. the girl holding a balloon

4   분사구문

Watching TV, Bentley was folding the laundry.

Feeling tired, he fell asleep ....

문장의 마지막에 이어질 말은?
a. with the TV turned on
b. with the TV turning on

2주 1일 개념 돌파 전략 ❶

개념 1 to부정사가 있는 가주어·가목적어 구문

- 가주어: to부정사가 주어로 쓰일 때 주어 자리에 가주어 [❶　　　]을 쓰고, 진주어인 to부정사는 문장 뒤에 쓸 수 있다.
- 가목적어: to부정사가 5형식 문장에서 목적어로 쓰일 때 목적어 자리에 가목적어 it을 쓰고, 진목적어인 to부정사를 문장 뒤에 쓴다.
- 의미상 주어: to부정사 앞에 「[❷　　　] + 명사/목적격 대명사」를 써서 to부정사의 의미상 주어를 나타낸다. 단, 성격이나 태도를 나타내는 형용사 뒤에 to부정사의 의미상 주어가 올 때는 for 대신 of를 쓴다.

Quiz
다음 괄호에서 알맞은 것을 고르시오.

(1) (It / That) was nice to talk with her.
(2) It will be good (in / for) him to get some rest.

답 ❶ it ❷ for / (1) It (2) for

개념 2 to부정사를 이용한 구문

- to부정사를 이용한 주요 구문

[❶　　　] + 형용사/부사 + to부정사	너무 ~해서 …할 수 없는
형용사/부사 + [❷　　　] + to부정사	…할 만큼 충분히 ~한/하게
seem + to부정사 (= It seems that + 주어 + 동사)	~해 보이다, ~인[하는] 것 같다

She **seems to** be very tired. 그녀는 아주 피곤해 보인다.
(= **It seems that** she is very tired.)

Quiz
다음 우리말에 맞게 괄호에서 알맞은 것을 고르시오.

(1) 나는 너무 피곤해서 운전을 할 수 없었다.
➡ I was (too / enough) tired to drive.
(2) 그는 나아지고 있는 것 같다.
➡ He seems (being / to be) getting better.

답 ❶ too ❷ enough / (1) too (2) to be

개념 3 동명사의 관용 표현

- 동명사를 쓰는 관용적인 표현

go -ing	~하러 가다
feel like -ing	~하고 싶다/싶은 기분이다
on/upon -ing	~하자마자
worth -ing	~할 가치가 있다
be busy -ing	~하느라 바쁘다
be used [❶　　　] -ing	~하는 것에 익숙하다
can't[cannot] help -ing	~하지 않을 수 없다
look forward to -ing	~하기를 고대하다
spend + 시간/돈 + (on) -ing	~하는 데 시간/돈을 쓰다
stop/prevent/keep + A + [❷　　　] -ing	A가 ~하는 것을 막다/방해하다
have difficulty/trouble (in) -ing	~하는 데 어려움을 겪다

Quiz
다음 괄호 안에서 알맞은 것을 고르시오.

He is looking forward to (see / seeing) you.

Why don't we ask Tom?

He's busy studying math.

답 ❶ to ❷ from / seeing

1-1 다음 문장의 빈칸에 알맞은 것은?

> It is wonderful _____ have time to take a walk.

① in   ② to   ③ that

풀이 | '~하는 것'이라는 뜻의 명사적 용법의 ❶[ ] 가 문장의 주어일 때 문장 앞에 가주어 ❷[ ] 을 쓰고 to부정사를 문장 뒤에 쓸 수 있다.

답 ② / ❶to부정사 ❷it

1-2 다음 문장을 가주어 It으로 시작하는 문장으로 고쳐 쓰시오.

To see my family again is great.

➡ _____

2-1 다음 우리말을 영어로 옮길 때 빈칸에 알맞은 것은?

> 그는 차를 운전할 만큼 충분히 나이가 들었다.
> ➡ He is _____ to drive a car.

① too old   ② enough old

③ old enough

풀이 | '…할 만큼 충분히 ~한'은 「❶[ ] + enough + ❷[ ]」이다.

답 ③ / ❶형용사 ❷to부정사

2-2 다음 우리말을 영어로 옮길 때 주어진 표현을 바르게 배열해 완전한 문장을 쓰시오.

> 그는 그 문제를 해결할 만큼 충분히 똑똑하다.
> (smart, he is, the problem, to solve, enough)

➡ _____

3-1 다음 문장의 빈칸에 알맞은 것은?

> I feel like _____ some ice cream.

① eat   ② to eat   ③ eating

풀이 | feel like -ing는 '~❶[ ]/싶은 기분이다'라는 뜻으로 전치사 like 뒤에 ❷[ ]를 쓴다.

답 ③ / ❶하고 싶다 ❷동명사

3-2 다음 문장에서 어법상 어색한 부분을 찾아 밑줄을 긋고, 바르게 고쳐 쓰시오.

> My dad spent a lot of time to wash his car.

➡ _____

개념 4 현재분사와 과거분사

○ 동사를 형용사처럼 사용하기 위해 형태를 바꾼 것이 '분사'이며, -ing 형태의 **①**〔　　　〕와 -ed 형태의 과거분사가 있다. 주로 명사 앞에서 명사를 수식하는데, 분사 뒤에 어구가 붙어 길어진 경우에는 명사 뒤에서 수식하기도 한다.

	현재분사	과거분사
형태	-ing	-ed
의미	～하는, ～하고 있는(진행, 능동)	～한, ～해진(완료, **②**〔　　　〕)

Quiz

다음 괄호에서 알맞은 것을 고르시오.

(1) Look at the (sleeping / slept) baby.

(2) English is a language (speaking / spoken) all over the world.

🔑 **①** 현재분사 **②** 수동 / (1) sleeping (2) spoken

개념 5 분사구문 만들기

○ 부사절의 접속사와 주어를 생략하고 동사를 **①**〔　　　〕로 바꾼 것이 분사구문이다. 분사구문이 「being + p.p.」의 형태가 될 경우에는 being을 생략한다.

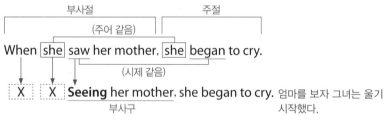

When [she] saw her mother, [she] began to cry.

X X **Seeing** her mother, she began to cry. 엄마를 보자 그녀는 울기 시작했다.
부사구

~~As I~~ was injured from the accident, I was in the hospital for a month.

➡ **(Being) Injured** from the accident, I was in the hospital for a month.
그 사고로 부상을 입어서 나는 한 달 동안 병원에 입원해 있었다.

○ 부사절이 부정문인 경우 분사 바로 **②**〔　　　〕에 부정어 not 또는 never를 쓴다.

~~Because he~~ didn't know where to go, he stood there.

➡ **Not knowing** where to go, he stood there.
어디로 가는지 몰라서 그는 거기 서 있었다.

○ 분사구문의 해석: 부사절 접속사에 따라 '시간', '이유/원인', '부대상황', '조건', '양보' 등의 다양한 의미로 해석된다. 생략된 **③**〔　　　〕의 의미를 맥락에 맞게 유추해야 한다.

Walking along the river, he lost his keys.
강을 따라 걷는 동안 그는 열쇠를 잃어버렸다.

➡ While he was walking along the river, ~. (시간의 의미)

Being very sick, she didn't go to work. 너무 아파서 그녀는 직장에 가지 않았다.

➡ Because she was very sick, ~. (이유의 의미)

He cleaned his room, **listening** to music. 그는 음악을 들으면서 자기 방을 청소했다.

➡ He cleaned his room, as he listened to music. (부대상황-동시동작)

○ with + 명사 + **④**〔　　　〕: '～가 …한/된 채로'라는 뜻의 부대상황을 나타낸다. 명사와 분사의 관계가 능동이면 현재분사를, 수동이면 과거분사를 쓴다.

Quiz

다음 문장의 빈칸에 알맞은 말을 쓰시오.

(1) When he played soccer, he broke his leg.

➡ ＿＿＿＿＿ soccer, he broke his leg.

(2) As I was not hungry, I skipped lunch.

➡ ＿＿＿＿ being hungry, I skipped lunch.

Being a man of action, I will go first.

Being a man of wisdom, I will let you go first.

🔑 **①** 현재분사(-ing) **②** 앞 **③** 접속사 **④** 분사 / (1) Playing (2) Not

4-1 다음 우리말을 영어로 옮길 때 빈칸에 알맞은 것은?

파티에서 제공된 음식은 맛있었다.
➡ The food _____ at the party was delicious.

① serve ② served ③ serving

풀이 | 분사는 ❶[   ]를 수식하는 역할을 하며 능동의 의미일 때는 현재분사, 수동의 의미일 때는 ❷[   ]를 쓴다.

답 ② / ❶ 명사 ❷ 과거분사

4-2 다음 문장의 밑줄 친 부분을 바르게 고쳐 쓰시오.

The police found the stealing car yesterday.

➡ _____

5-1 다음 두 문장의 뜻이 같도록 빈칸에 알맞은 것은?

As she smiled brightly, she walked to me.
= _____ brightly, she walked to me.

① Smile ② Smiled ③ Smiling

풀이 | 부사절을 분사구문으로 바꿀 때 부사절과 주절의 주어와 시제가 같으면 부사절의 ❶[   ]와 주어를 생략하고 동사는 ❷[   ]로 바꾼다.

답 ③ / ❶ 접속사 ❷ 현재분사

5-2 다음 두 문장의 뜻이 같도록 빈칸에 알맞은 것은?

Treated with care, the sweater will last long.
= _____ the sweater is treated with care, it will last long.

① If ② Before ③ Although

CHECK UP

This machine makes (it / that) easy to sharpen knives.

➡ 5형식 문장의 **①**[　　　]로 to부정사가 오면 가목적어 **②**[　　　]을 쓰고 to부정사를 문장 뒤로 보낸다.

답 it / ❶목적어 ❷it

1 다음 우리말에 맞게 주어진 표현을 바르게 배열해 완전한 문장을 쓰시오.

> 그는 자기 감정을 표현하는 것이 매우 어렵다는 것을 알았다.
> (he, it, very difficult, to express his feelings, found)

➡ _____

CHECK UP

I was too nervous (eating / to eat) anything.

➡ 「too + 형용사 + **①**[　　　]」는 '너무 ~해서 …**②**[　　　]'이라는 뜻이다.

답 to eat / ❶to부정사 ❷할 수 없는

2 다음 문장의 빈칸에 알맞은 것은?

> My mom seems _____ the truth.

① know　　　② knows　　　③ knowing

④ to know　　　⑤ to knowing

CHECK UP

그녀는 낚시하러 가고 싶지 않다.
→ She doesn't want to go _____.

➡ go -ing는 '~**①**[　　　]'라는 뜻으로 **②**[　　　]를 쓰는 관용적인 표현이다. go 뒤에는 주로 취미나 여가로 하는 활동이 온다.

답 fishing / ❶하러 가다 ❷동명사

3 다음 우리말을 영어로 옮길 때 주어진 단어를 이용해 빈칸에 알맞은 말을 쓰시오.

> 그 바이러스는 내가 조부모님을 방문하는 것을 막았다. (visit)
> ➡ The virus kept me _____ my grandparents.

She is a (rising / risen) star in Hollywood.

➡ 분사가 명사를 수식할 때 현재분사는 ❶[   ]의 의미를, 과거분사는 ❷[   ]의 의미를 나타낸다.

📄 rising / ❶능동 ❷수동

4 다음 문장의 괄호 속 동사를 알맞은 형태로 바꿔 쓰시오.

(1) The people (wait) for the bus look tired.

➡ _____

(2) Most of the people (invite) to the party are my friends.

➡ _____

When he heard the news, he called me to ask if I was okay.

→ _____ the news, he called me to ask if I was okay.

➡ 부사절을 분사구문으로 바꿀 때 부사절과 주절의 주어와 시제가 같은 경우 접속사와 ❶[   ]를 생략하고 동사를 ❷[   ]로 바꾼다.

📄 Hearing / ❶주어 ❷현재분사(-ing)

5 다음 문장의 밑줄 친 부분을 어법에 맞게 고쳐 쓰시오.

> Filling with books, the box was very heavy.

➡ _____

나는 어두운 방에 문을 닫은 채로 계속 있었다.

→ I stayed in the dark room _____ the door shut.

➡ '~가 …한/된 채로'는 「❶[   ] + 명사 + 분사」로 표현한다. 이때 명사와 분사의 관계가 능동이면 현재분사, ❷[   ]이면 과거분사를 쓴다.

📄 with / ❶with ❷수동

6 다음 문장의 빈칸에 알맞은 것은?

> My son came home with his clothes _____ with dust.

① cover   ② covers   ③ covered

④ covering   ⑤ to cover

전략 1 대명사 it과 가주어·가목적어 it을 구별할 것!

(1) 주어 자리에 it이 있을 경우 문장 뒤에 [**①**　　　]나 명사절이 있는지 확인한다. 뒤에 오는 to부정사나 명사절이 진주어일 경우 가주어 it은 해석하지 않는다.

It is fun <u>to try new things</u>. 새로운 것들에 도전하는 것은 재미있다.
가주어　　　진주어(명사적 용법의 to부정사)

It is not certain <u>that the patient will get better</u>. 환자가 더 나아질 거라는 것은 확신할 수 없다.
가주어　　　　　　　　진주어(명사절)

(2) 「주어 + 동사 + 목적어 + [**②**　　　]」 형태의 5형식 문장에서 목적어 자리에 it이 있을 경우 뒤에 to부정사나 명사절이 있는지 확인한다. 뒤에 오는 to부정사나 명사절이 진목적어일 경우 가목적어 it은 해석하지 않는다.

He makes **it** a rule <u>to go to bed before ten</u>. 그는 10시 전에 잠자리에 드는 것을 원칙으로 한다.
가목적어　　　진목적어(명사적 용법의 to부정사)

I find **it** amazing <u>that they all play golf</u>. 나는 그들이 모두 골프를 친다는 것이 대단하다고 생각한다.
가목적어　　　진목적어(명사절)

> 가목적어 it과 함께 자주 쓰이는 동사에는 make, find, think, believe, consider 등이 있어.

답 **①** to부정사 **②** 목적격 보어

필수 예제

다음 문장의 빈칸에 알맞은 것은?

> They might consider it rude _____ someone their age.

① ask　　　　② asking　　　　③ to ask
④ that ask　　⑤ of asking

문제 해결 전략

5형식 문장의 [**①**　　　]로 to부정사가 오면 목적어 자리에 가목적어 [**②**　　　]을 쓰고 to부정사를 문장 뒤로 보낸다.

답 ③ / **①** 목적어 **②** it

확인 문제

1 다음 중 어법상 어색한 것은?

① I found hard to raise my arms.

② It takes an hour to get to Incheon.

③ It was strange to see her without glasses.

④ It is true that she didn't go to school yesterday.

⑤ They make it a rule that all students should learn a musical instrument.

2 다음 우리말에 맞게 주어진 표현을 바르게 배열해 완전한 문장을 쓰시오.

(1) 채소를 먹는 것이 건강에 좋다.

　➡ _____

　(vegetables, it is, to eat, good for health)

(2) 그는 담배를 끊는 것이 어렵다는 것을 알게 됐다.

　➡ _____

　(it, he, difficult, found, to quit smoking)

전략 2 | to부정사의 의미상 주어 위치와 형태에 주의할 것!

(1) '~가 …을 하다'라는 뜻으로 to부정사의 의미상 주어를 나타낼 때 「❶ [   ] + 명사/목적격

대명사」로 쓰는데 to부정사 앞에 온다.

It is impossible **for you** to get in the building. 당신이 그 건물에 들어가는 것은 불가능하다.

It is impossible to get in the building. 그 건물에 들어가는 것은 불가능하다.

(to부정사의 의미상 주어가 일반적인 사람들이라서 따로 쓰지 않음.)

(2) 성격이나 태도를 나타내는 형용사 뒤에 오는 to부정사의 의미상 주어는 「❷ [   ] +

명사/목적격 대명사」로 쓴다.

It was very <u>kind</u> **of him** to help me with my homework.

내가 숙제하는 것을 도와주다니 그는 아주 친절했다.

* 성격·태도를 나타내는 형용사: nice, kind, wise, stupid, brave, polite, foolish, rude, careless 등

> to부정사의 의미상 주어가 일반 사람들인 경우, 문장의 주어나 목적어와 같은 경우에는 의미상 주어를 따로 쓰지 않아!

답 ❶ for ❷ of

필수 예제

다음 문장의 빈칸에 알맞은 것은?

> It will be helpful _____ you to spend time with other people.

① in
② on
③ of
④ for
⑤ from

문제 해결 전략

to부정사의 의미상 주어는 보통 to부정사 ❶ [   ]에 「❷ [   ] + 명사/목적격 대명사」로 쓴다.

답 ④ / ❶ 앞 ❷ for

확인 문제

1 다음 중 빈칸에 알맞은 말이 나머지 넷과 <u>다른</u> 것은?

① It was not easy _____ me to stay calm.

② It is not necessary _____ you to call us.

③ It was foolish _____ you to lie to the police.

④ It is difficult _____ her to speak in French all the time.

⑤ They didn't consider it possible _____ him to become a doctor.

2 다음 그림을 보고, 주어진 표현을 바르게 배열해 완전한 문장을 쓰시오.

➡ _____

(easy, for the girl, it is, to stand on one leg)

전략 3 too와 enough의 차이를 알아 둘 것!

(1) too는 형용사나 부사 앞에, enough는 형용사나 부사 **❶ [   ]** 에 쓴다.

too + 형용사/부사 + to부정사 = so + 형용사/부사 + that + 주어 + **❷ [ ]** ~	너무 ~해서 …할 수 없는

I was **too** *nervous* **to eat** anything. 나는 너무 긴장해서 어떤 것도 먹을 수 없었다.
= I was **so** *nervous* **that I couldn't eat** anything.

형용사/부사 + enough + to부정사 = so + 형용사/부사 + that + 주어 + **❸ [ ]** ~	…할 만큼 충분히 ~한/하게

She is *strong* **enough to carry** the bag. 그녀는 그 가방을 옮길 만큼 충분히 힘이 세다.
= She is **so** *strong* **that she can carry** the bag. 그녀는 아주 힘이 세서 그 가방을 옮길 수 있다.

(2) enough는 '충분한'이라는 뜻의 형용사로 명사 앞에 쓸 수 있다. too는 명사 앞에 쓰지 않는다.
We have **enough** *bread* to make sandwiches. 우리는 샌드위치를 만들기에 충분한 빵을 가지고 있다.

> too에는 부정의 의미가, enough에는 긍정의 의미가 있어!

답 ❶ 뒤 ❷ can't ❸ can

필수 예제

다음 문장의 빈칸에 공통으로 알맞은 것은?

- The baby is not old _____ to sit alone.
- There are _____ people to do the job.

① so 　　② too 　　③ such
④ more 　　⑤ enough

> **문제 해결 전략**
> 「형용사 + enough + **❶ [   ]** 」는 '…할 만큼 충분히 ~한'이라는 뜻이다. enough는 **❷ [   ]** 앞에서 '충분한'이라는 뜻의 형용사로 쓰이기도 한다.

답 ⑤ / ❶ to부정사 ❷ 명사

확인 문제

1 다음 우리말을 영어로 바르게 옮긴 것은?

> 나는 그 도둑을 잡을 만큼 충분히 빨리 달렸다.

① I ran to catch the thief fast enough.
② I ran fast enough catching the thief.
③ I ran enough fast catching the thief.
④ I ran fast enough to catch the thief.
⑤ I ran enough fast to catch the thief.

2 다음 두 문장의 뜻이 같도록 빈칸에 알맞은 말을 쓰시오.

(1) It is so bright that I can't sleep.

= It is _____ for me _____.

(2) They talked so loudly that I could hear them.

= They talked _____ for me _____ them.

전략 4 동명사를 쓰는 관용적인 표현들을 알아 둘 것!

(1) 동명사를 쓰는 주요 표현들

go -ing	~하러 가다	look forward to -ing	~하기를 고대하다
feel like -ing	~하고 싶다/싶은 기분이다	❶ [　　　　] + 시간/돈 + (on) -ing	~하는 데 시간/돈을 쓰다
on/upon -ing	~하자마자	stop/prevent/keep + A + from -ing	A가 ~하는 것을 막다/방해하다
worth -ing	~할 가치가 있는	have difficulty/trouble (in) -ing	~하는 데 어려움을 겪다
be busy -ing	~하느라 바쁘다	end up -ing	결국 ~하게 되다

I am **look**ing **forward to** hearing from you soon. 나는 너에게서 곧 소식을 듣기를 고대하고 있다.
　　　　　전치사 + 동명사

I walked **to** the bus stop. 나는 버스 정류장까지 걸어갔다.
　　　전치사 + 명사구

He managed **to** arrive on time. 그는 간신히 정각에 도착했다.
　　　to부정사(to + 동사원형)

전치사 to 뒤에는 명사 또는 동명사를 쓰고, to부정사의 to 뒤에는 동사원형을 써.

(2) 비슷한 표현들에 주의한다.

used to + 동사원형	~하곤 했다, 한때는 ~했다
be used to + 동사원형	~하는 데 사용되다
be used to -ing (= be accustomed to -ing)	~하는 것에 익숙하다
cannot ❷ [　　　] -ing (= cannot (help) but + 동사원형)	~하지 않을 수 없다

🔑 ❶ spend ❷ help

필수 예제

다음 문장의 빈칸에 공통으로 알맞은 것은?

- He is used to _____ alone.
- They are looking forward to _____ at their favorite restaurant.

① eat
② ate
③ eats
④ eaten
⑤ eating

문제 해결 전략

be used to -ing는 '~하는 것에 ❶[　　　　]'라는 뜻이고, look forward to -ing는 '~하기를 고대하다'라는 뜻으로 이때 to는 모두 ❷[　　　　]라는 사실에 주의한다.

🔑 ⑤ / ❶ 익숙하다 ❷ 전치사

확인 문제

1 다음 중 어법상 어색한 것은?

① My brother used to live alone.
② This knife is used to cut bread.
③ The man seems to enjoy his job.
④ The book was too boring to finish.
⑤ The movie is worth to watch more than once.

2 다음 두 문장의 뜻이 같도록 빈칸에 알맞은 말을 쓰시오.

(1) The girl couldn't help but laugh.
　= The girl couldn't help _____.

(2) I am accustomed to cooking at home.
　= I am used to _____ at home.

1 다음 문장의 빈칸에 공통으로 알맞은 것은?

- Is _____ necessary to keep the door open?
- I find _____ amazing that this house was built 100 years ago.

① it   ② so   ③ that

④ what   ⑤ which

문제 해결 전략

❶ _____ 또는 명사절이 주어나 5형식 문장의 목적어인 경우 주어나 목적어 자리에 가주어, 가목적어 **❷** _____ 을 쓰고 to부정사나 명사절을 문장 뒤로 보낼 수 있다.

🖉 ❶ to부정사 ❷ it

2 다음 문장의 빈칸에 알맞은 것은?

It is impossible _____ to get there in an hour.

① me   ② my   ③ of me

④ for me   ⑤ for my

문제 해결 전략

to부정사의 의미상 주어는 보통 to부정사 **❶** _____ 에 「**❷** _____ + 명사/목적격 대명사」로 나타낸다. 「of + 명사/목적격 대명사」가 오는 경우는 to부정사 앞에 성격이나 태도를 나타내는 형용사가 있을 때이다.

🖉 ❶ 앞 ❷ for

3 다음 중 어법상 어색한 것은?

① The curry was too spicy to eat.

② I got up enough early to see the sunrise.

③ You are never too old to learn new things.

④ He doesn't have enough money to buy the car.

⑤ The book was popular enough to be made into a film.

문제 해결 전략

「**❶** _____ + 형용사/부사 + to부정사」는 '너무 ~해서 …할 수 없는'이라는 뜻이고, 「형용사/부사 + **❷** _____ + to부정사」는 '…할 만큼 충분히 ~한/하게'라는 뜻이다.

🖉 ❶ too ❷ enough

4 다음 중 빈칸에 들어갈 do의 형태가 나머지 넷과 <u>다른</u> 것은?

① He is busy _____ his homework.

② He doesn't feel like _____ his homework.

③ He couldn't help but _____ his homework.

④ He was used to _____ his homework at home.

⑤ His sister stopped him from _____ his homework.

5 다음 우리말을 영어로 바르게 옮긴 것은?

> 그는 다른 사람들 앞에서 노래하는 것에 익숙하지 않았다.

① He used not to sing in front of others.

② He did not use to sing in front of others.

③ He was not used to sing in front of others.

④ He was not used singing in front of others.

⑤ He was not used to singing in front of others.

6 다음 그림을 보고, 주어진 표현을 빈칸에 바르게 배열해 쓰시오.

➡ The coat _____ .

(is, big, too, to wear, for the boy)

전략 1 현재분사와 과거분사의 의미를 구별할 것!

(1) 분사의 역할: 현재분사(-ing)와 과거분사(-ed)는 ❶ [　　　] 를 수식하거나 문장의 보어로 쓰일 수 있다.

She fed the **starving** dog. 그녀는 굶주린 그 개에게 먹이를 주었다.
　　　　　　명사 dog을 수식

The door remained **shut**. 그 문은 여전히 닫혀져 있었다.
　　　　　　　주어 The door를 수식하는 보어

(2) 현재분사는 진행과 능동의 의미를, 과거분사는 완료와 ❷ [　　　] 의 의미를 갖는다.

He measured the temperature of the **boiling** water. 그는 끓고 있는 물의 온도를 쟀다.
　　　　　　　　　　진행 + 능동

He poured the **boiled** water into the teapot. 그는 끓인 물을 찻주전자에 부었다.
　　　　완료 + 수동

I saw some students **painting** the wall. 나는 벽에 그림을 그리고 있는 몇몇 학생들을 보았다.
　　　　　　　　　능동

The Scream **painted** by Munch sold at a Sotheby's auction. Munch가 그린 〈절규〉는 소더비 경매에서 팔렸다.
　　　　　수동

답 ❶ 명사 ❷ 수동

필수 예제

다음 중 괄호 속 동사의 형태가 바르게 짝지어진 것은?

- Do you know the girl (sit) next to Peter?
- My son loves the cookies (sell) at the bakery.

① sit … sell　　② sat … sold　　③ sat … selling

④ sitting … sold　　⑤ sitting … selling

문제 해결 전략

현재분사는 진행과 ❶ [　　　] 의 의미를, 과거 분사는 완료와 ❷ [　　　] 의 의미를 갖는다.

답 ④ / ❶ 능동 ❷ 수동

확인 문제

1 다음 중 어법상 <u>어색한</u> 것은?

① He only eats cakes made by his mother.

② I read the email sent by my teacher.

③ The boy taking to hospital was seriously injured.

④ The car parked behind the truck belongs to me.

⑤ A couple of people waiting for the bus were ran over by a car at the bus stop.

2 다음 문장의 빈칸에 주어진 단어를 알맞은 형태로 바꿔 쓰시오.

(1) They use _____ paper for printing. (recycle)

(2) The man _____ the car is my uncle. (drive)

전략 2 동명사와 현재분사, 동사와 분사의 쓰임을 구별할 것!

(1) 동명사와 현재분사의 형태는 -ing로 같지만 동명사는 ❶[   ] 역할을 하며 '~하는 것'으로 해석하고, 현재분사는 ❷[   ]로 쓰여 '~하는, ~하고 있는'이라고 해석한다.

My hobby is **playing** tennis. 내 취미는 테니스를 치는 것이다.
　　　　　　치는 것(보어 역할)

The girl **playing** tennis is Helen. 테니스를 치고 있는 소녀는 Helen이다.
　　　　치고 있는(명사 The girl을 수식)

(2) 접속사가 없다면 하나의 절에는 주어와 동사가 각각 하나씩 온다.

They **served** fresh salmon **baked** in white wine. 그들은 화이트 와인으로 구운 신선한 연어를 제공했다.
　　문장의 동사　　　　　　salmon을 수식하는 분사

답 ❶ 명사 ❷ 형용사

필수 예제

다음 문장의 괄호 속 동사의 형태가 바르게 짝지어진 것은?

- He tried to open the door (lock) from inside.
- Students (miss) the deadline will lose points.

① locked ⋯ missed
② locked ⋯ missing
③ locks ⋯ missed
④ locking ⋯ missed
⑤ locking ⋯ missing

문제 해결 전략

분사는 동사를 ❶[   ] 처럼 사용하기 위해 형태를 바꾼 것으로 문장의 동사와는 역할이 다르다. 과거시제가 쓰인 문장에서 동사의 과거형과 ❷[   ]가 -ed로 같을 경우 헷갈리지 않도록 주의해야 한다.

답 ② / ❶ 형용사 ❷ 과거분사

확인 문제

1 다음 중 밑줄 친 watching의 쓰임이 나머지 넷과 <u>다른</u> 것은?

① I love <u>watching</u> baseball games.

② He couldn't finish <u>watching</u> the movie.

③ The man <u>watching</u> TV is my uncle.

④ He thinks <u>watching</u> TV is a waste of time.

⑤ Read a book instead of <u>watching</u> the news.

2 다음 문장의 괄호 속 동사를 알맞은 형태로 바꿔 쓰시오.

(1) The number of the students (attend) this school has increased.

➡ _____

(2) The Christmas tree (decorate) with ornaments was awesome.

➡ _____

전략 3 분사구문의 형태와 의미를 알아 둘 것!

(1) 분사구문의 기본 형태와 의미: 부사절과 주절의 주어와 시제가 동일한 경우 부사절에서 접속사와 주어를 생략하고 동사를 <u>❶   </u>(-ing)로 바꾼다. 부사절이 부정문일 경우에는 분사 앞에 not을 쓴다.

부대상황	~하면서(as), ~하는 동안(while)	이유	~해서(because, since, as)
시간	~할 때(when), ~하고 나서(after) 등	조건	~라면(if)

(2) 현재분사(-ing)로 시작하지 않는 분사구문
- 분사구문의 의미를 명확하게 하기 위해 접속사를 남겨 두기도 한다.
- **After eating** dinner, she went out for a walk. 저녁식사 후에 그녀는 산책을 나갔다.
- 분사구문의 주어와 주절의 주어가 다른 경우 분사구문의 주어를 생략하지 않는다.
  It being a holiday, most of the stores are closed. 휴일이어서 대부분의 상점이 문을 닫는다.
- 「being + p.p.」에서는 보통 <u>❷   </u>을 생략한다.
  Seen from the sky, the island looks like a heart. 하늘에서 보면 그 섬은 하트 모양처럼 보인다.

분사구문은 생략된 접속사의 의미를 맥락을 통해 유추해서 해석하면 돼.

답 ❶ 현재분사 ❷ being

필수 예제

다음 우리말을 영어로 바르게 옮긴 것은?

> 조리법을 몰라서 그는 스테이크를 안 만들었다.

① Known not the recipe, he didn't make steak.

② Not know the recipe, he didn't make steak.

③ Knowing not the recipe, he didn't make steak.

④ Not knowing the recipe, he didn't make steak.

⑤ Not to know the recipe, he didn't make steak.

문제 해결 전략

부사절을 분사구문으로 바꿀 때 ❶   와 주어를 생략하고 동사를 현재분사로 바꾼다. 이때, 부사절과 주절의 주어와 시제는 ❷   해야 한다.

답 ④ / ❶ 접속사 ❷ 일치

확인 문제

1 다음 중 어법상 <u>어색한</u> 것은?

  ① Before eating, you should wash your hands.

  ② Surprised by the news, I dropped the cup.

  ③ Taken the subway, you will get there soon.

  ④ There being no one in the room, she turned off the lights.

  ⑤ Having no money, he can't buy a new car.

2 다음 그림을 보고, 주어진 표현을 빈칸에 바르게 배열해 쓰시오.

➡ After _____, _____.

(the boys, playing soccer, ate ice cream)

전략 4 분사구문에서 현재분사와 과거분사의 의미를 구별할 것!

(1) 분사구문에 현재분사가 있으면 주절의 주어와 능동의 관계이고, [❶   ]가 있으면 수동의 관계이다.

Taking off his hat, he entered the room. 모자를 벗고 그가 방에 들어왔다.
주어 he와 능동의 관계

If **given** a chance, I would start my own business. 만약 기회가 주어진다면 나는 사업을
주어 I와 수동의 관계   시작할 것이다.

> 분사구문에 주어가 없다면
> 주절의 주어와 같다는 뜻이니까
> 분사와 주절의 주어의 관계를
> 파악해야 해.

(2) 「with + 명사 + 분사」 구문에서 명사와 분사의 관계가 능동·진행이면 현재분사를 쓰고, 수동·완료면 과거분사를 쓴다.

[❷] + 명사 +	현재분사	~가 …한 채로
	과거분사	~가 …된 채로

I washed the dishes **with the water running.** 나는 물을 튼 채로 설거지를 했다.
명사 the water와 능동 관계

We saw the yacht floating **with its engine turned** off. 우리는 엔진이 꺼진 채로 떠 있는 요트를 보았다.
명사 its engine과 수동 관계

답 ❶ 과거분사 ❷ with

필수 예제

다음 문장의 밑줄 친 부분을 바르게 고쳐 쓰시오.

(1) <u>Giving</u> the opportunity, would you like to study abroad?

➡ _____

(2) <u>Heard</u> about the homework, the students started to complain.

➡ _____

문제 해결 전략

주어가 생략된 분사구문에 [❶   ]를 쓰는 경우는 주절의 주어와 능동 관계일 때이고, [❷   ]를 쓸 경우는 주절의 주어와 수동 관계일 때이다.

답 (1) Given (2) Hearing /
❶ 현재분사 ❷ 과거분사

확인 문제

1 다음 중 어법상 <u>어색한</u> 것은?

① Left alone, the boy started to cry.

② When telling to be quiet, she stopped talking.

③ Not wanting to talk to him, I avoided his calls.

④ Though living close to school, he is always late.

⑤ Thinking about the upcoming holiday, I feel excited.

2 다음 두 문장을 with를 사용해 한 문장으로 바꿔 쓸 때 빈칸에 알맞은 말을 쓰시오.

> Jenny is reading a book. Her sister is sitting beside her.
>
> ➡ Jenny is reading a book _____
> _____.

1 다음 중 괄호 속 동사의 형태가 바르게 짝지어진 것은?

> • Most people (expect) to come today are teachers.
> • The time capsule remains (bury) in the old building.

① expect … burying
② expected … buried
③ expected … burying
④ expecting … buried
⑤ expecting … burying

문제 해결 전략

분사는 ❶ [   ] 역할을 하므로 문장에서 명사를 수식하거나 ❷ [   ] 역할을 할 수 있다. 능동의 의미를 나타낼 때는 현재분사를, 수동의 의미를 나타낼 때는 과거분사를 쓴다.

답 ❶ 형용사 ❷ 보어

2 다음 대화의 빈칸에 알맞은 것은?

> A: Last night, I saw the police arrest a young man.
> B: The man _____ last night is my neighbor.

① arrest
② arrests
③ arrested
④ arresting
⑤ was arrested

문제 해결 전략

명사를 수식하는 ❶ [   ] 는 '~하는/하고 있는'으로, ❷ [   ] 는 '~된/해진'으로 해석한다.

답 ❶ 현재분사 ❷ 과거분사

3 다음 중 밑줄 친 부분이 어법상 어색한 것은?

① The girl <u>danced</u> on the stage is my cousin.
② <u>Compared</u> with his friends, he is not so tall.
③ The bomb exploded, <u>destroying</u> the building.
④ My son loves his new jacket, <u>wearing</u> it every day.
⑤ <u>Made</u> in the 16th century, this vase is very valuable.

문제 해결 전략

분사는 명사의 앞이나 뒤에서 명사를 수식하는 ❶ [   ] 의 역할을 하거나, 분사구문을 이끌어 부사절의 역할을 할 수 있다. 분사가 수식하는 명사와의 관계가 능동이면 현재분사를, 수동이면 ❷ [   ] 를 쓴다.

답 ❶ 형용사 ❷ 과거분사

4 다음 문장의 괄호 속 동사를 올바른 형태로 바꿔 쓰시오.

(1) She carried the (sleep) baby in her arms.

➡ _____

(2) Most people (apply) for the job have just graduated from college.

➡ _____

문제 해결 전략

분사가 명사를 수식할 때 단독으로 쓰이면 명사 **❶** [   ]에서 수식하고, 두 단어 이상이면 명사 **❷** [   ]에서 수식한다.

📖 **❶** 앞 **❷** 뒤

5 다음 우리말을 영어로 바르게 옮긴 것은?

> 그는 다리를 꼰 채로 앉아 있다.

① He is sitting crossed his legs.

② He is sitting his legs crossing.

③ He is sitting with his legs cross.

④ He is sitting with his legs crossed.

⑤ He is sitting with his legs crossing.

문제 해결 전략

「**❶** [   ] + 명사 + **❷** [   ]」에서 명사와 분사는 수동 관계이고 '~가 …된 채로'라는 의미이다.

📖 **❶** with **❷** 과거분사

6 다음 각 내용이 어울리도록 연결해 문장을 완성하시오.

(1) It being a rainy day, ·

(2) Written in German, ·

(3) Entering the house, ·

·ⓐ I decided to stay inside.

·ⓑ he took off his shoes.

·ⓒ the book was translated into English.

문제 해결 전략

분사구문은 부사절의 **❶** [   ]와 주어를 생략하고 동사를 **❷** [   ]로 바꾼 것으로 '시간', '부대상황', '이유', '조건', '양보' 등의 의미를 나타낸다. 이때, 부사절과 주절의 주어가 일치하지 않으면 주어를 생략하지 않는다.

📖 **❶** 접속사 **❷** 현재분사

대표 예제 1

다음 우리말에 맞게 주어진 표현을 바르게 배열하시오.

> 경찰은 문이 잠겨 있지 않은 채로 버려진 피해자의 차를 발견했다.

➡ The police found the victim's car _____ _____ .

(unlocked, with, abandoned, the doors)

Tip

'~가 …된 채로'라는 의미를 나타낼 때 「❶ [   ] + 명사 + ❷ [   ]」를 쓴다.

🖩 ❶ with ❷ 과거분사

대표 예제 2

다음 문장의 빈칸에 공통으로 알맞은 것은?

> • As a teacher, I'm used to _____ for long hours.
> • He took a picture of the tree _____ on top of the mountain.

① stand ② stood ③ stands
④ standing ⑤ standed

Tip

전치사 뒤에는 명사를 쓰므로 동사는 ❶ [   ]의 형태로 바꿔야 한다. 분사는 명사의 앞이나 뒤에서 명사를 수식하는 ❷ [   ] 역할을 한다.

🖩 ❶ 동명사 ❷ 형용사

대표 예제 3

다음 중 빈칸에 알맞은 말이 순서대로 바르게 짝지어진 것은?

> • It is sweet _____ you to invite me.
> • It was not easy _____ us to leave the house.

① of … for ② for … of ③ of … with
④ for … with ⑤ with … for

Tip

to부정사의 의미상 주어는 보통 「❶ [   ] + 명사/목적격 대명사」이지만, 사람의 성격이나 태도를 나타내는 형용사 뒤에는 「❷ [   ] + 명사/목적격 대명사」를 쓴다.

🖩 ❶ for ❷ of

대표 예제 4

다음 그림을 보고, 괄호 속 동사를 알맞은 형태로 바꿔 쓰시오.

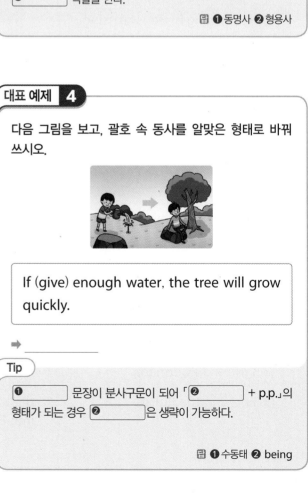

> If (give) enough water, the tree will grow quickly.

➡ _____

Tip

❶ [   ] 문장이 분사구문이 되어 「❷ [   ] + p.p.」의 형태가 되는 경우 ❷ [   ]은 생략이 가능하다.

🖩 ❶ 수동태 ❷ being

대표 예제 5

다음 중 괄호 속 동사의 형태가 바르게 짝지어진 것은?

> • When (ask) the question, she didn't answer.
> • Most of the musicians (perform) in the orchestra are in their 70s or older.

① asked ⋯ performed

② asked ⋯ performing

③ asking ⋯ performed

④ asking ⋯ performing

⑤ to ask ⋯ performed

Tip

분사가 수식하는 명사와의 관계가 능동이면 ❶[   ]를 쓰고, 수동이면 ❷[   ]를 쓴다.

답 ❶ 현재분사 ❷ 과거분사

대표 예제 6

다음 중 어법상 <u>어색한</u> 것은?

① It takes 30 minutes to get to school.

② It is an honor to be able to see you.

③ It is a big surprise for he to accept the offer.

④ It is a pity for Nicky to miss the opportunity.

⑤ It is unfortunate that we don't have enough time to see it.

Tip

to부정사의 의미상 주어는 보통 to부정사 앞에 「❶[   ] + 명사」로 나타내는데 명사 자리에 대명사가 올 경우에는 ❷[   ]의 형태로 써야 한다.

답 ❶ for ❷ 목적격

대표 예제 7

다음 두 문장의 뜻이 같도록 빈칸에 알맞은 말을 쓰시오.

> Since there was nothing to do, we went home.
> = There _____ nothing to do, we went home.

Tip

부사절을 분사구문으로 만들 때 ❶[   ]와 주어를 생략하고 동사를 ❷[   ]로 바꾼다. 이때 주절의 주어와 부사절의 주어가 일치하지 않으면 부사절의 주어를 남겨 둔다.

답 ❶ 접속사 ❷ 현재분사

대표 예제 8

다음 문장에서 어법상 <u>어색한</u> 부분을 찾아 밑줄을 긋고, 바르게 고쳐 쓰시오.

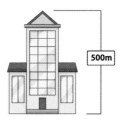

> When completing, the building will be 500 meters tall.

➡ _____

Tip

분사구문에 주어가 없을 경우는 주절의 주어와 일치해서 생략된 것으로 주절의 주어와 분사의 관계가 ❶[   ]이면 현재분사를, ❷[   ]이면 과거분사를 쓴다.

답 ❶ 능동 ❷ 수동

대표 예제 9

다음 중 밑줄 친 it의 쓰임이 나머지 넷과 다른 것은?

① Her husband found it without any difficulty.

② I find it surprising to see so many people here.

③ She took it for granted that everybody knew her.

④ Technology has made it possible to study online at home.

⑤ I don't think it proper to talk about someone who's not here.

Tip

5형식 문장의 목적어로 ❶[   ]나 명사절이 올 때 목적어 자리에 가목적어 ❷[   ]을 쓰고 진목적어는 문장 뒤로 보낸다.

답 ❶ to부정사 ❷ it

대표 예제 10

다음 그림을 보고, 주어진 표현을 바르게 배열해 완전한 문장을 쓰시오.

➡ _____

(she, found, the envelope, two concert tickets, opening)

Tip

접속사가 이끄는 부사절에서 접속사와 ❶[   ]를 생략하고 동사를 ❷[   ]로 바꾼 것이 분사구문이다.

답 ❶ 주어 ❷ 현재분사

대표 예제 11

다음 두 문장의 뜻이 같도록 빈칸에 알맞은 말을 쓰시오.

It seems that the dog understands what happened.

= The dog seems _____ _____ what happened.

Tip

'~인 것 같다'라는 의미의 「It seems ❶[   ] + 주어 + 동사」는 「seem + ❷[   ]」로 바꿔 쓸 수 있다.

답 ❶ that ❷ to부정사

대표 예제 12

다음 우리말을 영어로 바르게 옮긴 것은?

그 책을 다 읽는 것은 중요하다.

① It is important finish reading the book.

② Is important to finish reading the book.

③ It is important to finish reading the book.

④ That is important finish reading the book.

⑤ That is important to finish reading the book.

Tip

'~하는 것'이라는 뜻의 명사적 용법의 ❶[   ]가 주어일 때는 주어 자리에 가주어 ❷[   ]을 쓰고, 진주어인 to부정사를 문장 뒤에 쓸 수 있다.

답 ❶ to부정사 ❷ it

대표 예제 13

다음 중 어법상 어색한 것은?

① She had difficulty staying awake.

② It is worth hiking up the mountain.

③ There used to being a big tree around here.

④ Don't spend too much time playing video games.

⑤ I'm not used to reading without my glasses.

Tip

'한때는 ~했다'라는 표현은 「used to + ❶_____」을 쓰고, '~하는 것에 익숙하다'라는 표현은 be used to로 뒤에 ❷_____를 쓴다.

답 ❶동사원형 ❷-ing(동명사)

대표 예제 14

다음 우리말에 맞게 주어진 표현을 바르게 배열해 완전한 문장을 쓰시오.

> 날씨가 좋은 사진을 찍는 것을 더 어렵게 만들었다.

➡ _____

(it, made, harder, the weather, to take good pictures)

Tip

to부정사(구)가 ❶_____형식 문장의 목적어인 경우, 목적어 자리에 가목적어 ❷_____을 쓰고 진목적어인 to부정사(구)는 문장 뒤로 보낸다.

답 ❶5 ❷it

대표 예제 15

다음 중 우리말을 영어로 옮긴 것이 어색한 것은?

① 그 식당은 피자 하나만으로도 방문할 가치가 있다.
   ➡ The restaurant is worth visiting for its pizza alone.

② 나는 목소리를 높이지 않을 수 없었다.
   ➡ I couldn't help but raising my voice.

③ 당신과 일하는 것을 고대하고 있습니다.
   ➡ I am looking forward to working with you.

④ 그 개는 낯선 사람들 근처에 있는 것에 익숙하다.
   ➡ The dog is used to being around strangers.

⑤ 그는 여가 시간을 뜨개질을 하며 보낸다.
   ➡ He spends his free time knitting.

Tip

cannot help -ing는 '❶_____'라는 뜻으로 「cannot (help) but + ❷_____」으로 바꿔 쓸 수 있다.

답 ❶~하지 않을 수 없다 ❷동사원형

대표 예제 16

다음 그림을 보고, 주어진 표현을 바르게 배열해 완전한 문장을 쓰시오.

➡ _____

(was, the pool, too dirty, to swim in)

Tip

'너무 ~해서 …할 수 없는'은 「❶_____ + 형용사/부사 + ❷_____」로 표현한다.

답 ❶too ❷to부정사

1 다음 우리말을 영어로 바르게 옮긴 것은?

> 길을 따라 걷다가 나는 지갑을 발견했다.

① Walk along the street, I found a wallet.

② Walked along the street, I found a wallet.

③ Walking along the street, I found a wallet.

④ I Walked along the street, I found a wallet.

⑤ I Walking along the street, I found a wallet.

Tip

부사절을 분사구문으로 만들 때 보통 접속사와 주어를 ❶ [   ]하고 동사를 ❷ [   ]로 바꾼다.

目 ❶ 생략 ❷ 현재분사

2 다음 문장의 빈칸에 공통으로 알맞은 것은?

> • _____ is said that a cat has nine lives.
> • _____ can be useful to write down any ideas you think of.

① It   ② She   ③ That

④ What   ⑤ Which

Tip

to부정사(구)나 명사절이 문장의 주어로 쓰일 때 주어 자리에 가주어 ❶ [   ]을 쓰고 진주어를 문장 ❷ [   ]로 보낼 수 있다.

目 ❶ it ❷ 뒤

3 다음 중 괄호 속 동사의 형태가 바르게 짝지어진 것은?

> • He is busy (sell) the cookies.
> • The bananas are ripe enough for you (eat).

① sold ··· to eat   ② to sell ··· eaten

③ to sell ··· eating   ④ selling ··· eating

⑤ selling ··· to eat

Tip

be busy ❶ [   ]는 '~하느라 바쁘다'라는 뜻이고, 「형용사 + enough + ❷ [   ]」는 '···할 만큼 충분히 ~한'이라는 뜻이다.

目 ❶ -ing ❷ to부정사

4 다음 그림을 보고, 주어진 표현을 바르게 배열해 완전한 문장을 쓰시오.

➡ _____

(with, lie, bent, your knees, on your back)

Tip

'~가 ···한/된 채로'라는 뜻으로 동시동작을 나타낼 때 「❶ [   ] + 명사 + 분사」를 쓸 수 있다. 명사와 분사의 관계가 능동이면 현재분사를, ❷ [   ]이면 과거분사를 쓴다.

目 ❶ with ❷ 수동

5 다음 우리말에 맞게 주어진 단어를 이용해 빈칸에 알맞은 말을 쓰시오.

그는 버스를 타고 출근하는 것에 익숙하다.
➡ He _____ a bus to
work. (use, take)

Tip

'~하는 것에 익숙하다'는 be ❶ [_____] to -ing로 표현한다. to가 ❷ [_____]이므로 뒤에 동명사가 온다는 것에 주의한다.

᭴ ❶ used ❷ 전치사

7 다음 중 어법상 어색한 것은?

① I find it surprising to see him laugh.

② Some people believe possible to travel in space.

③ It means a lot to us for him to help our family.

④ It is always interesting to listen to his stories.

⑤ It is certain that she will succeed in business.

Tip

'~한 것'이라는 뜻의 ❶ [_____]가 5형식 문장의 목적어로 쓰일 때 목적어 자리에 가목적어 ❷ [_____]을 쓰고 진목적어는 문장 뒤에 쓴다.

᭴ ❶ to부정사 ❷ it

6 다음 중 그림의 내용을 바르게 묘사한 것은?

① The girl is too tall going on the ride.

② The girl is too tall to go on the ride.

③ The girl is not tall enough going on the ride.

④ The girl is not tall enough to go on the ride.

⑤ The girl is not enough tall to go on the ride.

Tip

'…할 만큼 충분히 ~한'이라는 뜻은 「형용사 + enough + ❶ [_____]」로 표현한다. 「❷ [_____] + 형용사 + to부정사」는 '너무 ~해서 …할 수 없는'이라는 뜻이다.

᭴ ❶ to부정사 ❷ too

8 다음 그림을 보고, 빈칸에 들어갈 말을 <보기>에서 골라 알맞은 형태로 바꿔 쓰시오.

➡ This is a photo _____ by Yunji. The people _____ in front of the house are her parents.

┌ 보기 ┐
take   stand

Tip

분사는 명사를 수식하는 형용사 역할을 한다. 명사와의 관계가 능동이면 ❶ [_____]를, 수동이면 ❷ [_____]를 쓴다.

᭴ ❶ 현재분사 ❷ 과거분사

누구나 합격 전략

1 다음 중 괄호 속 동사의 형태가 바르게 짝지어진 것은?

- After (finish) his homework, he was allowed to watch TV.
- The children (enjoy) the class, playing games and learning new skills.

① finish ··· to enjoy

② finished ··· enjoyed

③ finished ··· enjoying

④ finishing ··· enjoyed

⑤ finishing ··· enjoying

2 다음 우리말을 영어로 바르게 옮긴 것은?

그녀는 파티 음식을 준비하느라 바쁘다.

① She is busy prepare food for the party.

② She is busy prepares food for the party.

③ She is busy prepared food for the party.

④ She is busy preparing food for the party.

⑤ She is busy to prepare food for the party.

3 다음 문장의 빈칸에 공통으로 알맞은 것은?

- He found _____ convenient to shop for groceries online.
- Even thinking about it makes _____ hard for me to breathe.

① it   ② to   ③ so

④ that   ⑤ them

4 다음 중 우리말을 영어로 옮긴 것이 <u>어색한</u> 것은?

① 너무 밝아서 눈을 뜨고 있을 수가 없었다.

➡ It was too bright to keep my eyes open.

② 그 아기는 아직 걸을 만큼 충분히 나이가 들지 않았다.

➡ The baby is not enough old to walk yet.

③ 네가 규칙적으로 운동하는 것이 중요하다.

➡ It is important for you to exercise regularly.

④ 그녀는 파리에서 즐거운 시간을 보내고 있는 것 같다.

➡ She seems to be having a good time in Paris.

⑤ 네가 4살된 아이를 혼자 둔 것은 부주의했다.

➡ It was careless of you to leave a 4 year old alone.

서술형

5 다음 그림을 보고, 주어진 단어를 이용해 빈칸에 알맞은 말을 쓰시오.

➡ The bad weather kept us _____ to the beach. (go)

6 다음 중 어법상 <u>어색한</u> 것은?

① I need two apples cut in pieces.

② They found a boy hiding in a bedroom.

③ Who was the girl wearing the green dress?

④ There was a chair painted white in the yard.

⑤ A salad fork is a small fork using for eating salads.

서술형

7 다음 두 문장의 뜻이 같도록 빈칸에 알맞은 말을 쓰시오.

> The bag is so heavy that she can't carry it.
> = The bag is too heavy ＿＿＿＿＿＿＿.

서술형

8 다음 표지판을 보고, 주어진 표현을 바르게 배열해 완전한 문장을 쓰시오.

➡ ＿＿＿＿＿＿＿＿＿＿＿＿＿＿＿＿
＿＿＿＿＿＿＿＿＿＿＿＿＿＿＿＿

(it is, without, dangerous, wearing a helmet, to ride a bike)

---

9 다음 중 짝지어진 두 문장의 뜻이 일치하지 <u>않는</u> 것은?

① It is too cold for us to go swimming.
= It is so cold that we can't go swimming.

② It seemed that he was surprised to see her.
= He seemed to be surprised to see her.

③ As I was confused by what he said, I just stared at him.
= Confusing by what he said, I just stared at him.

④ He was sitting there with his coffee getting cold.
= He was sitting there while his coffee was getting cold.

⑤ He was wearing a black suit with his hair brushed back.
= He was wearing a black suit, and his hair was brushed back.

서술형

10 다음 우리말에 맞게 주어진 표현을 바르게 배열해 완전한 문장을 쓰시오.

> 가게에 들어가자마자 그녀는 곧장 유제품 코너로 걸어갔다. (on, she, walked, entering the store, straight to the dairy section)
> ➡ ＿＿＿＿＿＿＿＿＿＿＿＿＿＿
> ＿＿＿＿＿＿＿＿＿＿＿＿＿＿

1 다음은 Ivan과 Molly가 나눈 휴대전화 문자 메시지이다. 자연스러운 대화가 되도록 빈칸에 〈보기〉의 단어를 알맞은 형태로 바꿔 쓰시오.

Ivan
What are you doing today? I feel like _____. Do you want to go with me?

Molly
Sorry, I can't. I'm busy _____ my brother with his homework. He is having difficulty _____ his math homework.

Ivan
I see. It's okay. See you on Monday!

┌ 보기 ┐
| do | go | shop | help |

2 다음 인터뷰 장면을 보고, 빈칸에 알맞은 말을 넣어 문장을 완성하시오.

(1) Justin finds _____ difficult _____ with rude customers.

(2) _____ is difficult _____ Karen _____ heavy plates.

Tip
동명사를 쓰는 관용적인 표현에는 feel ❶ _____ -ing (~하고 싶다), go -ing (~하러 가다), be busy -ing (~하느라 바쁘다), have ❷ _____/trouble -ing (~하는 데 어려움을 겪다) 등이 있다.

❶ like ❷ difficulty

Tip
to부정사(구)가 주어 또는 ❶ _____ 문장의 목적어로 쓰일 때, 주어나 목적어 자리에 가주어·가목적어 it을 쓰고 to부정사(구)는 문장 뒤에 보낼 수 있다. 이때 의미상 주어는 to부정사 앞에 보통 「❷ _____ + 명사/목적격 대명사」로 나타낸다.

❶ 5형식 ❷ for

3 다음 그림을 보고, 빈칸에 〈보기〉의 단어를 알맞은 형태로 바꿔 쓰시오.

Today is Tom's birthday. The boy _____ out the candles is Tom. The girl _____ a picture is Tom's sister. Soon, they will enjoy the cake _____ by their mom.

┌ 보기 ├─────────────────
　　　make　　　take　　　blow
└──────────────────────

4 다음 지훈이에게 있었던 일에 관해 쓴 글을 완성하시오.

Step 1 어울리는 내용끼리 연결한다.

(1) After I ate the food,　　　・　　　・ⓐ the food went bad.

(2) Since it was left out,　　　・　　　・ⓑ I ate it.

(3) As I didn't know the food was spoiled,　　　・　　　・ⓒ I had a stomachache.

Step 2 위 내용을 분사구문으로 바꿔 일기를 완성한다.

My brother forgot to put the leftovers in the fridge. _____, the food went bad. _____, I ate it. _____, I had a stomachache. Now I feel better, but it was careless of me not to check the food before eating.

* fridge 냉장고

5 다음은 Tom과 Jessica가 나눈 휴대전화 문자 메시지이다. 자연스러운 대화가 되도록 빈칸에 알맞은 말을 〈조건〉에 맞게 완성하시오.

> **Tom** Are you going to take part in any races on Sports Day?
>
> **Jessica** Sure. I'm going to run a 100 meter race.
>
> **Tom** Wow, I'm _____ _____ you at the race.
>
> **Jessica** I'm not sure I'll win the race.
>
> **Tom** You can make it. Just do your best.
>
> **Jessica** Thanks for encouraging me.

┌─ 조건 ─────────────────────────┐
1. 주어진 어구를 이용할 것
   (see, look forward to)
2. 동명사를 사용할 것
└──────────────────────────────┘

6 다음 그림을 보고, 주어진 표현을 이용해 분사구문이 쓰인 문장을 완성하시오.

(1)

➡ _____ the toilet paper roll nearly empty, he felt _____.
(find, embarrass)

(2)

➡ _____, Jessie took medicine. (feel well)

Tip
동명사를 이용한 주요 표현에는 on -ing(~하자마자), ❶ _____ -ing(~할 가치가 있는), look forward ❷ _____ -ing(~하기를 고대하다) 등이 있다.

🔒 ❶ worth ❷ to

Tip
분사구문의 부정형은 분사구문 ❶ _____ 에 부정어 ❷ _____ , never 등을 쓴다.

🔒 ❶ 앞 ❷ not

7 다음은 Kelly와 Alex가 나눈 휴대전화 문자 메시지이다. 자연스러운 대화가 되도록 빈칸에 〈보기〉의 단어를 알맞은 형태로 바꿔 쓰시오.

> **Kelly** Hey, Alex. What did you do over the weekend?
>
> **Alex** I went to the art gallery. I saw the pictures (1) _____ by Gustav Klimt.
>
> **Kelly** Really? Did you see the picture which describes a mother (2) _____ her baby.
>
> **Alex** Sure. I think it's a quite (3) _____ work of art.
>
> **Kelly** I couldn't agree more.

┌ 보기 ┐
| paint   amaze   hold |

8 다음 그림을 보고, 주어진 단어 카드를 이용해 대화를 완성하시오. 단, 각 빈칸에 7단어로 쓰시오.

| too | two cars | enough | wide |
| to | narrow | pass | for |

A: The roads seems _____

_____.

B: Yeah, we should make it _____

_____.

BOOK 1 마무리 **전략**

1~2 빈칸에 알맞은 말을 〈보기〉에서 골라 넣어 만화를 완성하시오.

1

Where are you? I ❶ _____ _____ _____ for you for 30 minutes.

I'll be there in 5 minutes. Sorry.

I found out that I ❷ _____ _____ my phone at home, so I had to go back home. That's why I was late.

Okay, hurry up and remember that cellphones ❸ _____ _____ .

보기
be   been   have   had   turned   left   waiting   should   off

2

Wow! The box is filled ❶ _____ cookies.

I saw that dog ❷ _____ over the fence.

The dog ❸ _____ all the cookies.

보기
for   with   jumped   jumping   eaten   have   must   should

3 길을 따라 가며 주어진 표현이나 문장을 지시대로 바꾸어 문장을 다시 쓰시오.

❶ (impossible, it, her, to persuade, found, I)   ➡ _____

❷ It was careless to spill the milk.   ➡ _____

❸ I was so scared that I couldn't go outside.   ➡ _____

❹ My grandmother is so healthy that she can travel alone.
   ➡ _____

❺ The museum is worth (visit).   ➡ _____

❻ The police found the jewelry (hide) in her apartment.
   ➡ _____

❼ The girl (sing) on the stage is my sister.   ➡ _____

❽ As he waved to his friends, he ran along the platform.
   ➡ _____

❾ Because she didn't want to hurt his feelings, she kept silent.
   ➡ _____

❿ Justin was standing with his arms fold.   ➡ _____

신유형·신경향·서술형 전략

1 다음 그림을 보고, 빈칸에 알맞은 말을 〈보기〉에서 골라 쓰시오. (단, 필요한 경우 형태를 바꿀 것)

> 보기
>
> read   rest   find   take

(1)

➡ The man isn't used to _____ a map. He has difficulty _____ his way.

(2)

➡ The woman is busy _____ care of three children. She feels like _____ alone.

Tip

be ❶ [_____] to -ing는 '~하는 것에 익숙하다'라는 뜻으로 이때 to는 to부정사를 나타내는 to가 아니라 ❷ [_____]임에 유의한다.

🗝 ❶ used ❷ 전치사

2 다음을 어울리는 내용끼리 연결하고, 분사구문을 이용한 문장으로 다시 쓰시오.

(1) Since I didn't eat breakfast, ·   · ⓐ he took a nap.

(2) When they heard the news, ·   · ⓑ I was hungry.

(3) Because he felt tired,   ·   · ⓒ they were shocked.

(1) _____, I was hungry.

(2) _____, they were shocked.

(3) _____, he took a nap.

Tip

부사절을 분사구문으로 만들 때 부사절과 주절의 주어 및 시제가 일치하면 접속사와 ❶ [_____]를 생략하고 동사를 ❷ [_____]로 바꾼다.

🗝 ❶ 주어 ❷ 현재분사

3 다음 그림을 보고, 주어진 표현을 바르게 배열해 질문에 알맞은 답을 완성하시오.

Q: How long have you been waiting for the bus?

A: I _____ .

(for the bus, waiting, have, for 30 minutes, been)

4 다음 〈보기〉와 같이 밑줄 친 부분을 주어로 하는 문장을 쓰시오.

┌ 보기 ┐

They are building a tower.

➡ A tower is being built.

(1) They will turn on the street lamps at 8 o'clock.

➡ _____

(2) They have elected the president.

➡ _____

(3) They are selling the flowers in the market.

➡ _____

(4) We will complete the project by December.

➡ _____

5 다음 그림을 보고, 〈보기〉와 같이 빈칸에 알맞은 말을 쓰시오.

Tip

목적격 보어로 동사가 올 때 일반적으로는 to부정사를 쓰지만 '~로 하여금 …하게 하다'라는 뜻을 가진 ❶ [　　　] 가 오면 ❷ [　　　] 을 취한다.

립 ❶ 사역동사 ❷ 동사원형

┌ 보기 ┐

➡ His mother asked him <u>to turn down</u> the music.

(1)

➡ Her brother let her _____ his laptop.

(2)

➡ His friend helped him _____ the classroom.

6 다음 일기를 보고, ①~④ 중 어법상 어색한 문장을 찾아 바르게 고쳐 쓰시오.

Tip

'~하기를 고대하다'라는 표현은 look forward to ❶ [　　　] 로 쓰는데 여기서 to는 ❷ [　　　] 이다.

립 ❶ -ing(동명사) ❷ 전치사

Saturday, May 11th

I went to the baseball stadium with my father. ①The stadium was crowded with many baseball fans. ②All the people watching the game looked so excited. ③I looked forward to see my favorite player. ④But he didn't come out to play because he had been injured. Anyway, my team won, and I felt happy.

(1) 어색한 문장: _____

(2) 바르게 고친 문장:

　➡ _____

7 다음 그림을 보고, 주어진 표현을 이용해 빈칸에 알맞은 말을 쓰시오.

(1)

"Hi! Bonjour! Guten Tag!"

Kate is so smart that she can speak three languages.
(enough to)

➡ Kate is _____ three languages.

(2)

The T-shirt is so big that John can't wear it. (too ~ to)

➡ The T-shirt is _____.

Tip

'…할 만큼 충분히 ~한/하게'는 「형용사/부사 + ❶[   ] + to부정사」로, '너무 ~해서 …할 수 없는'은 「❷[   ] + 형용사/부사 + to부정사」로 쓴다. 또, to부정사의 의미상 주어는 보통 to부정사 앞에 「for + 명사/목적격 대명사」로 쓴다.

📖 ❶ enough ❷ too

8 다음 그림을 보고, 〈보기〉와 같이 주어진 표현을 이용해 빈칸에 알맞은 말을 쓰시오.

┌─ 보기 ├─
The man looking at his stopwatch is Mr. Park, my P.E. teacher.
(look at his stopwatch)
└──────

(1) The boys _____. (play basketball)

(2) The girl _____. (read a book)

(3) The girls _____. (run on the track)

Tip

'~하는, ~하고 있는'의 능동과 진행의 의미를 가진 ❶[   ]가 단독으로 명사를 수식하면 명사 앞에 쓰고 수식어구가 붙어 있으면 명사 ❷[   ]에 쓴다.

📖 ❶ 현재분사 ❷ 뒤

적중 예상 전략 | ①

1 다음 중 빈칸에 알맞은 말이 순서대로 바르게 짝지어진 것은?

> • My parents don't allow me _____ camping with my friends.
> • My teacher let me _____ home early.

① go ⋯ go
② go ⋯ to go
③ to go ⋯ go
④ to go ⋯ to go
⑤ go ⋯ going

2 다음 중 문장 전환이 바르지 <u>않은</u> 것은?

① I learn to play the violin.
（현재완료진행으로）➡ I have been learning to play the violin.

② The mystery novel sold out.
（과거완료로）➡ The mystery novel had sold out.

③ A family photo is taken.
（현재진행으로）➡ A family photo is being taken.

④ The washing machine is fixed by an engineer.
（현재완료로）➡ The washing machine has being fixed by an engineer.

⑤ The tennis game was called off.
（미래시제로）➡ The tennis game will be called off.

3 다음 중 주어진 문장과 의미가 같은 것은?

> I had to listened to my father, but I didn't.

① I may have listened to my father.
② I must have listened to my father.
③ I could have listened to my father.
④ I would have listened to my father.
⑤ I should have listened to my father.

4 다음 각 문장의 빈칸에 쓸 수 <u>없는</u> 것은?

> • Koreans are well-known _____ being polite.
> • Are you worried _____ the final test?
> • The basket was filled _____ fresh fruit.
> • I'm not interested _____ rumors.

① at
② in
③ for
④ with
⑤ about

5 다음 문장의 빈칸에 공통으로 알맞은 것은?

> • Did you see the girl _____ the piano?
> • The man has been _____ the guitar in the band since he was 20.

① play ② played ③ playing
④ to play ⑤ had played

6 다음 우리말을 영어로 옮길 때 필요한 말이 <u>아닌</u> 것은?

> 그녀가 나에게 거짓말을 했을 리가 없다.

① have ② may ③ can't
④ to ⑤ lied

7 다음 중 빈칸에 알맞은 말이 순서대로 바르게 짝지어진 것은?

> • The swimmer was not satisfied _____ his record.
> • The museum is known _____ Dali's paintings.
> • Are you tired _____ eating cereal as breakfast?

① of … for … with
② of … with … to
③ with … of … to
④ to … with … of
⑤ with … for … of

8 다음 우리말을 영어로 바르게 옮긴 것은?

> 그는 지하철에 가방을 두고 내린 것을 깨달았다.

① He realized that he leaves his bag in the subway.

② He realized that he left his bag in the subway.

③ He realized that he had left his bag in the subway.

④ He had realized that he left his bag in the subway.

⑤ He had realized that he had left his bag in the subway.

9 다음 중 어법상 옳은 것을 <u>모두</u> 고르면?

> ⓐ When I visited Mina's house, her party has been already over.
> ⓑ His bike was stolen last night.
> ⓒ She saw Tom to talk with Cathy.
> ⓓ I should have finished the project.

① ⓐ, ⓑ ② ⓐ, ⓒ ③ ⓑ, ⓓ
④ ⓐ, ⓑ, ⓓ ⑤ ⓑ, ⓒ, ⓓ

10 다음 문장의 빈칸에 알맞지 <u>않은</u> 것은?

> I _____ my sister sing a song.

① let   ② saw   ③ made

④ heard   ⑤ wanted

11 다음 우리말을 영어로 바르게 옮긴 것은?

> 이 드레스는 드라이클리닝을 해야 한다.

① This dress must dry-clean.

② This dress should dry-cleaned.

③ This dress is dry-cleaned.

④ This dress must to be dry-cleaned.

⑤ This dress must be dry-cleaned.

12 다음 중 빈칸에 알맞은 말이 바르게 짝지어진 것은?

> • The painting will _____ by February.
> • My favorite song is _____ in the cafe.
> • The building has _____ for 2 years.

① exhibit ⋯ playing ⋯ built

② exhibited ⋯ played ⋯ built

③ exhibit ⋯ being played ⋯ being built

④ be exhibited ⋯ being played ⋯ been built

⑤ be exhibited ⋯ been played ⋯ been built

13 다음 우리말을 영어로 옮길 때 빈칸에 알맞은 것은?

> Olivia는 마지막 시험에서 좋은 점수를 얻었다. 그녀는 아주 열심히 공부했음에 틀림없다.
> ➡ Olivia got a great score on the final test. She _____ very hard.

① may have studied

② must have studied

③ should have studied

④ cannot have studied

⑤ shouldn't have studied

14 다음 문장의 빈칸에 공통으로 알맞은 것은?

> • Chris is pleased _____ the result.
> • The city was covered _____ volcanic ash.

① to   ② for   ③ with

④ of   ⑤ from

서술형

15 다음 문장을 부정문과 의문문으로 바꿔 쓸 때 빈칸에 알맞은 말을 쓰시오.

> Sujin had met her uncle before.
> (부정문) ➡ Sujin _____ her uncle before.
> (의문문) ➡ _____ her uncle before?

서술형

16 다음 그림을 보고, 〈보기〉와 같이 주어진 표현을 이용하여 그림을 설명하는 문장을 완성하시오.

보기
Dad <u>has been sleeping on the couch for two hours.</u> (sleep on the couch)

(1) I _____ .
    (read a book)

(2) Mom _____ .
    (talk on the phone)

(3) It _____ .
    (snow)

서술형

17 다음 두 문장의 뜻이 같도록 빈칸에 알맞은 말을 쓰시오.

I regret that I didn't go to the concert.
= I _____ to the concert.

서술형

18 다음은 교실 청소 후 확인해야 할 사항을 나열한 것이다. 〈보기〉와 같이 수동태로 바꿔 다시 쓰시오.

Checklist

• We should close the windows.
(1) We should turn off the lights.
(2) We should lock the door.

보기
The windows should be closed.

(1) _____

(2) _____

서술형

19 다음 그림을 보고, 빈칸에 알맞은 말을 쓰시오.

On coming back home, Minsu went to bed. He _____ very tired.

적중 예상 전략 | ❷

1 다음 중 빈칸에 알맞은 말이 바르게 짝지어진 것은?

> • He used to _____ in London.
> • She is not used to _____ her new car.

① live ⋯ drive

② live ⋯ driving

③ living ⋯ drive

④ living ⋯ driving

⑤ living ⋯ be driven

2 다음 중 우리말을 영어로 잘못 옮긴 것은?

① 선생님은 시험지 채점을 하느라 바쁘다.
  ➡ The teacher is busy grading test papers.

② 나는 이번 주말에 아빠와 낚시를 하러 갈 것이다.
  ➡ I'm going to go fishing with my dad this weekend.

③ 그녀는 용돈의 대부분을 쇼핑하는 데 썼다.
  ➡ She spent most of her allowance on shopping.

④ 궂은 날씨는 우리가 소풍가는 것을 막았다.
  ➡ The bad weather kept us for going on a picnic.

⑤ 그 유적지는 보존할 가치가 있다.
  ➡ The historical site is worth conserving.

3 다음 중 밑줄 친 부분이 어법상 어색한 것은?

① Don't eat <u>burnt</u> food.

② Look at the <u>shining</u> stars.

③ Let's have <u>fried</u> chicken for dinner.

④ He couldn't move his <u>breaking</u> arm.

⑤ There was a lot of <u>boiling</u> water in the pot.

4 다음 중 밑줄 친 It의 쓰임이 나머지 넷과 다른 것은?

① <u>It</u> is far from here to the hospital.

② <u>It</u> is impossible to live without air.

③ <u>It</u> is not easy to take care of a baby.

④ <u>It</u> is important to make good friends.

⑤ <u>It</u> is difficult to learn a foreign language.

5 다음 중 밑줄 친 crying의 쓰임이 나머지 넷과 다른 것은?

① I heard someone <u>crying</u> last night.

② Watching the sad movie, I couldn't help <u>crying</u>.

③ She calmed the <u>crying</u> boy.

④ My mother was <u>crying</u> when I waved her goodbye.

⑤ Do you know the little girl <u>crying</u> over there?

6 다음 중 빈칸에 들어갈 말이 나머지 넷과 <u>다른</u> 것은?

① _____ is not easy to break old habits.

② I made _____ a rule to walk my dog in the evening.

③ _____ is important to pursue your dream.

④ I found _____ hard to believe the news.

⑤ The room was so dark _____ I couldn't recognize anything.

7 다음 중 빈칸에 알맞은 말이 순서대로 바르게 짝지어진 것은?

A: Who's the old woman _____ cookies?

B: She's my grandmother. I especially love the chocolate cookies _____ by her.

① make ··· made　　② making ··· made

③ made ··· made　　④ made ··· making

⑤ making ··· making

8 다음 중 빈칸에 알맞은 말이 같은 것끼리 짝지어진 것은?

ⓐ The jeans are too big _____ me to wear.

ⓑ Is it easy _____ you to stand on your hands?

ⓒ It was honest _____ him to take the wallet to the police.

ⓓ It would be nice _____ you to invite them to dinner.

① ⓐ, ⓑ　　② ⓐ, ⓓ　　③ ⓑ, ⓒ

④ ⓑ, ⓓ　　⑤ ⓐ, ⓑ, ⓒ

9 다음 중 짝지어진 두 문장의 뜻이 같지 <u>않은</u> 것은?

① She is too shy to sing on the stage.

= She is so shy that she can't sing on the stage.

② While I was walking down the street, I met my old friend.

= Walking down the street, I met my old friend.

③ It seems that he is very upset.

= He seems to be very upset.

④ The concert hall was big enough to hold thousands of people.

= The concert hall was so big that it couldn't hold thousands of people.

⑤ I find it difficult to cook.

= I have difficulty in cooking.

10 다음 문장의 빈칸에 알맞은 것은?

> She was thinking hard _____ her eyes closed.

① at   ② by   ③ for

④ for   ⑤ with

11 다음 중 어법상 옳은 것의 개수는?

> ⓐ They seem to knowing each other for a long time.
> ⓑ Where did you get these pictures taken?
> ⓒ Given more time, I can finish the report.
> ⓓ Having not time for breakfast, I skipped it.
> ⓔ Left outside in the rain, the laundry got all wet.

① 1개   ② 2개   ③ 3개

④ 4개   ⑤ 5개

12 다음 두 문장의 뜻이 같도록 빈칸에 알맞은 것은?

> Some people are so poor that they can't buy food.
> = Some people are _____ food.

① poor enough to buy

② enough poor to buy

③ enough poor not to buy

④ too poor not to buy

⑤ too poor to buy

13 다음 중 우리말을 영어로 옮길 때 빈칸에 알맞은 말이 바르게 짝지어진 것은?

> • 그녀는 라디오를 켜둔 채로 낮잠을 잤다.
> ➡ She took a nap with the radio _____ on.
> • 나는 해외여행을 가고 싶다.
> ➡ I feel like _____ abroad.

① turn ⋯ travel

② turning ⋯ to travel

③ turn ⋯ traveling

④ turned ⋯ traveling

⑤ turned ⋯ to travel

서술형

14 다음 문장을 〈보기〉와 같이 분사구문을 이용해 바꿔 쓰시오.

> ┤ 보기 ├
> He listened to the music. His fingers were tapping on the table.
> ➡ He listened to the music with his fingers tapping on the table.

(1) She watched the show. Her eyes were shining.
　➡ She watched the show _____ _____.

(2) The old man is reading a magazine. His legs are crossed.
　➡ The old man is reading a magazine _____.

15 다음 문장에서 어법상 어색한 부분을 찾아 밑줄을 긋고, 바르게 고쳐 쓰시오.

> It was difficult to understanding what the teacher explained.

➡ _____

16 다음 그림을 보고, 빈칸에 주어진 단어를 바르게 배열해 쓰시오.

➡ She has _____ .

(to, ten, make, flour, cakes, enough)

17 다음과 같이 주어를 바꿀 때, 빈칸에 알맞은 말을 써서 문장을 완성하시오.

> It seems that she has difficulty speaking in public.
> = She _____ .

18 다음 그림을 보고, 주어진 단어를 이용해 빈칸에 알맞은 말을 쓰시오.

(1)　　　　　　　　(2)

(1) He had his leg _____ in the soccer game. (break)

(2) I have to get my room _____ before noon. (clean)

19 다음 그림을 보고, 〈보기〉와 같이 분사구문과 주어진 표현을 이용해 문장을 완성하시오.

보기

Watching TV, Somi's mother is running on the treadmill. (watch TV)

(1) _____, Somi is sending a text message. (listen to music)

(2) _____, Somi's father is reading a newspaper. (drink coffee)

고득점을 예약하는 내신 대비서

문법·쓰기

영어전략

중학3

시험에 잘 나오는

개념BOOK 2

천재교육

영어전략

영어전략
중학 3

시험에 잘 나오는
개념BOOK 2

차례

개념BOOK 하나면
영어 공부 끝!

개념 01 관계대명사

>> 정답 p. 40

- 관계대명사는 명사와 그 명사를 꾸며 주는 절을 연결하는 ❶ [   ] 역할과 대명사 역할을 동시에 한다. 관계대명사가 꾸며 주는 명사를 ❷ [   ]라고 한다.
- 선행사가 무엇인지, 관계대명사가 관계사절에서 어떤 역할을 하는지에 따라 각각 다른 관계대명사를 쓴다.

선행사 \ 관계대명사의 격	주격	소유격	목적격
사람	who	❸ [ ]	who(m)
동물, 사물	which	whose	which
사람, 동물, 사물	that	–	that
선행사 포함	what	–	what

> 관계대명사 what은
> the thing(s) which/that으로
> 바꿔 쓸 수도 있어.

답 ❶ 접속사 ❷ 선행사 ❸ whose

바로 확인

다음 괄호 안에서 알맞은 것을 고르시오.

❶ I don't know the player (who / whose) won a gold medal.

❷ She has a watch (who / which) can check her health condition.

❸ The students read (that / what) their teacher wrote on the board.

● 주격 관계대명사는 관계사절에서 ❶ ⬜ 역할을 하기 때문에 뒤에 동사가 온다. 이때 동사는 ❷ ⬜ 에 수를 일치시킨다.

The girl is Lisa. **She** is wearing sunglasses.

➡ The girl **who** *is wearing* sunglasses is Lisa.
  관계대명사   동사

> The girl who lies on her back with her knees bent is Helen.

🔑 ❶ 주어 ❷ 선행사

바로 확인

다음 괄호 안에서 알맞은 것을 고르시오.

❶ Wendy made the cookies (that / who) were sold out at the flea market.

❷ Look at the mountain which (is / are) covered with snow.

❸ I have to read the books which (is / are) recommended by my teacher.

개념 03 목적격 관계대명사

>> 정답 p. 40

● 목적격 관계대명사는 관계사절에서 [❶   ] 역할을 하므로 뒤에 「❷   」 + 동사」가 온다.

The movie is based on a SF novel. He likes **the movie**.

➡ The movie **which/that** *he likes* is based on a SF novel.
           관계대명사   주어 + 동사

The car which I bought a few days ago is too big.

답 ❶ 목적어 ❷ 주어

바로 확인

다음 문장의 밑줄 친 관계대명사가 주격인지, 목적격인지 쓰시오.

❶ Helen is one of the students <u>who</u> helped a disabled classmate study.

                _____

❷ This is the smartphone <u>which</u> my son wants to buy.   _____

❸ He has to return the tablet computer <u>that</u> his brother lent to him.

                _____

04 관계대명사의 계속적 용법

>> 정답 p. 40

- 선행사가 있는 주절과 관계대명사 사이에 **❶**⬚⬚⬚⬚⬚ 가 있을 경우, 관계사절은 선행사에 대한 설명을 덧붙이는 역할을 하므로 관계사절이 없어도 주절의 의미는 변하지 않는다. 이런 경우의 관계대명사를 **❷**⬚⬚⬚⬚⬚ 용법의 관계대명사라고 하고, 관계대명사 **that**은 계속적 용법으로 사용하지 않는다.
- 계속적 용법의 관계대명사는 의미에 따라 「접속사 + 대명사」로 바꿔 쓸 수 있다.
  I've never seen my cousin, **who** lives in Madrid.
  　　　　　　　　　　= and he
- 앞 문장 전체가 선행사일 경우 관계대명사 **❸**⬚⬚⬚⬚⬚ 를 사용한다. 앞 문장 전체를 선행사로 하는 계속적 용법의 주격 관계대명사 뒤의 동사는 단수 취급한다.

계속적 용법의 해석은 문장 맨 앞에 있는 주절부터 차례대로 해.

답 ❶ 콤마(,) ❷ 계속적 ❸ which

바로 확인

다음 문장의 밑줄 친 부분을 한 단어로 바꿔 쓰시오.

❶ Robin takes care of a dog, and it doesn't like to go for a walk.

　➡ _____

❷ Tommy wants to meet Mr. Son, and he is now in London.

　➡ _____

관계대명사 whom

>> 정답 p. 40

- 사람을 수식하는 목적격 관계대명사인 whom은 ❶ [   ]로 대신해 쓰는 경우가 많다. 하지만 전치사 뒤에서 ❷ [   ]의 목적어로 쓰인 경우에는 반드시 whom을 써야 한다.

  There were many interesting people **whom/who** he met on the trip.

  She is my neighbor *from* **whom** I borrowed the book.

- 전치사가 관계사절 맨 뒤에 올 때는 관계대명사 that을 쓸 수도 있다.

  He is the boy **that** they were talking *about*.

> That is the robber who(m) the police was chasing.

답 ❶ who ❷ 전치사

바로 확인

다음 괄호 안에서 알맞은 것을 고르시오.

❶ I know the boy (whom / which) my sister likes.

❷ She is the lawyer with (who / whom) Bobby has worked for 10 years.

❸ Jen is the person (whom / which) I was very close to.

개념 06 관계대명사 that

>> 정답 p. 41

- 관계대명사 that이 주로 쓰이는 경우
  ① 선행사가 「사람 + 동물」, 「사람 + 사물」인 경우 또는 선행사에 [❶   ] 표현
     이 있을 경우
  ② 선행사가 first, the only, the very 등의 수식을 받는 경우
- 관계대명사가 전치사 뒤에서 전치사의 목적어로 쓰이거나, 콤마(,)가 있는
  [❷   ] 용법으로 쓰일 때는 that을 쓸 수 없다.
  This is the cat *about* **that** he was talking. (X)
  She finished writing a new novel, **that** was amazing. (X)

This is the very car that we have been looking for.

답 ❶ 최상급 ❷ 계속적

바로 **확인**

다음 괄호 안에서 알맞은 것을 고르시오.

❶ Ellen was the first student (that / whom) came to school.

❷ She is the lady for (whom / that) my brother bought a gift.

❸ I donate blood once a month, (that / which) is my pleasure.

개념 07 관계대명사의 생략

>> 정답 p. 41

- 「주격 관계대명사 + be동사」나 ❶ [　　　　] 관계대명사는 생략할 수 있지만, 전치사 바로 뒤에서 목적어로 쓰인 관계대명사나 콤마(,) 뒤에 쓰인 ❷ [　　　　] 용법의 관계대명사는 생략하지 않는다.

The girl **(who is)** dancing on the stage is my best friend.
　　　　　생략 가능(주격 관계대명사 + be동사)

The DJ *with* **whom** our band performed is very talented.
　　　　　생략 불가능(전치사 with의 목적어로 쓰인 관계대명사)

The lady (who is) trying to put a big trunk in the car is my aunt.

답 ❶ 목적격 ❷ 계속적

바로 확인

다음 문장에서 생략이 가능한 곳을 찾아 밑줄을 그으시오.

❶ The TV drama which we are watching is very interesting.

❷ Jenny wants to meet the dancer who is performing on the stage.

❸ Smith is looking for a person whom he can play soccer with.

개념 08 관계부사 (1)

>> 정답 p. 41

- 관계부사는 장소, 시간, 이유, 방법의 의미를 갖는 명사와 그 명사를 꾸며 주는 절을 연결하는 접속사와 ❶ [   ] 역할을 동시에 한다.
- 관계부사는 「❷ [   ] + 관계대명사」로 바꿔 쓸 수 있다.

선행사	관계부사	전치사 + 관계대명사
장소	where	at/in/on/to which
시간	when	at/on/in which
이유	why	for which
방법	how	in which

The reason why we look carefully this sign is for our safety.

답 ❶ 부사 ❷ 전치사

바로 **확인**

다음 문장의 빈칸에 알맞은 말을 쓰시오.

❶ This is the bookstore _____ I had a part-time job.

❷ We don't know the reason _____ she went alone.

❸ I still remember the day _____ you entered elementary school.

관계부사 (2)

>> 정답 p. 41

- **❶**[　　　]을 나타내는 선행사 the way는 관계부사 **❷**[　　　]와 함께 쓰지 않으므로 반드시 둘 중 하나만 써야 한다.

Please tell me **how** you solved the crossword puzzle.

Please tell me **the way** you solved the crossword puzzle.

Please tell me **the way how** you solved the crossword puzzle. (X)

My father explained to me how he fixed the bike.

답 **❶** 방법 **❷** how

바로 확인

다음 두 문장의 뜻이 같도록 빈칸에 알맞은 말을 쓰시오.

❶ Smartphones have changed the way we communicate.

➡ Smartphones have changed ＿＿＿＿＿ we communicate.

❷ I like how she works.

➡ I like ＿＿＿＿＿ ＿＿＿＿＿ she works.

>> 정답 p. 42

개념 10 관계대명사와 관계부사 구별

- 관계대명사인지 관계부사인지를 결정하는 것은 관계사절에서의 역할이다. 관계대명사는 관계사절에서 ❶ [   ] 역할을 하기 때문에 뒤에 불완전한 문장이 온다.
- 관계부사는 관계사절에서 ❷ [   ] 역할을 하기 때문에 뒤에 완전한 문장이 온다.

답 ❶ 대명사 ❷ 부사

바로 확인

다음 우리말을 영어로 옮길 때 빈칸에 알맞은 말을 쓰시오.

❶ 이것은 내 막내 여동생이 좋아하는 동화책이다.

　➡ This is the storybook _____ my youngest sister likes.

❷ 여기가 내가 가장 좋아하는 밴드가 작년에 공연을 했던 그 경기장이다.

　➡ This is the stadium _____ my favorite band performed last year.

개념 11 관계부사의 생략

>> 정답 p. 42

- the place(장소), the time(시간), the way(방법), the reason(이유) 등 일반적 의미의 선행사가 올 경우 선행사 또는 [   ]를 생략할 수 있다.

  This is the place (where) they enjoy the summer vacation every year.

  선행사 the place 또는 관계부사 where 생략 가능

관계부사 대신 that을 쓰기도 해.

선행사 the way와 관계부사 how는 반드시 둘 중 하나만 쓰는 거야.

This is the room (where) I study at night.

🖺 관계부사

바로 확인

다음 문장에서 밑줄 친 부분이 생략이 가능하면 O표, 아니면 X표를 하시오.

❶ That is the reason <u>why</u> she was surprised.

❷ He doesn't know <u>the place</u> where he lost his wallet.

❸ Monday is <u>when</u> I don't like to go to work.

12 부사절을 이끄는 종속접속사

>> 정답 p. 42

- 시간, 이유, 결과, 대조, 목적 등 다양한 의미를 나타내는 부사절을 주절과 연결하는 접속사를 **❶** 라고 한다.

while	~하는 동안(시간), ~인 반면(대조)
as	~할 때(시간), ~하는 동안에(시간), ~ 때문에(이유)
❷	~한 이후로(시간), ~ 때문에(이유)
as soon as	~ 하자마자(시간)
though/although/even though	비록 ~일지라도/지만(양보)
so ~ that	매우 ~해서 …하다(결과)
so that	~하기 위하여(목적)

부사절이 문장 앞에 쓰이고 주절이 뒤에 오는 경우 부사절 뒤에 콤마(,)를 써.

답 ❶ 종속접속사 **❷** since

바로 확인

다음 괄호 안에서 알맞은 것을 고르시오.

❶ (As / Though) he was busy, he couldn't attend the meeting.

❷ Jamie was saving money (while / so that) she could buy a new helmet.

❸ He went back to his country (while / as soon as) the game was ended.

개념 13   so ~ that ... vs. so that

>> 정답 p. 42

- 「so + 형용사/부사 + that + 주어 + 동사」는 '매우 ~해서 …하다'라는
  ❶ [＿＿＿＿＿]의 의미를 나타내고, so that은 '~하기 위해서'라는 ❷ [＿＿＿＿＿]의 의
  미를 나타낸다. that절에는 보통 조동사 can이 많이 쓰인다.

답 ❶ 결과 ❷ 목적

바로 **확인**

다음 두 문장의 뜻이 같도록 빈칸에 알맞은 말을 쓰시오.

❶ She is very small. She can't go on the rides.
  ➡ She is ＿＿＿＿ ＿＿＿＿ ＿＿＿＿ she can't go on the rides.

❷ They waited in line all night to buy a new mobile phone.
  ➡ They waited in line all night ＿＿＿＿ ＿＿＿＿ they could buy a
    new mobile phone.

개념 14 접속사와 전치사의 차이

>> 정답 p. 42

- 접속사 뒤에는 주어와 동사가 있는 [❶   ]이 오고, 전치사 뒤에는 명사(구)가 온다.

의미	접속사	전치사
시간(~동안)	while	during
양보 (비록 ~일지라도/지만)	[❷]/although/even though	despite/in spite of

While I was reading a book, my brother made a carrot cake.
접속사 while 뒤에 절이 옴

They will go camping **during** the weekend.
전치사 during 뒤에 명사구가 옴

Although I tried to
arrive in time,
I missed the flight.

📋 ❶ 절 ❷ though

바로 확인

다음 괄호 안에서 알맞은 것을 고르시오.

❶ (While / During) the winter, he will learn how to snowboard.

❷ (While / During) she is exercising, she listens to music.

❸ (Although / Despite) William is small, he is very strong.

개념 15 전치사로도 쓰이는 접속사

>> 정답 p. 43

• as와 since는 접속사와 전치사 둘 다 쓸 수 있다.

	접속사일 때 의미	전치사일 때 의미
❶	~할 때, ~하는 동안에, ~ 때문에	~로서, ~처럼
❷	~한 이후로, ~ 때문에	~부터/이후로

Since it is raining, we can't go to the beach.

My family has not been to the beach since last year.

답 ❶ as ❷ since

바로 확인

다음 밑줄 친 부분이 접속사인지, 전치사인지 쓰시오.

❶ As I had a stomachache, I left school early. _____

❷ I have not seen him since we separated last year. _____

❸ She participated in the international game as a referee. _____

16 간접의문문

>> 정답 p. 43

- 의문문이 명사절 역할을 하며 종속절로 사용될 때, 이를 ❶ [＿＿＿＿]이라고 한다.
  간접의문문의 어순은 보통 「의문사 + 주어 + 동사」이다.

  I don't know. + When do you go to bed?

  ➡ I don't know **when you go** to bed.

  　　　　　　　know의 목적어 역할(의문사 + 주어 + 동사)

- 의문사가 ❷ [＿＿＿＿]인 간접의문문은 「의문사 + 동사」의 어순으로 쓴다.

  We want to know **what makes** her smile.

  　　　　　　의문사 what이 주어인 간접의문문

> We will find who made the pool dirty.

답 ❶ 간접의문문 ❷ 주어

바로 확인

다음 문장을 간접의문문으로 바꿀 때 빈칸에 알맞은 말을 쓰시오.

❶ Does she know? + When does the blue moon come up?

　➡ Does she know ＿＿＿＿＿＿＿＿＿＿＿＿＿＿＿＿＿＿＿＿＿＿＿ ?

❷ Nobody knew. + When will the pandemic finish? ＊pandemic: 전 세계적인 전염병

　➡ Nobody knew ＿＿＿＿＿＿＿＿＿＿＿＿＿＿＿＿＿＿＿＿＿＿＿＿ .

17 의문사가 없는 간접의문문

>> 정답 p. 43

- 의문사가 없는 간접의문문은 「❶ [   ]/whether + 주어 + 동사(+ or not)」 의 어순으로 쓰며, '❷ [   ]'로 해석한다.

Do you know? + Does she like doughnuts?

➡ Do you know **if/whether** she likes doughnuts?

부사절을 이끄는 접속사
if (만약 ~라면), whether
(~이든 아니든)와 구별해야 해.

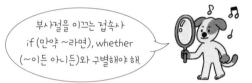

I wonder if I can make 10 cakes with this flour.

FLOUR

답 ❶ if ❷ ~인지 (아닌지)

바로 확인

다음 우리말에 맞게 주어진 표현을 빈칸에 바르게 배열해 쓰시오.

❶ 그가 나를 다시 만나고 싶어 하는지 나에게 말해 주세요. (he, if, wants)

➡ Please tell me _____ to meet me again.

❷ 그들은 그가 Charlie의 파티에 올 것인지 궁금하다. (whether, come, will, he)

➡ They wonder _____ to Charlie's party.

18 상관접속사

>> 정답 p. 43

- 상관접속사는 두 개의 짝을 이루는 단어, 구, 또는 절을 대등하게 연결해 주는 접속사이다.
- 상관접속사로 연결되는 두 요소의 문법적 성분과 **❶**〔　　　　〕는 서로 일치해야 한다.
- 상관접속사가 주어 자리에 올 때는 뒤에 오는 동사의 수 일치에 주의해야 한다.

상관접속사	의미	수의 일치
both *A* and *B*	A와 B 둘 다	복수 취급
not only *A* **❷**〔　　　〕 (also) *B* (= *B* as well as *A*)	A뿐만 아니라 B도	**❸**〔　　　　〕에 수 일치
either *A* or *B*	A와 B 둘 중 하나	
neither *A* nor *B*	A도 B도 아닌	

Both Mira and Yuna are running on the track.

답 ❶형태 ❷but ❸B

바로 확인

다음 문장의 빈칸에 알맞은 말을 쓰시오.

❶ This book is not only interesting ＿＿＿＿＿ also educational.

❷ I eat ＿＿＿＿＿ carrots nor cucumbers.

❸ She has been to both Boston ＿＿＿＿＿ Texas.

- 「The + 비교급 (+ 주어 + 동사), the + [①　　　] (+ 주어 + 동사)」는 '∼하면 할수록 더 …하다'라는 뜻이다. 「the + 비교급」이 접속사 역할을 해서 두 개의 서로 관련된 내용을 가진 문장을 연결한다.
- 형용사의 비교급이 [②　　　]를 수식할 때는 비교급과 함께 문장 앞에 쓴다.

The more *chocolate* you eat, the fatter you become.

「형용사 비교급 + 명사」가 주어일 경우에는 「the + 비교급」 뒤에 바로 동사가 올 수 있어.

The more I exercise, the stronger I become.

답 ❶ 비교급 ❷ 명사

바로 확인

다음 우리말에 맞게 빈칸에 알맞은 말을 쓰시오.

❶ 내가 가족과 함께 더 많은 시간을 보낼수록 나는 더 행복해진다.

➡ ＿＿＿＿ ＿＿＿＿ time I spend with my family, the happier I become.

❷ 나이가 들수록 우리는 더 약해진다.

➡ The older we grow, ＿＿＿＿ ＿＿＿＿ we become.

주요 비교급 표현 (2)

>> 정답 p. 44

- 「비교급 + ❶ 　　　 + 비교급」은 '점점 더 ~한/하게'라는 뜻으로 상태의 변화를 나타낸다. 원급 앞에 ❷ 　　　를 붙여서 비교급을 나타내는 경우는 「more and more + 형용사/부사」로 쓴다.

  The song is getting **more and more** *popular*.

- '점점 덜 ~한/하게'는 비교급 less를 이용해 less and less로 나타낸다.

  The camera seems **less and less** *important* to Henry.

The ice cream is getting more and more famous.

답 ❶ and ❷ more

바로 확인

다음 우리말에 맞게 주어진 단어를 이용해 빈칸에 알맞은 말을 쓰시오.

❶ 점점 더 많은 생물종이 사라지고 있다. (many)

➡ ＿＿＿＿＿ ＿＿＿＿＿ ＿＿＿＿＿ species are disappearing.

❷ 그 풍선이 점점 더 커지고 있다. (big)

➡ The ballon is getting ＿＿＿＿＿ ＿＿＿＿＿ ＿＿＿＿＿.

원급·비교급을 이용한 최상급 표현   >> 정답 p. 44

No (other) + 단수명사		as + ❶ [ ] + as + A	어떤 ~도 A만큼 …하지 않다
Nothing	+ 단수동사 +		
No one		❷ [ ] + than + A	어떤 ~도 A보다 더 …하지 않다

No one likes ballet
as much as I do.

답 ❶ 원급 ❷ 비교급

바로 확인

다음 괄호 안에서 알맞은 것을 고르시오.

❶ No other artist is as (creative / more creative) as her.

❷ Nothing is (highest / higher) than this mountain in the world.

❸ No one dances (better / best) than Monica.

2주

개념 22 비교급을 이용한 최상급 표현

>> 정답 p. 44

A + 동사 + ❶ [ ] + than	any other + 단수명사 anyone else anything else	A는 다른 어떤 ~보다 더 …하다
	all the other + ❷ [ ] everyone else everything else	A는 다른 모든 ~보다 더 …하다

Martin is kinder than any other classmate.

답 ❶비교급 ❷복수명사

바로 확인

다음 괄호 안에서 알맞은 것을 고르시오.

❶ The group is (most / more) famous than any other band.

❷ Russia is (bigger / biggest) than all the other countries.

❸ She jumps higher than (all the other / any other) student in the school.

23 가정법 과거

>> 정답 p. 44

- 가정법 과거는 현재 사실의 **①** ⬚ 를 가정하거나 실현 가능성이 없는 일을 나타내는 것으로 '(만약) ~라면 …할 텐데'라는 뜻이다.

| If + 주어 + **②** ⬚ | 주어 + 조동사의 과거형 + 동사원형 |

- 가정법 과거의 if절에 be동사가 올 경우는 주어의 인칭과 수에 상관없이 were를 쓴다.

> If I were good at drawing like my brother, I could participate in the art contest.

답 ❶ 반대 ❷ were/동사의 과거형

바로 확인

다음 주어진 표현을 이용해 빈칸에 알맞은 말을 쓰시오.

❶ If it snowed a lot, we _____ _____ snowboarding. (go, can)

❷ If he _____ out harder, he would lose weight. (work)

❸ If you watched the musical, you _____ _____ a huge fan of her. (become, will)

24 가정의 의미를 나타내는 표현

>> 정답 p. 44

- '~이 없다면 …할 것이다'라는 뜻으로 현재 사실의 **❶[   ]**를 나타낼 때는 「**❷[   ]**/But for + 명사(구), 주어 + 조동사의 과거형 + 동사원형」의 형태로 쓴다. 이것은 「If it were not for + 명사(구), 주어 + 조동사의 과거형 + 동사원형」으로 바꿔 쓸 수 있다.

Without their help, he could not finish the race.
= *If it were not for* their help, he could not finish the race.

Without language, we could not communicate with each other.

🔒 ❶ 반대 ❷ Without

바로 확인

다음 우리말에 맞게 괄호 안에서 알맞은 것을 고르시오.

❶ 축구가 없다면 그의 인생은 지루할 것이다.
➡ (If not / Without) soccer, his life would be boring.

❷ 이 백신이 없다면 우리는 그 병을 예방하지 못할 것이다.
➡ (But for / If not) this vaccine, we could not prevent the disease.

가정법 과거와 단순 조건문 구별

>> 정답 p. 45

- 가정법 과거는 현재 사실의 반대나 실현 가능성이 낮은 일에 대한 가정을 나타내는 것으로 「If + 주어 + 동사의 **❶** 　　　　　, 주어 + 조동사의 과거형 + 동사원형」으로 표현한다.

  If I **were** stronger, I **could protect** you. (현재 사실의 반대)

  If she **saw** him singing, she **would be** surprised. (실현 가능성이 낮은 일)

- if가 접속사로 사용되는 단순 조건문은 사실이나 미래에 일어날 가능성이 있는 일을 나타내고 「If + 주어 + 동사의 **❷** 　　　　　, 주어 + 현재시제/미래시제」로 나타낸다.

  If the temperature of the Earth **rises**, glaciers **melt**. (사실)

  If he **practices** more, he **will win** the match. (실현 가능성이 있는 일)

If I give enough water, the tree will grow well.

답 ❶ 과거형 ❷ 현재형

바로 확인

다음 우리말에 맞게 주어진 단어를 이용해 빈칸에 알맞은 말을 쓰시오.

❶ 내가 너라면 밤에 커피를 마시지 않을 텐데. (be)

➡ If I ＿＿＿＿＿ you, I would not drink coffee at night.

❷ John이 열심히 공부하면 그는 그 시험에 통과할 것이다. (study)

➡ If John ＿＿＿＿＿ hard, he will pass the exam.

개념 26 I wish 가정법 과거

>> 정답 p. 45

- I wish 가정법 과거는 '~하면 좋을 텐데'라는 뜻으로 현재 사실의 **①** 나 실현 가능성이 낮은 일에 대한 바람을 표현한다.

I wish	주어 + (조)동사의 **②**

I wish he *could arrive* on time. (그가 정각에 도착할 가능성이 적음)
(I am sorry that he can't arrive on time.)

Student of the Month

Hannah has read the most books in the class!

I wish I were the Student of the Month.

답 ❶ 반대 ❷ 과거형

바로 확인

다음 괄호 안에서 알맞은 것을 고르시오.

① I wish it (would stop / stops) raining.

② I wish I (have / had) a pet cat.

③ I wish I (am / were) smarter than him.

27 I wish 가정법 과거와 I hope 구분 >> 정답 p. 45

● 바람을 나타내지만 I wish 가정법 과거와는 다르게 실현 가능성이 있는 일을 나타 낼 때는 「I **①** [   ] + 주어 + **②** [   ]/미래시제」를 쓴다.

I hope he *will arrive* on time. (그가 정각에 도착할 가능성이 있음)

> She hopes **she will** visit **her friend who** lives in Paris.

> **①** hope **②** 현재시제

바로 확인

다음 괄호 안에서 알맞은 것을 고르시오.

① I (wish / hope) I can go to the Louvre museum.

② I (wish / hope) he will accept my proposal.

③ I hope she (can give / gave) a presentation on the project.

as if 가정법 과거

- as if 가정법 과거는 '마치 ~인 것처럼'이라는 뜻으로 현재 사실의 반대이거나 실현 가능성이 낮은 일을 가정할 때 쓴다. as if는 as [_____]로 바꿔 쓸 수 있다.

주어 + 동사	as if + 주어 + 동사의 과거형

He acts **as if** he *knew* everything.
(In fact, he doesn't know anything.)

They look as if they fought each other.

📖 though

바로 확인

다음 우리말에 맞게 빈칸에 알맞은 말을 쓰시오.

❶ 그녀는 마치 유령을 본 것처럼 말한다.

➡ She speaks as if she _____ a ghost.

❷ 그 여자는 마치 그 사실을 모르는 것처럼 행동한다.

➡ The lady acts as if she _____ the fact.

개념 29 「It ~ that ...」 강조 구문

>> 정답 p. 45

- 문장의 주어나 목적어, 부사구 등을 강조하여 '…한 것은 바로 ~이다'라는 뜻을 나타낼 때 「It ~ ❶ [   ] ...」 강조 구문을 쓴다. It is/was와 that 사이에 강조하는 내용을 쓰고 that 뒤에 나머지 내용을 쓴다. It is/was와 that을 없애고 강조하는 내용을 원래 문장의 위치로 보내면 그 문장은 ❷ [   ]하다.

| It is/was | + 강조할 내용 + | that | + 나머지 내용 |

Alex baked the cheese cake.

Alex 강조 ➡ **It was *Alex* that** baked the cheese cake.

the cheese cake 강조 ➡ **It was *the cheese cake* that** Alex baked.

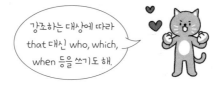

강조하는 대상에 따라 that 대신 who, which, when 등을 쓰기도 해.

답 ❶ that ❷ 완전

바로 확인

「It ~ that ...」 구문을 이용해 다음 밑줄 친 부분을 강조한 문장을 완성하시오.

❶ She wants to drink <u>coffee</u>.

➡ _____ _____ _____ _____ she wants to drink.

❷ <u>Matthew</u> cooked dinner for his friends.

➡ _____ _____ _____ _____ cooked dinner for his friends.

30 It is + 형용사 + that ~

>> 정답 p. 46

- 「It is + 형용사 + that ~」은 '~하는 것은 …하다'라는 뜻으로, 주어인 that이 이 끄는 명사절이 주어로는 너무 길어서 문장 뒤로 보내고 대신 **❶** [   ] it을 문장 앞에 쓴 형태이다. 즉, that 이하 절이 진주어이다.

- It is와 that을 생략하면 나머지 문장이 **❷** [   ]한데, 이점이 「It ~ that ….」 강조 구문과 다르다. that이 이끄는 절을 It의 자리에 놓으면 완전한 문장이 된다.

  It is strange that she was absent yesterday.

  ➡ That she was absent yesterday is strange. (완전한 문장)

It is true that
I become very angry
because of him.

🔲 ❶ 가주어 ❷ 불완전

바로 확인

다음을 가주어, 진주어 구문으로 다시 쓸 때 빈칸에 알맞은 말을 쓰시오.

❶ That they couldn't come to my party was sad.

➡ _____ _____ _____ _____ they couldn't come to my party.

❷ That we can travel to the space is amazing.

➡ _____ _____ _____ _____ we can travel to the space.

개념 31 동사 강조 구문

>> 정답 p. 46

● 일반동사가 있는 문장의 동사를 강조하여 '정말로 ~하다'라는 뜻을 나타낼 때 강조의 **❶** 를 쓴다. 이때 주어의 인칭과 수, 시제에 따라 do, does, did를 쓴다.

주어 + **do/does/did** + **❷**

She <u>bought</u> wireless earphones.
➡ She **did buy** wireless earphones.

I do exercise every day.
I work out for an hour every day.

답 **❶** do **❷** 동사원형

바로 확인

다음 괄호 안에서 알맞은 것을 고르시오.

❶ Bentley (do likes / does like) to collect used books.

❷ Lisa (does skip / did skip) dinner yesterday.

❸ We (do want / does want) to go to the concert.

- 긍정문 뒤에서 '~도 또한 그렇다'라는 뜻을 나타낼 때는 「❶ [   ] + 동사 + 주어」를 쓴다.
- 동사는 앞 문장의 동사에 따라 be동사, do동사, 조동사를 쓴다. 앞 문장에 ❷ [   ]동사가 있을 경우에는 do동사(do/does/did)만 쓰고 주어를 쓴다. 이때 시제, 주어와의 수 일치에 주의한다.

Kelly <u>was</u> very hungry, and **so was Alex**.

Betty <u>ate</u> a lot, and **so did I**.

My sister cleans her room every morning, and so do I.

답 ❶ So ❷ 일반

바로 **확인**

다음 문장의 밑줄 친 우리말을 영어로 바르게 쓰시오.

❶ My sister plays the guitar, and <u>나도 역시 그렇다</u>.

❷ Yumi was angry at Fred, and <u>나도 그랬다</u>.

❸ I like reading, and <u>Sarah도 역시 그렇다</u>.

개념 33 Neither + 동사 + 주어

>> 정답 p. 46

- 「Neither + 동사 + 주어」는 ❶ [ ] 뒤에서 '~도 또한 그렇다'라는 뜻을 나타낸다.

- 동사는 앞 문장의 동사에 맞춰 be동사, do동사, 조동사를 쓰고, 일반동사의 경우는 ❷ [ ] 동사로 대신한다. 이때 시제와 주어와의 수 일치에 주의해야 한다.

Jinhee can't speak Chinese, and **neither can I**.

> I don't like math.
> It is too difficult.

> Miso doesn't like math,
> and neither do I.

답 ❶ 부정문 ❷ do

바로 확인

다음 문장의 밑줄 친 우리말을 영어로 바르게 쓰시오.

❶ He can't leave the town, and 나도 역시 그렇다. _____

❷ I won't fail the test, and Mia도 역시 그럴 것이다. _____

❸ I don't eat pork, and 나의 남동생도 그렇다. _____

개념 34 부사(구) 도치

>> 정답 p. 47

- be, go, come, lie, sit, stand 등의 동사가 쓰인 문장에서 장소나 방향을 나타내는 부사(구)가 문장 맨 앞에 올 때는 주어와 동사가 **❶** 된다. 주어가 뒤에 있으므로 동사의 수 일치에 주의한다.

  A police officer comes *here*.

  ➡ <u>**Here** comes a police officer.</u>
    부사 + 동사 + 주어

  A soccer ball lies *under the table*.

  ➡ <u>**Under the table** lies a soccer ball.</u>
    부사구 + 동사 + 주어

- 주어가 **❷** 일 경우에는 주어와 동사가 도치되지 않는다.

  She goes *there*.

  ➡ *There* **she** goes. (O)

  ➡ *There* goes **she**. (X)

「Here/There + 동사 + 주어」로
주어와 동사가 도치될 때
일반동사라도 조동사 do를
쓰지 않는 것에 주의해!

답 ❶ 도치 ❷ 대명사

바로 확인

다음 문장의 밑줄 친 부분을 강조하는 문장으로 다시 쓰시오.

❶ Emily sat <u>in the chair</u>. ➡ _____

❷ A lighthouse stood <u>on the hill</u>.

  ➡ _____

❸ They come <u>here</u>. ➡ _____

개념 35 부정어 도치

>> 정답 p. 47

- never, hardly, seldom, little, rarely, not 등의 부정어가 문장 맨 앞에 올 때 주어와 동사가 도치되어 **①** [   ]의 어순이 된다. 즉, be동사나 조동사는 주어 앞으로 보내고, 일반동사는 시제를 나타내는 do동사만 앞으로 보내고 주어 뒤에 **②** [   ]을 쓴다. 완료시제의 경우 have동사를 주어 앞으로 보내고 주어 뒤에 p.p.(과거분사)를 쓴다.

부정어 +	be동사 + 주어
	조동사/do동사 + 주어 + 동사원형
	have동사 + 주어 + p.p.(과거분사)

Little <u>does it snow</u> in April.
Hardly <u>will he go</u> on a vacation.
Never <u>has she eaten</u> Kimchi.

답 ❶ 의문문 ❷ 동사원형

바로 확인

다음 괄호 안에서 알맞은 것을 고르시오.

❶ Seldom (does she / she does) come to the meeting.

❷ Rarely (did he fight / he fought) with his little brother.

❸ Never (they have / have they) seen an opera.

정답

p. 04 답 ❶ who ❷ which ❸ what

❶ 나는 금메달을 딴 그 선수를 모른다.

❷ 그녀는 그녀의 건강 상태를 확인할 수 있는 시계를 가지고 있다.

❸ 학생들은 그들의 선생님이 칠판에 쓴 것을 읽었다.

p. 05 답 ❶ that ❷ is ❸ are

• 그 소녀는 Lisa다. 그녀는 선글라스를 쓰고 있다.

  → 선글라스를 쓰고 있는 소녀는 Lisa다.

● 무릎을 굽히고 반듯이 누워 있는 소녀는 Helen이다.

❶ Wendy가 벼룩시장에서 다 팔린 그 쿠키를 만들었다.

❷ 눈으로 덮여 있는 저 산을 보아라.

❸ 나는 선생님께 추천을 받은 그 책들을 읽어야 한다.

p. 06 답 ❶ 주격 ❷ 목적격 ❸ 목적격

• 그 영화는 SF 소설을 바탕으로 한다. 그는 그 영화를 좋아한다.

  → 그가 좋아하는 그 영화는 SF 소설을 바탕으로 한다.

● 내가 며칠 전에 산 차는 너무 커.

❶ Helen은 몸이 불편한 반 친구가 공부하는 것을 도와주었던 학생들 중 한 명이다.

❷ 이것이 내 아들이 사고 싶어 하는 그 스마트폰이다.

❸ 그는 형이 그에게 빌려줬던 태블릿 컴퓨터를 돌려줘야 한다.

p. 07 답 ❶ which ❷ who

• 나는 내 사촌을 한 번도 본 적이 없는데, 그는 마드리드에 산다.

❶ Robin은 개를 한 마리 돌보는데, 그 개는 산책 가는 것을 좋아하지 않는다.

❷ Tommy는 손 선생님을 만나고 싶어 하는데, 그는 지금 런던에 있다.

p. 08 답 ❶ whom ❷ whom ❸ whom

• 그가 여행에서 만났던 흥미로운 사람들이 많았다.

40 정답

- 그녀가 내가 그 책을 빌렸던 이웃(사람)이다.
- 그가 그들이 이야기하고 있었던 그 소년이다.
- 저 사람이 경찰이 쫓고 있던 그 강도다.
❶ 나는 누나가 좋아하는 그 소년을 안다.
❷ 그녀는 Bobby가 10년 동안 함께 일하고 있는 변호사다.
❸ Jen은 내가 아주 친했던 바로 그 사람이다.

目 ❶ that ❷ whom ❸ which
- 이것이 그가 말했던 그 고양이다.
- 그녀는 새 소설 집필을 끝냈고, 그것은 놀라웠다.
- 이것이 우리가 찾고 있던 바로 그 차다.
❶ Ellen은 학교에 왔던 첫 번째 학생이었다.
❷ 그녀가 우리 형이 선물을 사 주었던 그 여자다.
❸ 나는 한 달에 한 번 헌혈을 하는데, 그것은 나의 기쁨이다.

p. 10

目 ❶ which ❷ who is ❸ whom
- 무대에서 춤을 추고 있는 그 소녀는 나의 가장 친한 친구다.
- 우리 밴드와 함께 공연했던 DJ는 아주 재능이 있다.
- 차에 큰 여행용 가방을 넣으려고 하고 있는 그 여자는 나의 이모다.
❶ 우리가 보고 있는 TV 드라마는 아주 흥미롭다.
❷ Jenny는 무대에서 공연 중인 댄서를 만나고 싶어 한다.
❸ Smith는 그와 함께 축구를 할 수 있는 사람을 찾는 중이다.

p. 11

目 ❶ where ❷ why ❸ when
- 우리가 이 표지판을 주의 깊게 보는 이유는 우리의 안전을 위해서다.
❶ 여기가 내가 아르바이트를 했던 서점이다.
❷ 우리는 그녀가 혼자 간 이유를 모른다.
❸ 나는 네가 초등학교에 입학했던 그 날을 아직 기억한다.

p. 12

目 ❶ how ❷ the way

- 당신이 그 크로스워드 퍼즐을 푼 방법을 저에게 말해 주세요.
- 아빠는 나에게 자전거 고치는 방법을 설명해 주셨다.
❶ 스마트폰은 우리가 의사소통하는 방법을 바꿨다.
❷ 나는 그녀가 일하는 방식이 좋다.

p. 13　답 ❶ that/which ❷ where
- 쿠키 항아리는 내가 닿을 수 없는 제일 높은 선반에 있어.
- 여기가 엄마가 쿠키 항아리를 숨기는 완벽한 장소야.

p. 14　답 ❶ O ❷ O ❸ X
- 여기가 그들이 매년 여름휴가를 즐기는 장소다.
- 여기가 내가 밤에 공부하는 방이야.
❶ 그것이 그녀가 놀랐던 이유다.
❷ 그는 자신이 지갑을 잃어버린 장소를 알지 못한다.
❸ 월요일은 내가 일하러 가기 싫은 날이다.

p. 15　답 ❶ As ❷ so that ❸ as soon as
❶ 그는 바빠서 그 모임에 참석할 수 없었다.
❷ Jamie는 새 헬멧을 사기 위해 돈을 모으는 중이었다.
❸ 그는 경기가 끝나자마자 자기 나라로 돌아갔다.

p. 16　답 ❶ so small that ❷ so that
- 나는 너무 졸려서 눈을 뜰 수가 없어.
- 수업에 집중하기 위해서 너는 일찍 잠자리에 들어야 해.
❶ 그녀는 아주 작다. 그녀는 놀이기구를 탈 수 없다.
= 그녀는 매우 작아서 놀이기구를 탈 수 없다.
❷ 그들은 새 휴대전화를 사기 위해 밤새 줄을 서서 기다렸다.

p. 17　답 ❶ During ❷ While ❸ Although
- 내가 책을 읽고 있는 동안, 형은 당근 케이크를 만들었다.
- 그들은 주말 동안 캠핑을 갈 것이다.

● 나는 시간 안에 도착하려고 노력했지만 비행기를 놓쳤어.

❶ 겨울 동안 그는 스노보드 타는 법을 배울 것이다.

❷ 그녀는 운동을 하고 있는 동안 음악을 듣는다.

❸ William은 비록 작지만 힘이 아주 세다.

p. 18

답 ❶ 접속사 ❷ 접속사 ❸ 전치사

● 비가 오고 있어서 우리는 해변에 갈 수 없어.

● 우리 가족은 작년 이후로 해변에 가 본 적이 없어.

❶ 나는 배가 아파서 학교를 조퇴했다.

❷ 작년에 우리가 헤어진 이후로 나는 그를 본 적이 없다.

❸ 그녀는 심판으로서 그 국제 경기에 참여했다.

p. 19

답 ❶ when the blue moon comes up ❷ when the pandemic would finish

• 나는 모른다. + 너는 언제 자니? → 나는 네가 언제 자는지 모른다.

• 우리는 무엇이 그녀를 웃게 하는지 알고 싶다.

● 우리는 누가 수영장을 더럽게 만들었는지 찾아낼 거야.

❶ 그녀는 블루문이 언제 뜨는지 아나요?

❷ 아무도 그 전염병이 언제 끝날지 몰랐다.

p. 20

답 ❶ if he wants ❷ whether he will come

• 너는 알고 있니? + 그녀가 도넛을 좋아하니?

→ 너는 그녀가 도넛을 좋아하는지 알고 있니?

● 나는 이 밀가루로 10개의 케이크를 만들 수 있는지 궁금해.

p. 21

답 ❶ but ❷ neither ❸ and

● 미라와 유나 둘 다 트랙 위에서 달리고 있다.

❶ 이 책은 흥미로울 뿐만 아니라 교육적이다.

❷ 나는 당근도 오이도 먹지 않는다.

❸ 그녀는 보스턴과 텍사스 두 곳 모두 가 본 적 있다.

p. 22 답 ❶ The more ❷ the weaker
- 초콜릿을 많이 먹을수록 너는 더 살이 찐다.
- 운동을 하면 할수록 나는 더 힘이 세져.

p. 23 답 ❶ More and more ❷ bigger and bigger
- 그 노래는 점점 더 인기가 많아지고 있다.
- 그 카메라는 Henry에게 점점 덜 중요한 것처럼 보인다.
- 그 아이스크림은 점점 더 유명해지고 있어.

p. 24 답 ❶ creative ❷ higher ❸ better
- 어떤 사람도 나만큼 발레를 많이 좋아하지 않아.
- ❶ 어떤 예술가도 그녀만큼 창의적이지 않다.
- ❷ 세계에서 아무것도 이 산보다 더 높지 않다.
- ❸ 아무도 Monica보다 춤을 더 잘 추지 못한다.

p. 25 답 ❶ more ❷ bigger ❸ any other
- Martin은 다른 어떤 반 친구보다 더 친절해.
- ❶ 그 그룹은 다른 어떤 밴드보다 더 유명하다.
- ❷ 러시아는 다른 모든 나라들보다 더 크다.
- ❸ 그녀는 학교에서 다른 어떤 학생보다 더 높게 점프한다.

p. 26 답 ❶ could go ❷ worked ❸ would become
- 내가 내 남동생처럼 그림을 잘 그리면 그 미술 경연대회에 참가할 수 있을 텐데.
- ❶ 눈이 많이 오면 우리는 스노보드를 타러 갈 수 있을 텐데.
- ❷ 그가 더 열심히 운동을 하면 살을 뺄 텐데.
- ❸ 네가 그 뮤지컬을 보면 너는 그녀의 엄청난 팬이 될 텐데.

p. 27 답 ❶ Without ❷ But for
- 그들의 도움이 없다면 그는 그 경주를 마칠 수 없을 것이다.
- 언어가 없다면 우리는 서로 의사소통하지 못할 거야.

답 ① were ② studies

- 내가 더 강하면 너를 보호할 수 있을 텐데.
- 그가 노래하고 있는 것을 그녀가 보면 놀랄 텐데.
- 지구의 기온이 오르면 빙하는 녹는다.
- 만약 그가 더 연습하면 그는 그 시합에서 승리할 것이다.
- 내가 충분한 물을 주면 그 나무는 잘 자랄 거야.

답 ① would stop ② had ③ were

- 그가 정각에 도착할 수 있으면 좋을 텐데. (그가 정각에 도착할 수 없어서 유감이다.)
- 이달의 학생 / 한나는 이 반에서 가장 많은 책을 읽었다!
- 내가 이달의 학생이면 좋을 텐데.
- ① 비가 그치면 좋을 텐데.
- ② 내가 애완 고양이를 기르면 좋을 텐데.
- ③ 내가 그보다 더 영리하면 좋을 텐데.

답 ① hope ② hope ③ can give

- 나는 그가 정각에 도착하기를 희망한다.
- 그녀는 파리에 살고 있는 그녀의 친구를 방문하기를 희망한다.
- ① 나는 루브르 박물관에 갈 수 있기를 희망한다.
- ② 나는 그가 내 제안을 받아들이기를 희망한다.
- ③ 나는 그녀가 그 프로젝트에 대한 발표를 할 수 있기를 희망한다.

답 ① saw ② didn't[did not] know

- 그는 마치 모든 것을 아는 것처럼 행동한다. (사실, 그는 아무것도 모른다.)
- 그들은 마치 서로 싸운 것처럼 보인다.

답 ① It is coffee that ② It was Matthew that

- Alex가 그 치즈 케이크를 구웠다. → 그 치즈 케이크를 구운 사람은 바로 Alex였다.
  → Alex가 구웠던 것은 바로 치즈 케이크였다.
- ① 그녀는 커피를 마시고 싶다. → 그녀가 마시고 싶은 것은 바로 커피다.

② Matthew가 그의 친구들을 위해 저녁을 요리했다. → 그의 친구들을 위해 저녁을 요리한 사람은 바로 Matthew였다.

p. 33
🔁 **①** It was sad that **②** It is amazing that

- 그녀가 어제 결석한 것은 이상하다.
- 내가 그 때문에 아주 화가 나게 된 것은 사실이야.
① 그들이 내 파티에 올 수 없어서 유감이었다.
② 우리가 우주로 여행을 갈 수 있다는 것은 굉장하다.

p. 34
🔁 **①** does like **②** did skip **③** do want

- 그녀는 무선 이어폰을 샀다. → 그녀는 무선 이어폰을 정말 샀다.
- 나는 정말 매일 운동을 해. 나는 매일 한 시간씩 운동하지.
① Bentley는 중고책 모으는 것을 정말 좋아한다.
② Lisa는 어제 저녁을 정말 걸렀다.
③ 우리는 그 콘서트에 가는 것을 정말 원한다.

p. 35
🔁 **①** so do I **②** so was I **③** so does Sarah

- Kelly는 배가 몹시 고팠고 Alex도 그랬다.
- Betty는 많이 먹었고 나도 그랬다.
- 우리 언니는 매일 아침 방 청소를 하는데 나도 그래.
① 우리 언니는 기타를 치는데 나도 역시 그렇다.
② 유미는 Fred에게 화가 났었고 나도 그랬다.
③ 나는 책 읽는 것을 좋아하는데 Sarah도 역시 그렇다.

p. 36
🔁 **①** neither can I **②** neither will Mia **③** neither does my brother

- 진희는 중국어를 못하는데 나 역시도 그렇다.
- 나는 수학을 좋아하지 않아. 그것은 너무 어려워.
- 미소는 수학을 좋아하지 않는데 나도 그래.
① 그는 마을을 떠날 수 없고 나도 역시 그렇다.
② 나는 시험에 떨어지지 않을 것이고 Mia도 역시 그럴 것이다.
③ 나는 돼지고기를 먹지 않는데 나의 남동생도 그렇다.

p. 37

[답] ❶ In the chair sat Emily. ❷ On the hill stood a lighthouse. ❸ Here they come.

• 경찰이 여기로 온다. → 여기로 경찰이 온다.

• 축구공이 탁자 아래에 놓여 있다. → 탁자 아래에 축구공이 놓여 있다.

• 그녀는 거기로 간다. → 거기로 그녀가 간다.

❶ Emily가 의자에 앉아 있었다. → 의자에 Emily가 앉아 있었다.

❷ 등대 하나가 언덕 위에 서 있었다. → 언덕 위에 등대 하나가 서 있었다.

❸ 그들이 여기로 온다. → 여기로 그들이 온다.

p. 38

[답] ❶ does she ❷ did he fight ❸ have they

• 4월에는 좀처럼 눈이 오지 않는다.

• 그는 휴가를 거의 가지 않을 것이다.

• 그녀는 김치를 먹어 본 적이 전혀 없다.

❶ 그녀는 그 모임에 거의 나오지 않는다.

❷ 그는 남동생과 좀처럼 싸우지 않았다.

❸ 그들은 오페라를 본 적이 전혀 없다.

영어전략

문법·쓰기

영어전략

중학 3

BOOK 2

이 책의 **차례**

관계사, 접속사

1 관계대명사, 관계부사

Look! The number four is missing on this elevator. Do you know why?

I heard Korean people avoid the number four, which sounds like the word 'death' in Chinese.

대화의 주제는?
a. 숫자와 관련된 한국의 금기
b. 엘리베이터 사고 대처법

2 종속접속사

I'm sleepy. I think I should take a nap.

You should nap less than 30 minutes so that you can sleep better at night.

엄마의 생각을 가장 잘 나타낸 것은?
a. She wants him to take a short nap.
b. She wants him not to take a nap.

3　간접의문문

Can you describe the person who took my bike?

All I can say is that the thief was wearing a black cap. I'm not sure if he or she was a man or a woman.

대화에서 알 수 있는 것은?
a. 남학생이 자전거 도둑을 잡았다.
b. 남학생은 자전거 도둑이 누구인지 모른다.

4　상관접속사

Is there a problem?

Yes, I ordered neither steak nor pasta.

그림의 상황을 바르게 설명한 것은?
a. 여자는 파스타만 주문했다.
b. 여자는 스테이크와 파스타 둘 다 주문하지 않았다.

개념 1 관계대명사

○ 관계대명사는 명사와 그 명사를 꾸며 주는 절을 연결하는 접속사 역할과 대명사 역할을 동시에 한다. 관계대명사절이 꾸며 주는 명사를 **❶ [   ]** 라고 한다.

선행사 ＼ 관계대명사의 격	주격	소유격	목적격
사람	who	**❷ [ ]**	who(m)
동물, 사물	which	whose	which
사람, 동물, 사물	that	–	that
선행사 포함	what	–	what

That is the boy. He invited me to the party.
↑ He를 대신하여 두 문장을 한 문장으로 연결
That is the boy <u>who</u> invited me to the party. 저 사람이 나를 파티에 초대한
　　　　선행사　　　　　　　　　　　　　　　 소년이다.

○ 관계대명사의 계속적 용법: 관계대명사 앞에 콤마(,)가 있을 때 관계사절은 선행사에 대한 설명을 추가하는 것이므로 없어도 주절의 의미가 변하지는 않는다. 계속적 용법의 관계대명사는 의미에 따라 「접속사 + 대명사」로 바꿔 쓸 수 있고, 문장 맨 앞에 있는 주절부터 차례대로 해석한다.
He knows Kevin's brother Jim, **who** lives in Toronto.
　　　　　　　　　　　　　　　　(＝ and he)
그는 Kevin의 동생인 Jim을 아는데, 그는 토론토에 살고 있다.

○ 앞 문장 전체가 선행사일 경우 관계대명사 **❸ [   ]** 를 사용한다. 관계대명사 that은 계속적 용법으로 사용하지 않는다.

Quiz

다음 괄호에서 알맞은 것을 고르시오.

(1) I know the girl (who / whom) has the book.

(2) I feel tired this morning, (that / which) is unusual for me.

The computer is broken, which is good news. Jack has an exam next week.

엄마, 저 지난주에 시험 끝났어요.

답 ❶ 선행사 ❷ whose ❸ which / (1) who (2) which

개념 2 관계부사

○ 관계부사는 장소, 시간, 이유, 방법의 의미를 갖는 명사와 그 명사를 꾸며 주는 절을 연결하는 접속사 역할과 **❶ [   ]** 역할을 동시에 한다.

○ 관계부사는 「전치사 + 관계대명사」로 바꿔 쓸 수 있다.

선행사	관계부사	전치사 + 관계대명사
장소	where	at/in/on/to which
시간	**❷ [ ]**	at/on/in which
이유	why	for which
방법	how	in which

I remember the day **when** you were born. 나는 네가 태어난 그 날을 기억한다.
　　　　　　　　　　(＝ on which)

Quiz

다음 우리말을 영어로 옮길 때 빈칸에 알맞은 말을 쓰시오.

(1) 여기가 내가 사는 마을이야.
➡ This is the town _____ I live.

(2) 네가 공부해야 하는 많은 이유가 있다.
➡ There are many reasons _____ you should study.

답 ❶ 부사 ❷ when / (1) where (2) why

1-1 다음 문장의 빈칸에 알맞은 것은?

The notebook _____ is on the desk is mine.

① who   ② what   ③ which

풀이 | 선행사 The notebook이 **❶**[   ]이고, 관계사가 관계사절에서 접속사와 대명사 역할을 동시에 하고 있으므로 관계대명사를 쓴다. 관계대명사가 관계사절에서 주어 역할이므로 **❷**[   ]나 that이 와야 한다.

답 ③ / ❶ 사물 ❷ which

1-2 다음 문장의 밑줄 친 부분을 한 단어로 바꿔 쓰시오.

My friend lied to me, <u>and it</u> made me very angry.

➡ _____

2-1 다음 문장의 빈칸에 알맞은 것은?

The house _____ she lives is not far from here.

① when   ② where   ③ why

풀이 | 선행사 The house가 **❶**[   ]이고, 관계사가 관계사절에서 접속사와 부사 역할을 동시에 하고 있으므로 관계부사 **❷**[   ]를[을] 쓴다.

답 ② / ❶ 장소 ❷ where

2-2 다음 문장의 빈칸에 알맞은 것은?

I still remember the moment _____ I first heard the news.

① when   ② where   ③ why

개념 3 부사절을 이끄는 종속접속사

○ 종속접속사는 시간, 이유, 결과, 대조, 목적 등 다양한 의미의 부사절을 주절과 연결한다.

❶	~하는 동안(시간), ~하는 반면(대조)
as	~할 때(시간), ~하는 동안에(시간), ~ 때문에(이유)
❷	~한 이후로(시간), ~ 때문에(이유)
as soon as	~ 하자마자(시간)
though/although	비록 ~일지라도/이지만(양보)
so ~ that ...	매우 ~해서 …하다(결과)
so that	~하기 위하여(목적)

* 부사절이 주절보다 앞에 쓰일 경우는 부사절 끝에 콤마(,)를 넣는다.

개념 4 간접의문문

○ 의문문이 명사절 역할을 하며 문장의 종속절로 사용되는 것을 간접의문문이라고 한다. 간접의문문은 '~인지 (아닌지)'라고 해석하며 의문사가 없는 간접의문문은 「❶ ___ /whether + 주어 + 동사(+ or not)」, 의문사가 있는 간접의문문은 「의문사 + 주어 + ❷ ___ 」의 어순으로 쓴다. 의문사가 주어인 경우 「의문사 + 동사」의 형태로 쓴다.

I'm not sure. + Can I trust him?
➡ I'm not sure **if/whether I can trust him**. 나는 그를 믿을 수 있을지 모르겠다.

I don't know. + How did he study?
➡ I don't know **how he studied**. 나는 그가 어떻게 공부했는지 모른다.

Tell me. + Who broke the vase?
➡ Tell me **who broke the vase**. 누가 화병을 깨뜨렸는지 나에게 말해줘.
　　　　　주어

개념 5 상관접속사

○ 상관접속사는 두 개의 짝을 이루는 단어, 구, 또는 절을 대등하게 연결해 주는 접속사이다. 짝이 되는 두 요소의 문법적 성분과 형태는 서로 일치해야 한다.

종류	의미	수 일치
both A ❶ ___ B	A와 B 둘 다	복수 취급
not only A but (also) B	A뿐(만) 아니라 B도	
either A ❷ ___ B	A와 B 둘 중 하나	B에 수 일치
neither A nor B	A도 B도 아닌	

3-1 다음 우리말을 영어로 옮길 때 빈칸에 알맞은 것은?

> 그는 졸려서 자러 갔다.
> ➡ He went to bed _____ he was sleepy.

① as　　　　② while　　　　③ although

풀이 | '~ 때문에, ~해서'라는 뜻이므로 ❶ **[　　　]** 를 나타내는 종속접속사 as가 알맞다. while은 시간·대조의 의미를, although는 ❷ **[　　　]** 의 의미를 나타낸다.

답 ① / ❶ 이유 ❷ 양보

3-2 다음 문장의 빈칸에 공통으로 알맞은 것은?

> • _____ you were reading, I painted the picture.
> • _____ some students like baseball, others like basketball.

① Since　　　② While　　　③ As soon as

4-1 다음 두 문장의 뜻이 같도록 빈칸에 알맞은 말을 〈보기〉에서 골라 쓰시오.

> ┌ 보기 ┐
> 　　　do　　if　　what

I don't know. + Do you like pizza?
➡ I don't know _____ you like pizza.

풀이 | 의문사가 없는 직접의문문을 '~인지 (아닌지)'라는 뜻의 ❶ **[　　　]** 으로 바꾸면 「❷ **[　　　]** /whether + 주어 + 동사」의 형태가 된다.

답 if / ❶ 간접의문문 ❷ if

4-2 다음 두 문장의 뜻이 같도록 빈칸에 알맞은 말을 쓰시오.

> He said to the clerk, "How much is it?"
> =He asked the clerk how much _____.

5-1 다음 문장의 빈칸에 알맞은 것은?

> Neither Julie _____ Brian has been to Beijing.

① or　　　　② but　　　　③ nor

풀이 | 「❶ **[　　　]** A ❷ **[　　　]** B」는 'A도 B도 아닌'이라는 뜻의 상관접속사이다.

답 ③ / ❶ neither ❷ nor

5-2 다음 문장의 빈칸에 알맞은 말을 〈보기〉에서 골라 쓰시오.

> ┌ 보기 ┐
> 　and　　but　　or　　nor

(1) We can go either swimming _____ fishing.
(2) She was not only tired _____ also hungry.

1 다음 중 빈칸에 which가 들어갈 수 <u>없는</u> 것은?

① I didn't do my best, _____ I regret.

② He lost the cup _____ he liked very much.

③ The students repeated _____ the teacher said.

④ My friend has a cat _____ likes to go for walks.

⑤ Anne is wearing a hat _____ she bought yesterday.

2 다음 문장의 빈칸에 알맞은 것은?

My mom is making coffee, _____ she does every morning.

① who 　　② whom 　　③ that

④ what 　　⑤ which

3 다음 문장의 빈칸에 알맞은 것은?

David might know the reason _____ she quit her job.

① who 　　② which 　　③ what

④ why 　　⑤ how

CHECK UP

I couldn't go shopping (though / as) I had homework to do.

➡ 숙제가 있어서 쇼핑하러 가지 못했으므로 ❶[　　　　]를 나타내는 접속사 ❷[　　　　]가 알맞다.

답 as / ❶이유 ❷as

4 다음 문장의 접속사에 밑줄을 긋고, 어떤 의미인지 쓰시오.

(1) As soon as I get home, I am going to take a rest.

➡ _____

(2) Since he graduated from college, he has worked here.

➡ _____

(3) The boy was saving money so that he could buy a bicycle.

➡ _____

CHECK UP

Do you know? + Does he speak Spanish?

→ Do you know _____ he speaks Spanish?

➡ 의문사가 없는 ❶[　　　　]으로 「if/ ❷[　　　　] + 주어 + 동사」의 형태로 쓴다.

답 if/whether / ❶간접의문문 ❷whether

5 다음 우리말에 맞게 주어진 표현을 빈칸에 바르게 배열해 쓰시오.

What time is it?

지금 몇 시인지 말해줄 수 있나요?

➡ Can you tell me _____ ?

(is, it, what time)

CHECK UP

He didn't eat soup. He didn't eat bread, either.

→ He ate neither soup _____ bread.

➡ 'A도 B도 아닌'이라는 뜻의 상관접속사는 「❶[　　　　] A ❷[　　　　] B」이다.

답 nor / ❶neither ❷nor

6 다음 문장의 빈칸에 알맞은 말을 〈보기〉에서 골라 쓰시오.

┌ 보기 ┐
or   and   nor

(1) Both Yuna _____ Jiwan studied hard.

(2) You will receive either a text message _____ an email.

전략 1 관계대명사의 종류에 따른 쓰임을 알아 둘 것!

(1) 관계대명사의 용법

	한정적 용법	계속적 용법
역할	관계사절이 선행사를 특정한 범위로 한정	관계사절이 선행사에 관한 추가 정보 제공
형태	관계사 앞에 콤마(,) 없음	관계사 앞에 콤마(,) 있음
의미	~하는 (선행사)	~인데, (그 선행사는 ...)

(2) 소유격 관계대명사 whose는 「선행사 + whose + 명사 + 동사」의 어순으로 쓴다.

(3) 관계대명사 that을 주로 쓰는 선행사

•「사람 + 동물」, 「사람 + 사물」	• -thing으로 끝나는 대명사
• 최상급, 서수, the only, the very가 수식	• all, every, little, much를 포함

(4) 관계사 앞에 콤마(,)가 있는 계속적 용법이나 전치사 뒤에서 전치사의 목적어로 쓰이는 경우 **❶**[　　　　　]은 쓸 수 없다.

(5) 관계대명사 **❷**[　　　　　]은 '~한 것'이라는 의미로 the thing(s) which/that으로 바꿔 쓸 수 있다.

🗒 ❶ that ❷ what

필수 예제

다음 두 문장의 뜻이 같도록 빈칸에 알맞은 관계대명사를 쓰시오.

> I have a friend and his dream is to be a vet.
> = I have a friend _____ dream is to be a vet.

문제 해결 전략

소유격 관계대명사 ❶[　　　] 는 접속사와 소유격 대명사 역할을 함께 하며, 뒤에 ❷[　　　] 를 쓴다.

🗒 whose / ❶ whose ❷ 명사

확인 문제

1 다음 중 빈칸에 that을 쓸 수 있는 것은?

① That is exactly _____ I wanted to say.

② I lost wireless earphones _____ case is black.

③ She is my classmate with _____ I often have lunch.

④ She bought a new bike, _____ she rides every day.

⑤ Look at the girl and the cat _____ are sitting on the bench.

2 다음 문장의 빈칸에 알맞은 관계대명사를 〈보기〉에서 골라 쓰시오.

보기
that　　what　　which

(1) I bought it on my birthday, _____ was two months ago.

(2) She was the first person _____ came to my mind.

전략 2 주격 관계대명사와 목적격 관계대명사를 구별할 것!

(1) 주격 관계대명사: 관계사절에서 주어로 사용되고 뒤에 동사가 온다. 이때 동사는 [❶＿＿＿＿]에 수를 일치시킨다.

The boy is John. He is waving at us. 그 소년은 John이다. 그는 우리에게 손을 흔들고 있다.

➡ The boy **who** is waving at us is John. 우리에게 손을 흔들고 있는 소년은 John이다.
　　　주격 관계대명사 동사

(2) 목적격 관계대명사: 관계사절에서 목적어로 사용되고 뒤에 「❷＿＿＿＿ + 동사」가 온다.

The book is a mystery novel. She likes the book. 그 책은 미스터리 소설이다. 그녀는 그 책을 좋아한다.

➡ The book **which/that** she likes is a mystery novel. 그녀가 좋아하는 책은 미스터리 소설이다.
　　　　　목적격 관계대명사 주어 동사

(3) 목적격 관계대명사 whom 대신 who를 쓸 수도 있지만, 전치사 뒤에서 전치사의 목적어로 쓰일 때는 whom을 써야 한다.

Chris is the person for **whom** I bought the gift. Chris가 내가 그 선물을 사 준 사람이다.

앞 문장 전체를 선행사로 하는 계속적 용법의 주격 관계대명사 뒤에는 단수 동사를 써!

🔲 ❶ 선행사 ❷ 주어

필수 예제

다음 중 밑줄 친 whom이 어색한 것은?

① I know the students <u>whom</u> study very hard.

② She is the friend <u>whom</u> I went to Paris with.

③ Barbara is the woman <u>whom</u> I invited to the party.

④ I want to help the child about <u>whom</u> I heard from Marty.

⑤ There were many interesting people <u>whom</u> I met on the job.

문제 해결 전략

whom은 선행사가
[❶＿＿＿＿]일 때 쓰는
[❷＿＿＿＿] 관계대명사로
뒤에 「주어 + 동사」가 온다.

🔲 ① / ❶ 사람 ❷ 목적격

확인 문제

1 다음 중 빈칸에 whom을 쓸 수 있는 것은?

① The lady ＿＿＿＿＿ lives next door is a model.

② She is the person ＿＿＿＿＿ I've been looking for.

③ Do you have a friend ＿＿＿＿＿ family name is Sa?

④ These are the songs to ＿＿＿＿＿ you can dance.

⑤ Can you see the people ＿＿＿＿＿ are standing at the gate?

2 다음 두 문장을 한 문장으로 만들 때 빈칸에 알맞은 말을 쓰시오.

I have to return the book. I borrowed the book from the library.

➡ I have to return the book ＿＿＿＿＿ ＿＿＿＿＿＿＿＿＿＿ from the library.

전략 3 　관계대명사와 관계부사를 구별할 것!

(1) 관계대명사: 관계사절에서 ❶ [　　　] 역할을 하므로 관계대명사 뒤에는 불완전한 문장이 온다.

This is the park **that** my kids like. 여기가 우리 아이들이 좋아하는 공원이다.
<u>like의 목적어가 없는 불완전한 문장</u>

(2) 관계부사: 관계사절에서 ❷ [　　　] 역할을 하므로 관계부사 뒤에는 완전한 문장이 온다.

This is the park **where** <u>I used to play badminton.</u> 여기가 내가 배드민턴을
　　　　　　　　　　　완전한 문장　　　　　　　　치곤 했던 공원이다.

> 관계대명사냐 관계부사냐를 결정하는 것은 선행사가 아니라 관계사절에서의 역할이라는 것, 잊지 마!

답 ❶ 대명사 ❷ 부사

필수 예제

다음 문장의 빈칸에 알맞은 것은?

> That is the restaurant _____ I was telling you about.

① who　　　　　② what　　　　　③ when
④ where　　　　⑤ which

문제 해결 전략

빈칸 뒤에 전치사 about의 ❶ [　　　]가 없는 불완전한 문장이 왔으므로 대명사 역할을 하는 목적격 ❷ [　　　]를 써야 한다.

답 ⑤ / ❶ 목적어 ❷ 관계대명사

확인 문제

1 다음 중 밑줄 친 부분이 어법상 **어색한** 것은?

① I don't see the reason <u>why</u> I should hide.

② Friday is the day <u>when</u> everybody is happy.

③ This is the concert hall <u>where</u> we'll perform.

④ There is a holiday <u>when</u> is called Mother's Day.

⑤ We love the restaurant <u>which</u> opened last week.

2 다음 그림을 보고, 주어진 표현을 바르게 배열해 빈칸에 알맞은 말을 쓰시오.

➡ The boy walked to the table _____ _____ lunch.

(his friends, were eating, where)

전략 4 관계사를 생략할 수 있는 경우와 생략할 수 없는 경우를 알아 둘 것!

(1) 관계대명사의 생략: 「주격 관계대명사 + be동사」나 **❶**[　　　] 관계대명사는 생략할 수 있다. 하지만 전치사 바로 뒤에 쓰인 관계대명사나 콤마(,) 뒤에 쓰인 **❷**[　　　] 용법의 관계대명사는 생략하지 않는다.

The man (**who is**) on the stage is a famous MC.
무대 위에 있는 그 남자는 인기 있는 MC이다.
I am looking for a person (**whom**) I can practice my Spanish <u>with</u>. (생략 O)
나는 스페인어를 같이 연습할 수 있는 사람을 찾고 있다.
I am looking for a person <u>with</u> **whom** I can practice my Spanish. (생략 X)

(2) 관계부사의 생략: the place, the time, the way, the reason 등 일반적 의미의 선행사가 올 경우 선행사 또는 관계부사 중 하나를 생략할 수 있다. 이때 관계부사 대신 that을 쓰기도 한다.

This is the place (**where/that**) we will stay for a week.
여기가 우리가 일주일 동안 머물 장소이다.
This is (**the place**) where we will stay for a week.

선행사 the way와 관계부사 how는 반드시 둘 중 하나만 써야 해.

🔑 ❶ 목적격 ❷ 계속적

필수 예제

다음 중 밑줄 친 부분을 생략할 수 <u>없는</u> 것은?

① This is a brush with <u>which</u> you can paint.

② I want to know <u>the reason</u> why you are late.

③ Show me the book <u>that</u> you are reading now.

④ The man <u>who is</u> playing the violin is my uncle.

⑤ You can do it at the time <u>when</u> you are not working.

> **문제 해결 전략**
>
> 목적격 관계대명사는 보통 **❶**[　　　] 할 수 있지만, **❷**[　　　] 또는 콤마(,) 뒤에 쓰인 관계대명사의 경우에는 생략하지 않는다.

🔑 ① / ❶ 생략 ❷ 전치사

확인 문제

1 다음 중 어법상 어색한 것은?

① Mr. Jo is a teacher all students respect.

② He doesn't like the way they are working.

③ Here is the book you've been looking for.

④ She is a person everyone wants to work with.

⑤ He is watering the sunflower, he planted last month.

2 다음 우리말에 맞게 주어진 표현을 바르게 배열해 쓰시오.

(1) 내가 읽고 있는 책은 흥미롭다.

　(is, the book, interesting, I'm reading)

　➡ _____

(2) 그가 올 수 없는 이유를 내가 너에게 말해 줄게.

　(he, I'll, tell you, can't come, the reason)

　➡ _____

1 다음 문장의 빈칸에 알맞은 것을 <u>모두</u> 고르면?

The woman _____ my boss is talking to is his wife.

① who ② that ③ what
④ whom ⑤ which

문제 해결 전략

선행사가 사람이고, 관계대명사가 관계 사절에서 ❶ [   ] 역할을 할 때 who(m) 또는 ❷ [   ]을 쓸 수 있다.

目 ❶ 목적어 ❷ that

2 다음 문장의 밑줄 친 부분 중 어법상 <u>어색한</u> 것은?

My neighbor ① has two dogs ② that ③ barks all day long, ④ which ⑤ makes me annoyed.

문제 해결 전략

주격 관계대명사 뒤에 오는 동사는 ❶ [   ]에 수를 일치시킨다. 앞 내용 전체가 선행사인 계속적 용법의 주격 관계대명사는 ❷ [   ] 취급한다.

目 ❶ 선행사 ❷ 단수

3 다음 중 어법상 <u>어색한</u> 것은?

① What you should do is to get some rest.

② She needed a friend whom she could trust.

③ This is the problem in which we are interested.

④ I have a copy of the letter you got yesterday.

⑤ He teaches me something new every day, that I enjoy.

문제 해결 전략

관계대명사가 전치사의 목적어로 쓰이거나 콤마(,) 뒤에서 ❶ [   ] 용법으로 쓰일 때는 ❷ [   ]을 쓸 수 없다.

目 ❶ 계속적 ❷ that

4 다음 문장의 빈칸에 알맞은 말이 순서대로 바르게 짝지어진 것은?

> • This is the station _____ we should get off at.
> • Sam can't forget the moment _____ he first saw her.

① that … what
② which … when
③ where … when
④ which … which
⑤ where … which

5 다음 우리말을 영어로 바르게 옮긴 것은?

> 네가 쓴 것을 소리 내어 읽어 주세요.

① Please read aloud that you wrote.
② Please read aloud what you wrote.
③ Please read aloud, which you wrote.
④ Please read aloud which you wrote it.
⑤ Please read aloud the thing what you wrote.

6 다음 그림을 보고, 괄호 안의 표현을 바르게 배열해 빈칸에 쓰시오.

This is
_____
lunch. (you, where, the place, can have)

전략 1 접속사의 다양한 의미를 알아 둘 것!

• 부사절을 이끄는 종속접속사

시간	when (~할 때), while (~하는 동안), as (~하고 있을 때), since (~한 이후로), until/till (~까지), as soon as (~ 하자마자)
이유	because, as, ❶[_____] (~ 때문에)
조건	if (만약 ~라면), unless (만약 ~가 아니라면(= if ~ not))
대조	while (~하는 반면)
양보	although, though, even though (비록 ~이지만)
❷[_____]	so that (~하기 위해서)
결과	so ~ that ... (매우 ~해서 …하다)

시간·조건을 나타내는 부사절에서는 현재시제로 미래를 나타내!

답 ❶ since ❷ 목적

필수 예제

다음 두 문장의 뜻이 같도록 빈칸에 알맞은 것은?

If you don't hurry up, you'll miss the train.
= _____ you hurry up, you'll miss the train.

① As ② Unless ③ Since
④ Until ⑤ Though

문제 해결 전략

'만약 ~가 아니라면'이라는 의미로 ❶[_____]와 not의 의미를 함께 포함하는 종속접속사는 ❷[_____]이다.

답 ② / ❶ if ❷ unless

확인 문제

1 다음 문장의 빈칸에 공통으로 알맞은 것은?

• _____ no one wanted the dog, I decided to adopt him.
• _____ I was 10 years old, I've lived with my grandparents.

① As ② So ③ Since
④ While ⑤ Although

2 다음 문장의 빈칸에 알맞은 말을 〈보기〉에서 골라 쓰시오.

보기
as   that   though

(1) He didn't eat anything _____ he was very hungry.

(2) It rained so hard _____ we stayed home all day.

전략 2 접속사와 전치사의 차이를 알아 둘 것!

(1) 접속사 뒤에는 [❶   ]이, 전치사 뒤에는 명사(구)가 온다.

의미	접속사	전치사
시간(~하는 동안)	[❷]	during
양보(비록 ~이지만)	though/although/even though	despite/in spite of

(2) as는 전치사로 쓰이면 '~로서, ~처럼'이라는 뜻이고, since는 전치사로 쓰이면 '~부터/이후'라는 뜻이다.

접속사 뒤에는 주어와 동사를 갖춘 절이 온다는 것 기억해!

답 ❶ 절 ❷ while

필수 예제

다음 우리말을 영어로 바르게 옮긴 것은?

> 그는 친구가 많았지만 외롭다고 느꼈다.

① He had many friends while he felt lonely.

② Despite he had many friends, he felt lonely.

③ Despite he felt lonely, he had many friends.

④ Though he had many friends, he felt lonely.

⑤ Though he felt lonely, he had many friends.

문제 해결 전략

'비록 ~이지만'이라는 뜻의 양보의 ❶[   ] though는 뒤에 절이 오고 ❷[   ] despite 뒤에는 명사(구)가 온다.

답 ④ / ❶ 접속사 ❷ 전치사

확인 문제

1 다음 중 어법상 어색한 것은?

① During she was boiling water, her mom walked in the kitchen.

② He hasn't eaten breakfast since he was in high school.

③ She likes the restaurant in spite of the poor service.

④ Although they are twins, they are very different.

⑤ I had to hurry as my mom was waiting for me.

2 다음 두 문장의 뜻이 같도록 빈칸에 알맞은 말을 쓰시오.

Despite the hot weather, we sat outdoors.
= _____ the weather was hot, we sat outdoors.

전략 3 간접의문문의 어순에 주의할 것!

(1) 간접의문문의 형태

의문사가 있는 경우	**❶** + 주어 + 동사	
	의문사 + 동사 *의문사가 주어	
의문사가 없는 경우	**❷** + 주어 + 동사 (+ or not)	

if 바로 뒤에는 or not을 쓸 수 없어!

Whether he leaves **or not** is not important. 그가 떠나든 안 떠나든 중요하지 않다.

(2) 주절의 동사가 생각이나 추측을 나타낼 때(think, believe, guess, suppose, imagine 등)는 의문사를 문장의 맨 앞에 쓴다.

Do you think? + Who will win the competition?

➡ **Who** *do you think* **will win** the competition? 너는 누가 대회에서 이길 거라고 생각해?
　　의문사　　　　　　동사

답 ❶ 의문사 ❷ if/whether

필수 예제

다음 중 어법상 어색한 것은?

① She asked me if I was hungry.

② I want to know when it happened.

③ I wonder how did he lose his weight.

④ Do you know what makes me happy?

⑤ Can you tell me where you are going this weekend?

문제 해결 전략

의문사가 있는 간접의문문의 어순은 「**❶** + 주어 + 동사」이다. 의문사가 주어일 경우에는 어순이 「의문사 + **❷** 」가 된다.

답 ③ / ❶ 의문사 ❷ 동사

확인 문제

1 다음 우리말을 영어로 바르게 옮긴 것은?

> 나는 네가 사과를 몇 개 먹었는지 모른다.

① I don't know how many you ate apples.

② I don't know how many apples you ate.

③ I don't know you ate how many apples.

④ I don't know if you ate how many apples.

⑤ I don't know how many apples did you eat.

2 다음 그림을 보고, 빈칸에 알맞은 말을 써서 문장을 완성하시오.

Does Mina feel better?

➡ The boy is wondering _____ better.

전략 4 상관접속사는 수와 형태의 일치에 주의할 것!

(1) 상관접속사가 주어 자리에 쓰일 경우 동사의 수 일치에 주의한다.

「not only A but (also) B」는 「B as well as A」로 바꾸어 쓸 수 있어. 이때도 동사의 수는 B에 일치시켜야 해.

상관접속사 종류	의미	동사의 수 일치
both A and B	A와 B 둘 다	복수 취급
not only A but (also) B (= B as well as A)	A뿐(만) 아니라 B도	**❶**_____ 에 일치
either A or B	A와 B 둘 중 하나	
neither A nor B	A도 B도 아닌	

(2) 상관접속사로 연결되는 두 어구는 대등한 관계로 그 문법적 성분과 **❷**_____를 일치시킨다.

You must **either** pass the exam **or** get a job. 너는 시험에 통과하거나 취업을 하거나 둘 중 하나를 해야 한다.

>> 답 **❶** B **❷** 형태

필수 예제

다음 문장의 빈칸에 알맞지 **않은** 것은?

_____ has to take the course.

① Either you or Anne
② Both you and Anne
③ Anne as well as you
④ Neither you nor Anne
⑤ Not only you but also Anne

문제 해결 전략

상관접속사 「either A or B」, 「neither A nor B」, 「not only A but (also) B」가 주어로 쓰일 경우 모두 **❶**_____ 에 수를 일치시키고, 「both A and B」가 주어로 쓰일 경우에는 **❷**_____ 취급한다.

>> 답 ② / **❶** B **❷** 복수

확인 문제

1 다음 우리말을 영어로 바르게 옮긴 것은?

Tim도 그의 여동생도 수영하는 법을 모른다.

① Either Tim or his sister knows how to swim.

② Neither Tim nor his sister know how to swim.

③ Neither Tim or his sister know how to swim.

④ Neither Tim nor his sister knows how to swim.

⑤ Either Tim or his sister doesn't know how to swim.

2 다음 그림을 보고, 빈칸에 알맞은 말을 쓰시오.

➡ At home, Mary enjoys either _____ books or _____ TV.

1 다음 문장의 빈칸에 공통으로 알맞은 것은?

> • Tony always listens to music _____ he drives.
> • I like chocolate ice cream _____ my sister likes strawberry ice cream.

① as ② since ③ while
④ though ⑤ as soon as

2 다음 두 문장의 뜻이 같도록 빈칸에 알맞은 것은?

> Since you worked hard on the project, you will get an A.
> = _____ you worked hard on the project, you will get an A.

① As ② So ③ After
④ While ⑤ Although

3 다음 문장의 빈칸에 알맞은 말이 순서대로 바르게 짝지어진 것은?

> • _____ the summer break, I will finish reading the book.
> • _____ Tom saved a little money, it was not enough to buy the new guitar he wanted.

① As ··· Since ② While ··· As
③ While ··· Although ④ During ··· Despite
⑤ During ··· Though

4 다음 중 어법상 <u>어색한</u> 것은?

① She neither washed the shirt nor wore it.

② Both Lena and her husband love cooking.

③ You must do it not only quickly but also perfect.

④ I enjoyed seeing the movie as well as reading the book.

⑤ You can either spend the money on shopping or save it.

문제 해결 전략

「either *A* or *B*」, 「both *A* and *B*」, 「neither *A* nor *B*」, 「not only *A* but (also) *B*」 등은 두 개의 단어나 구, 절을 대등하게 연결하는 ❶ ⬚ 이다. 이때 A, B의 문법적 성분과 형태는 ❷ ⬚ 해야 한다.

📖 ❶ 상관접속사 ❷ 일치

5 다음 우리말을 영어로 바르게 옮긴 것은?

> 그는 나에게 내가 몇 살인지 물었다.

① He asked me how old I am.

② He asked me how old am I.

③ He asked me how old was I.

④ He asked me how old I was.

⑤ He asked me how old are you.

문제 해결 전략

'~인지 (아닌지)'라고 해석하는 ❶ ⬚ 은 의문사가 있을 경우 「❷ ⬚ + 주어 + 동사」로 나타낸다.

📖 ❶ 간접의문문 ❷ 의문사

6 다음 그림을 보고, 주어진 표현을 빈칸에 바르게 배열해 쓰시오.

문제 해결 전략

상관접속사 「❶ ⬚ *A* but (also) *B*」는 'A뿐만 아니라 B도'라는 뜻으로 A와 B의 형태는 ❷ ⬚ 해야 한다.

📖 ❶ not only ❷ 일치

Eunji: Did you try to contact Ms. Scott?

Seojun: Yes. I _____ sent her an email.

(called her, not only, but also)

대표 예제 1

다음 문장의 빈칸에 알맞은 것은?

> The girl to _____ you have just spoken is my friend.

① who　　② that　　③ what

④ whom　　⑤ which

Tip

관계대명사가 전치사 뒤에서 전치사의 목적어로 사용될 때 선행사가 사람이면 ❶ [　　　], 사물이면 ❷ [　　　]를 쓴다.

탑 ❶ whom ❷ which

대표 예제 2

다음 문장의 빈칸에 공통으로 알맞은 것은?

> • There was a time _____ I could eat a whole pizza.
> • Jenny was talking on the phone _____ I arrived.

① as　　② that　　③ when

④ where　　⑤ though

Tip

when은 '언제'라는 의미의 의문사, '~할 때'라는 의미의 ❶ [　　　], 시간을 나타내는 선행사를 수식하는 ❷ [　　　]로 쓰인다.

탑 ❶ 접속사 ❷ 관계부사

대표 예제 3

다음 문장의 밑줄 친 부분 중 어법상 어색한 것을 고르고 바르게 고쳐 쓰시오.

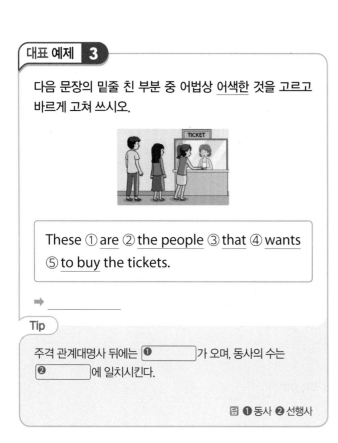

> These ① are ② the people ③ that ④ wants ⑤ to buy the tickets.

➡ _____

Tip

주격 관계대명사 뒤에는 ❶ [　　　]가 오며, 동사의 수는 ❷ [　　　]에 일치시킨다.

탑 ❶ 동사 ❷ 선행사

대표 예제 4

다음 두 문장의 뜻이 같도록 빈칸에 알맞은 말을 쓰시오.

> As the Internet is too slow, I can't attend online classes.
> = The Internet is _____ slow _____ I can't attend online classes.

Tip

접속사 「so ~ that ....」은 '매우 ~해서 …하다'라는 ❶ [　　　]의 의미를 나타내며, so 뒤에는 ❷ [　　　] 또는 부사가 오고 that 뒤에는 결과를 나타내는 절이 온다.

탑 ❶ 결과 ❷ 형용사

대표 예제 5

다음 문장의 빈칸에 공통으로 알맞은 것은?

- _____ he left last year, I haven't heard from him.
- _____ she was hungry, she was happy to see the food.

① That　　② When　　③ While
④ Since　　⑤ Though

Tip

since는 '**❶**_____'라는 시간의 의미와 '**❷**_____'라는 이유의 의미를 갖는 종속접속사이다.

답 ❶ ~한 이후로 ❷ ~ 때문에

대표 예제 6

다음 그림을 보고, 주어진 표현을 빈칸에 바르게 배열해 쓰시오.

➡ _____
_____ to check his emails.
(his computer, he woke up, he turned on, as soon as)

Tip

as soon as는 '**❶**_____'라는 뜻으로 시간의 부사절을 이끄는 종속접속사이다. 부사절이 주절 앞에 쓰일 경우 절과 절 사이에는 **❷**_____를 쓴다.

답 ❶ ~ 하자마자 ❷ 콤마(,)

대표 예제 7

다음 문장의 빈칸에 알맞지 <u>않은</u> 것은?

I wonder _____.

① when my parcel will arrive
② why you got up early
③ how heavy is the box
④ if he can bake cookies
⑤ who can solve the problem

Tip

간접의문은 문장에서 주어, **❶**_____, 보어 역할을 하는 명사절이며, 의문사가 있는 간접의문의 어순은 「의문사 + 주어 + **❷**_____」이다.

답 ❶ 목적어 ❷ 동사

대표 예제 8

다음 중 밑줄 친 부분을 생략할 수 <u>없는</u> 것은?

① Does the cake <u>that</u> she baked for you taste good?
② Has she met the person to <u>whom</u> she sent the letter?
③ What's the name of the song <u>which</u> you listen to all the time?
④ The students <u>who</u> I have taught for three years are graduating today.
⑤ I really like the pictures <u>which</u> you took during the trip.

Tip

관계대명사의 **❶**_____은 생략할 수 있지만 **❷**_____ 뒤에 쓰인 경우에는 생략할 수 없다.

답 ❶ 목적격 ❷ 전치사

대표 예제 9

다음 중 빈칸에 that을 쓸 수 <u>없는</u> 것은?

① He has to go to the hospital _____ is far from his house.

② The job for _____ I applied allows me to have a work-life balance.

③ She is a reporter _____ writes for the school paper.

④ Please take off the coat _____ you are wearing.

⑤ There will be the people at the party _____ he has to meet.

Tip

관계대명사 that은 선행사가 사람, 동물, 사물일 때 모두 쓸 수 있지만 ❶ [   ] 뒤와 ❷ [   ] 용법을 나타내는 콤마(,) 뒤에는 쓸 수 없다.

달 ❶ 전치사 ❷ 계속적

대표 예제 10

다음 문장의 빈칸에 알맞지 <u>않은</u> 것은?

> Though _____, he put on a smile on his face.

① the boy was tired

② the weather was terrible

③ the rude treatment he got

④ Jim didn't like his new hair

⑤ my brother failed the exam

Tip

though는 '비록 ～이지만'이라는 뜻으로 ❶ [   ]의 의미를 나타내는 접속사이고 뒤에 ❷ [   ]이 온다.

달 ❶ 양보 ❷ 절

대표 예제 11

다음 표를 보고, 문장의 빈칸에 알맞은 말을 쓰시오.

Do you like ~?	Suji	Minjun
milk	O	X
juice	O	X

(1) Suji likes _____ milk _____ juice.

(2) Minjun likes _____ milk _____ juice.

Tip

상관접속사 「both A and B」는 '❶ [   ]'라는 뜻이고, 「neither A nor B」는 '❷ [   ]'이라는 뜻이다.

달 ❶ A와 B 둘 다 ❷ A도 B도 아닌

대표 예제 12

다음 그림을 보고, 〈보기〉에 주어진 표현과 관계대명사를 이용해 빈칸에 알맞은 말을 쓰시오.

> 보기
> singing on the stage, hair is long

(1) The girls _____ are Nicole and Sophie.

(2) The girl _____ is Nicole.

Tip

사람을 수식하는 관계대명사가 관계사절에서 ❶ [   ] 역할을 할 때는 who 또는 that, 소유격 역할을 할 때는 ❷ [   ]를 쓴다.

달 ❶ 주어 ❷ whose

대표 예제 13

다음 문장의 빈칸에 알맞은 말을 〈보기〉에서 골라 쓰시오.

┌ 보기 ┐
who   why   how   which

(1) The poet wrote a poem for his wife, _____ she didn't like.

(2) Please tell me the reason _____ you are here.

Tip

콤마(,) 뒤에서 ❶_____ 용법으로 사용되고 사물을 수식하는 관계대명사는 which이다. ❷_____를 나타내는 선행사를 수식하는 관계부사는 why이다.

답 ❶ 계속적 ❷ 이유

대표 예제 14

다음 문장에서 어법상 어색한 부분을 고쳐 문장을 다시 쓰시오.

> Sally not only plays tennis but also teach it.
>
> ➡ _____

Tip

「not only A but (also) B」는 '❶_____'라는 뜻의 상관접속사로 A와 B의 형태를 ❷_____시켜야 한다.

답 ❶ A뿐만 아니라 B도 ❷ 일치

대표 예제 15

다음 두 문장의 뜻이 같도록 빈칸에 알맞은 말을 쓰시오.

(1) He decided to walk to school to save money.

 = He decided to walk to school _____ he can save money.

(2) Despite the fact that I saw him every day, I didn't know him well.

 = _____ I saw him every day, I didn't know him well.

Tip

'~하기 위해서'라는 ❶_____의 의미를 갖는 접속사는 so that이고, '비록 ~이지만'이라는 뜻의 ❷_____의 의미를 갖는 접속사는 though, although, even though 등이 있다.

답 ❶ 목적 ❷ 양보

대표 예제 16

다음 그림을 보고, 소년의 말을 이용해 문장을 완성하시오.

What time will you come? Will you bring something to eat?

➡ Robin asks Bill (1) _____
 and (2) _____.

Tip

'~인지 (아닌지)'라는 뜻의 ❶_____의 어순은 「❷_____ /if/whether + 주어 + 동사」이다.

답 ❶ 간접의문문 ❷ 의문사

1 다음 중 〈보기〉의 밑줄 친 that의 쓰임과 같은 것은?

┌─ 보기 ─┐
He is the boy that helped me yesterday.
└──────┘

① I remember seeing that chair before.

② She is the kindest person that I've ever met.

③ My friends know that I don't eat chocolate.

④ The book was so boring that I fell asleep while reading it.

⑤ Despite the fact that he is a nice person, I don't like him.

Tip

that이 관계대명사로 사용된 경우, 앞에는 [❶　　　]가 오고 뒤에는 대명사가 빠진 [❷　　　]한 문장이 온다. that은 대명사, 지시형용사, 접속사 등으로도 사용된다.

답 ❶ 선행사 ❷ 불완전

서술형

2 다음 문장에서 어법상 어색한 부분을 고쳐 문장을 다시 쓰시오.

┌──────────────────────┐
This is the way how I studied for the test.
└──────────────────────┘

➡ _____

_____

Tip

관계부사 [❶　　　]는 방법을 나타내는 선행사 the way 와 동시에 쓰지 않으므로 둘 중 하나를 [❷　　　]한다.

답 ❶ how ❷ 생략

3 다음 중 밑줄 친 As의 의미가 나머지 넷과 다른 것은?

① As I ate too much, I am not feeling well.

② As you don't know her, I'll introduce her to you.

③ As he didn't have a car, he had to walk home.

④ As she was driving home, she saw a strange man on the side of the road.

⑤ As I have to save some money, I'm not going to eat out for a year.

Tip

as는 '~할 때'라는 [❶　　　]의 의미와 '~ 때문에'라는 [❷　　　]의 의미를 갖는 종속접속사이다.

답 ❶ 시간 ❷ 이유

4 다음 두 문장의 뜻이 같도록 빈칸에 알맞은 것은?

┌──────────────────────┐
Despite the rain, they went swimming.
= _____ it was raining, they went swimming.
└──────────────────────┘

① As　　　② So　　　③ Since

④ Though　　　⑤ As soon as

Tip

despite는 '~에도 불구하고'라는 뜻의 [❶　　　]로 뒤에 명사(구)가 오고, though는 '비록 ~이지만'이라는 뜻의 [❷　　　]로 뒤에 절이 온다.

답 ❶ 전치사 ❷ 접속사

5 다음 문장의 빈칸에 알맞은 말이 순서대로 바르게 짝지어진 것은?

> - It was a gift for _____ I'm grateful.
> - Sarah, _____ is giving a speech tonight, is sitting next to Peter.

① what ⋯ who
② that ⋯ whom
③ that ⋯ when
④ which ⋯ whom
⑤ which ⋯ who

> **Tip**
>
> 사물 선행사를 수식하고 전치사 바로 뒤에 오는 목적격 관계대명사는 ❶ [   ]를 쓰고, 사람 선행사를 꾸며 주는 ❷ [   ] 관계대명사는 who를 쓴다.
>
> 🔑 ❶ which ❷ 주격

6 다음 그림을 보고, 빈칸에 알맞은 말을 쓰시오.

(1) _____ Mary and Jason _____ wearing masks.

(2) _____ Mary nor Jason _____ wearing a cap.

> **Tip**
>
> 상관접속사가 주어일 때 「both A and B」는 ❶ [   ] 취급하고, 「neither A nor B」는 ❷ [   ]에 동사의 수를 일치시킨다.
>
> 🔑 ❶ 복수 ❷ B

7 다음 중 어법상 어색한 것은?

① She asked whether was I cold.
② I wondered why he was shouting.
③ My mom wants to know if I fed the cat.
④ Did he tell you when he would come?
⑤ The man asked me where the bank was.

> **Tip**
>
> '~인지 (아닌지)'라고 해석되는 ❶ [   ]의 어순은 「if/ whether + ❷ [   ] + 동사」이다.
>
> 🔑 ❶ 간접의문문 ❷ 주어

8 다음 그림의 상황을 한 문장으로 바르게 표현한 것은?

① Both Miso and Jiho like math.
② If Miso likes math, Jiho will like math.
③ While Miso likes math, Jiho doesn't like math.
④ Since Miso likes math, Jiho likes math.
⑤ Not only Miso but also Jiho likes math.

> **Tip**
>
> 대조적인 두 문장을 연결할 때 '~인 ❶ [   ]'이라는 뜻의 접속사 ❷ [   ]을 쓴다.
>
> 🔑 ❶ 반면 ❷ while

1 다음 문장의 빈칸에 공통으로 알맞은 것은?

> • The student _____ left last didn't turn off the lights.
> • I'm lucky to know _____ my true friends are.

① who   ② that   ③ what

④ which   ⑤ where

2 다음 중 밑줄 친 부분이 어법상 어색한 것은?

① She saw a cat that looked hungry.

② I know a place where I can watch the game.

③ There will be times that you don't feel like studying.

④ He went into the room in which the baby was sleeping.

⑤ Let's meet at the bookstore where is located in the shopping center.

<서술형>

3 다음 두 문장의 뜻이 같도록 빈칸에 알맞은 말을 쓰시오.

> I made carrot soup, and everyone enjoyed it.
> = I made carrot soup, _____ everyone enjoyed.

4 다음 그림의 상황과 일치하도록 빈칸에 알맞은 것은?

> The flowers were so beautiful _____ the boy stopped to smell them.

① as   ② that   ③ since

④ while   ⑤ although

5 다음 우리말을 영어로 바르게 옮긴 것은?

> 그가 사실을 말하고 있는지 알기 어려웠다.

① It was hard to tell if he was telling the truth.

② It was hard to tell if was he telling the truth.

③ It was hard to tell what he was telling the truth.

④ It was hard to tell what was he telling the truth.

⑤ It was hard to tell that he was telling the truth.

6 다음 중 밑줄 친 While[while]의 의미가 나머지 넷과 다른 것은?

① I called her while I was waiting for the bus.

② While I was in the store, someone stole my wallet.

③ While she was working, she often listened to music.

④ While I prefer to eat at home, my husband prefers to eat at restaurants.

⑤ While her children were sleeping, she decorated the Christmas tree.

9 다음 중 밑줄 친 부분이 접속사가 아닌 것은?

① While I was in Paris, he came to visit me.

② Although the boy was small, he was very strong.

③ Since she didn't want to fail, she studied hard.

④ Though it's only May, it feels like summer already.

⑤ As a person who loves reading, I recommend this book.

서술형

7 다음 우리말에 맞게 주어진 표현을 빈칸에 바르게 배열해 쓰시오.

> 미나는 영어뿐 아니라 프랑스어도 할 수 있다.
> ➡ Mina can speak _____
>
> _____ .
>
> (English, French, but also, not only)

서술형

8 다음 표를 보고, 관계대명사를 이용해 문장을 완성하시오.

Jane Austen	Vasco da Gama
a writer	an explorer
She wrote *Pride and Prejudice*.	His goal was to travel to India.

(1) Jane Austen was a writer _____

_____ .

(2) Vasco da Gama was an explorer _____

_____ .

서술형

10 다음 그림을 보고, 밑줄 친 부분을 어법에 맞게 고쳐 쓰시오.

> She had to either do the dishes or took out the trash.

➡ _____

1 다음 조사 내용을 바탕으로 빈칸에 알맞은 말을 넣어 Theodore Roosevelt에 관한 글을 완성하시오.

He was the twenty-sixth President of the United States.

He was called Teddy Roosevelt.

The Teddy Bear was named after him.

Theodore Roosevelt, _____ was called Teddy Roosevelt, was the twenty-sixth President of the United States. This former U.S. President, _____ the "Teddy Bear" was named after, was one of the most popular presidents in United States history.

2 다음 그림을 보고, 빈칸에 알맞은 말을 〈보기〉에서 골라 쓰시오.

┌ 보기 ┐

since   while   so that

(1)

➡ I'm drinking coffee _____ I can stay awake.

(2)

➡ _____ it's raining outside, I will watch TV at home.

(3)

➡ _____ my brother is good at painting, I am poor at it.

3 은정이가 어제 본 면접에 관해 Haley와 나눈 대화를 완성하시오.

Step 1 주어진 단어를 이용해 의문문을 완성한다.

(1) 당신은 왜 여기서 일하기를 원하나요?
(want, why)
➡ _____ to work here?

(2) 당신은 주말에 일할 수 있나요? (can, work)
➡ _____ on weekends?

(3) 당신은 언제 일을 시작할 수 있나요?
(start, when)
➡ _____ woking?

Step 2 위 의문문을 간접의문문으로 바꿔 대화를 완성한다.

Haley How did the interview go?

It went well. *Eunjeong*

Haley What did the manager ask?

He asked _____
there and _____
on weekends. *Eunjeong*

Haley What else did he ask?

He also asked me _____ *Eunjeong*
_____ .

Haley Does that mean you got the job?

Yes! *Eunjeong*

Tip

'~인지 (아닌지)'라는 뜻의 ❶[____]은 의문사가 있을 경우 「의문사 + 주어 + 동사」로, 의문사가 없을 경우 「❷[____]/whether + 주어 + 동사」로 나타낸다.

🔑 ❶ 간접의문 ❷ if

4 다음 보라와 진수의 주말 계획을 보고, 빈칸에 알맞은 말을 써서 글을 완성하시오.

Bora	Jinsu
• Sat 14:00 – 15:00 piano lesson	• Sat 12:00 – 18:00 go fishing (if ☔ – go to the library)
• Sun 14:00 – 15:00 piano lesson	
• no homework	• no homework

Bora is going to take piano lessons on
_____ Saturday _____ Sunday. Jinsu
will _____ go fishing _____ go to the
library on Saturday. _____ Bora _____
Jinsu has homework this weekend.

Tip

상관접속사 「both *A* and *B*」는 'A와 B 둘 다'라는 의미고, 「❶[____] *A* or *B*」는 'A와 B 둘 중 하나', 「neither *A* ❷[____] *B*」는 'A도 B도 아닌'이라는 뜻이다.

🔑 ❶ either ❷ nor

5 다음은 지호의 하루를 묘사한 것이다. 그림을 보고, 빈칸에 while 또는 as soon as를 써서 문장을 완성하시오.

(1) It was my lucky day. In the morning, the bus arrived _____ I got to the bus stop.

↓

(2) _____ I was walking to school, I found 1,000 won on the street.

↓

(3) _____ I was on my way home, I saw the girl I like.

↓

(4) _____ I got home, it started to rain heavily.

Tip
시간을 나타내는 접속사 while은 '❶_____'이라는 의미를 가지고, 접속사 as soon as는 '❷_____'라는 의미를 가진다.

답 ❶ ~하는 동안 ❷ ~ 하자마자

6 다음은 Andy의 오후 일정표입니다. 〈보기〉의 상관접속사 중 알맞은 표현을 모두 이용해 빈칸에 알맞은 말을 넣어 대화를 완성하시오.

Andy's Afternoon Schedule					
	Mon	Tue	Wed	Thu	Fri
science club (15:30~17:30)		O		O	
dance lesson (18:00~20:00)	O		O		O

Rosie: Andy, how about having dinner together this week?
Andy: That sounds great!
Rosie: What day is good for you?
Andy: _____ is okay with me.

보기
ⓐ both ~ and ...
ⓑ not only ~ but also ...
ⓒ either ~ or ...
ⓓ neither ~ nor ...

(1) _____

(2) _____

Tip
상관접속사가 주어로 쓰일 경우 동사의 수 일치에 주의해야 한다. 「both A and B」는 ❶_____ 취급하며, 「not only A but also B」, 「either A or B」, 「neither A nor B」는 모두 ❷_____에 동사의 수를 맞춘다.

답 ❶ 복수 ❷ B

7 다음 그림을 보고, 그림과 관계있는 단어 카드를 골라 관계부사로 연결한 문장을 쓰시오.

Paris   the first Olympic Games were held

people tell lies for fun   Valentine's Day

marathon   April Fool's Day

you can see the Eiffel Tower   Spain

(1)

➡ _____

_____

(2)

➡ _____

_____

Tip
관계부사는 「❶ [   ] + 부사」의 역할을 하며 관계부사가 이끄는 절은 ❷ [   ]를 수식한다. 선행사가 the time, the place, the reason 등의 일반적인 명사인 경우 선행사 또는 관계부사 중 하나를 생략할 수 있다.

📖 ❶ 접속사 ❷ 선행사

8 다음 〈예시〉 문장을 참고로 〈보기〉에서 빈칸에 알맞은 말을 골라 문장을 완성하시오.

┌ 예시 ┐
I admire King Sejong, <u>who invented Hangeul</u>.

┌ 보기 ┐
• He studies computer science at university.
• It made my parents worried.
• She was not at home.
• It was made in Germany.

(1) He bought a new car, _____

_____ .

(2) They have a son, _____

_____ .

(3) I came home late, _____

_____ .

Tip
관계사절이 선행사에 대한 부가적인 정보를 제공할 때 관계사 앞에 ❶ [   ]를 써서 계속적 용법임을 나타낸다. 관계대명사 ❷ [   ]은 계속적 용법으로 사용하지 않는다.

📖 ❶ 콤마(,) ❷ that

비교, 가정법, 특수 구문

1 비교급 주요 표현

Come on, Max! You're getting fatter and fatter. The more you exercise, the healthier you get.

The older I get, ...

강아지가 이어서 할 말로 알맞은 것은?
a. the sleepy I get
b. the sleepier I get

2 최상급을 나타내는 표현

No other island in Korea is as large as Jejudo.

여자의 말과 일치하는 것은?
a. Jejudo is the largest island in Korea.
b. Some islands are larger than Jejudo.

3 가정법 과거

If I were not busy,
I could go skiing.

여자의 생각을 나타낸 것은?
a. I wish I were busy.
b. I wish I could go skiing.

4 강조 구문

It was on the glass that
we found his fingerprints
yesterday.

탐정이 강조하고 있는 사실은?
a. 지문을 발견한 장소
b. 지문을 발견한 시점

개념 **1** 비교급 주요 표현

○ 「The + 비교급 (+ 주어 + 동사), the + **❶**[ ] (+ 주어 + 동사)」: '~하면 할수록 더 …하다'라는 뜻으로 「the + 비교급」이 접속사 역할을 해서 두 개의 서로 관련된 내용을 가진 문장을 연결한다.

○ 「비교급 + and + 비교급」: '**❷**[ ] 더 ~한/하게'라는 뜻으로 상태의 변화를 나타낸다.

개념 **2** 원급·비교급을 이용한 최상급 표현

○ 원급이나 비교급을 이용하여 최상급의 의미를 나타낼 수 있다.

A + 동사 + 최상급	A는 가장 ~하다
No (other) + 단수명사 + 단수동사 + as + **❶**[ ] + as + A	어떤 ~도 A만큼 …하지 않다
No (other) + 단수명사 + 단수동사 + 비교급 + than + A	어떤 ~도 A보다 더 …하지 않다
A + 동사 + 비교급 + **❷**[ ] any other + 단수명사	A는 다른 어떤 ~보다 더 …하다
A + 동사 + 비교급 + than all the other + 복수명사	A는 다른 모든 ~보다 더 …하다

* 「No (other) + 단수명사」 대신 Nothing, No one 등이 와도 형태는 동일하다.

Russia is **the biggest** country in the world.
러시아가 세계에서 가장 큰 나라이다.

= **No** (other) **country** is **as big as** Russia in the world.

= **No** (other) **country** is **bigger than** Russia in the world.

= Russia is **bigger than any other country** in the world.

= Russia is **bigger than all the other countries** in the world.

* 비교 대상이 동일 범주의 것이 아닐 때는 other를 쓰지 않는다.

No *building* in Korea is higher than *Mt. Halla*. (건물과 산의 비교)
한국에 있는 어떤 건물도 한라산보다 더 높지 않다.

개념 **3** 가정법 과거

○ 형태

If + 주어 + **❶**[ ]	주어 + 조동사의 과거형 + 동사원형

* 가정법 과거의 if절에 be동사가 올 때는 주어의 인칭이나 수에 상관없이 were를 쓴다.

○ 의미: '(만약) ~라면 …할 텐데'라는 뜻으로 **❷**[ ] 사실의 반대를 가정하거나 미래에 일어날 가능성이 없는 상상을 나타낸다.

1-1 다음 문장의 빈칸에 알맞은 것은?

> The more books you read, _____ more you learn.

① and ② the ③ then

풀이 | 두 개의 절 앞에 각각 「the + ❶ _____」을 써서 '~❷ _____ 더 …하다'라는 뜻을 나타낸다.

답 ② / ❶ 비교급 ❷ 하면 할수록

2-1 다음 문장의 빈칸에 알맞은 것은?

> No other car is as _____ as this car.

① fast ② faster ③ fastest

풀이 | 「No (other) + 단수명사 + 단수동사 + as + ❶ _____ + as + A」는 '어떤 ~도 A만큼 …하지 않다'라는 뜻으로 ❷ _____ 의미를 나타내는 표현이다.

답 ① / ❶ 원급 ❷ 최상급

3-1 다음 우리말을 영어로 옮길 때 빈칸에 알맞은 것은?

> 내가 피곤하지 않으면 방을 청소할 텐데.
> ➡ If I _____ tired, I would clean my room.

① am ② were ③ weren't

풀이 | 현재 사실의 ❶ _____를 가정할 때 「If + 주어 + ❷ _____, 주어 + 조동사의 과거형 + 동사원형」의 형태로 쓴다.

답 ③ / ❶ 반대 ❷ 동사의 과거형

1-2 다음 문장의 밑줄 친 부분을 바르게 고쳐 쓰시오.

> The more homework you have, the little free time you have.

➡ _____

2-2 다음 두 문장의 뜻이 같도록 밑줄 친 부분을 바르게 고쳐 쓰시오.

> The black skirt looked the best.
> = Nothing looked the best than the black skirt.

➡ _____

3-2 다음 두 문장의 뜻이 같도록 빈칸에 알맞은 말을 쓰시오.

> As I don't have money, I can't travel around the world.
> = If I _____ money, I could travel around the world .

개념 4 I wish/as if 가정법 과거

○ I wish 가정법 과거: '~하면 좋을 텐데'라는 뜻으로 현재 사실의 ❶[   ]나 실현 가능성이 낮은 일에 대한 바람을 표현한다.

I wish + 주어 + were/(조)동사의 과거형

○ as if 가정법 과거: '마치 ~인 것처럼'이라는 뜻으로 현재 사실의 반대나 사실일 가능성이 아주 낮은 일을 가정할 때 쓴다. as if는 as ❷[   ]로 바꿔 쓸 수 있다.

as if + 주어 + were/동사의 과거형

개념 5 강조 구문

○ 「It ~ that ...」 강조 구문은 문장의 주어, 목적어, 부사(구) 등을 강조하여 '~한 것은 바로 …이다'라는 뜻을 나타낸다.

It + be동사 + 강조할 내용 + ❶[   ] + 나머지 내용

Lisa found the ring under the sofa today.
Lisa는 오늘 소파 밑에서 반지를 찾았다.

➡ **It was** *Lisa* **that**[who] found the ring under the sofa today. (주어 강조)
➡ **It was** *the ring* **that**[which] Lisa found under the sofa today. (목적어 강조)
➡ **It was** *under the sofa* **that**[where] Lisa found the ring today. (부사구 강조)
➡ **It was** *today* **that**[when] Lisa found the ring under the sofa. (부사 강조)

* 강조하는 대상에 따라 that 대신에 who, which, where, when 등을 사용할 수 있다.

○ 강조의 do는 일반동사가 있는 문장의 동사를 강조하여 '정말로 ~하다'라는 뜻을 나타낸다. 주어의 인칭과 수, 시제에 따라 do, does, did를 쓴다.

주어 + do동사 + ❷[   ]

Stop looking at your watch.

It's only Kevin that keeps his mind on his work.

개념 6 도치 구문

○ 「So + 동사 + 주어」는 긍정문 뒤에서 '~도 또한 그렇다'라는 뜻이고, 「Neither + 동사 + 주어」는 ❶[   ] 뒤에서 '~도 또한 그렇다'라는 뜻이다.

* 동사는 앞 문장의 동사에 따라 be동사, do동사, 조동사가 된다. 앞 문장의 동사가 일반동사일 때 do동사(do/does/did)를 쓴다.

○ 부사(구) 도치: 장소나 방향을 나타내는 부사(구)가 문장 맨 앞에 올 때는 주어와 동사가 ❷[   ]된다.

The bus comes *here*. 그 버스가 여기로 온다.
➡ **Here** comes the bus.

○ 부정어 도치: never, hardly, seldom, little, rarely, not 등의 부정어가 문장 맨 앞에 올 때 주어와 동사가 도치되어 의문문의 어순이 된다.

It *seldom* **rains in October.** 10월에는 거의 비가 오지 않는다.
➡ **Seldom** does it rain in October.

4-1 다음 우리말을 영어로 옮길 때 빈칸에 알맞은 것은?

> 그는 마치 모든 답을 아는 것처럼 행동한다.
> ➡ He acts _____ if he knew all the answers.

① as   ② like   ③ that

풀이 | '마치 ~인 것처럼'은 **❶**[_____] if 가정법 과거로 표현하며 뒤의 if절의 동사는 **❷**[_____]을 쓴다.

답 ① / ❶ as ❷ 과거형

4-2 다음 문장의 밑줄 친 부분을 바르게 고쳐 쓰시오.

> She is acting as if he <u>is</u> not here with us.

➡ _____

5-1 다음 우리말을 영어로 옮길 때 빈칸에 알맞은 것은?

> 나라가 빌려간 것은 바로 내 교과서였다.
> ➡ It was my textbook _____ Nara borrowed.

① so   ② that   ③ what

풀이 | It was와 **❶**[_____] 사이에 **❷**[_____]하는 내용을 써서 '~한 것은 바로 …였다'라는 뜻을 나타낼 수 있다.

답 ② / ❶ that ❷ 강조

5-2 「It ~ that …」 구문을 이용해 밑줄 친 부분을 강조하여 다시 쓰시오.

> I want to drink <u>water</u>.

➡ _____

6-1 다음 두 문장의 뜻이 같도록 빈칸에 알맞은 것은?

> My dad was angry, and I was angry, too.
> = My dad was angry, and _____ was I.

① so   ② as   ③ that

풀이 | 긍정문 뒤에 「**❶**[_____] + 동사 + 주어」를 써서 '~도 또한 그렇다'라는 뜻을 나타낸다. 앞에 나온 동사가 be동사면 be동사, 조동사면 조동사, **❷**[_____]동사면 do/does/did를 쓴다.

답 ① / ❶ so ❷ 일반

6-2 다음 두 문장의 뜻이 같도록 빈칸에 알맞은 것은?

> Linda seldom drinks coffee.
> = Seldom _____ Linda drink coffee.

① do   ② did   ③ does

CHECK UP

The weather is getting hotter and (hotter / hottest).

➡ 「비교급 + ❶[＿＿＿] + 비교급」은 '❷[＿＿＿] 더 ~한/하게'라는 뜻으로 상태의 변화를 나타내는 표현이다.

🔑 hotter / ❶ and ❷ 점점

1 다음 우리말에 맞게 주어진 표현을 바르게 배열해 완전한 문장을 쓰시오.

> 네가 많은 실수를 하면 할수록 너는 더 많이 배운다.
> (the more, you make, you learn, the more mistakes)

➡ _____

CHECK UP

(No / Every) singer is as popular as she.

➡ 「No (other) + 단수명사 + 단수동사 + ❶[＿＿＿] + 원급 + as + A」는 '어떤 ~도 A만큼 …하지 않다'라는 ❷[＿＿＿] 의미를 갖는 표현이다.

🔑 No / ❶ as ❷ 최상급

2 다음 두 문장의 뜻이 같도록 빈칸에 알맞은 것은?

Kate

> Kate is the tallest player on her team.
> = _____ on her team is taller than Kate.

① No player　　② Any player　　③ One player

④ All players　　⑤ Every player

CHECK UP

내가 그것을 가지고 있다면 너에게 줄 텐데.

= If I _____ it, I would give it to you.

➡ 현재 사실의 ❶[＿＿＿]를 가정할 때 가정법 과거를 쓸 수 있다. 가정법 과거는 「If + 주어 + 동사의 과거형, 주어 + ❷[＿＿＿] + 동사원형」의 형태이다.

🔑 had / ❶ 반대 ❷ 조동사의 과거형

3 다음 두 문장의 뜻이 같도록 빈칸에 알맞은 것은?

> As the shirt is expensive, I won't buy it.
> = If the shirt _____ expensive, I would buy it.

① is　　② are　　③ were

④ isn't　　⑤ weren't

My best friend takes care of me as if she (is / were) my mom.

➡ **❶** _____ if 가정법 과거는 '마치 ~인 것처럼'이라는 뜻으로 **❷** _____ 사실의 반대를 나타낸다.

🖉 were / ❶ as ❷ 현재

4 다음 문장의 빈칸에 주어진 단어를 이용해 알맞은 말을 쓰시오.

(1) He knows me, but he is looking at me as if he _____ me. (know)

(2) She is not a queen, but she behaves as if she _____ a queen. (be)

A: Does she like swimming?

B: No, she doesn't, but she does (like / likes) water.

➡ 일반동사의 의미를 강조할 때 do동사를 앞에 쓰고 뒤에 **❶** _____ 을 쓴다. 시제가 현재이고 주어가 **❷** _____ 단수이므로 does를 썼다.

🖉 like / ❶ 동사원형 ❷ 3인칭

5 다음 문장의 밑줄 친 부분을 강조하여 다시 쓰시오.

John <u>wants</u> to go to the party.

➡ _____

A large box was in front of the door.

= In front of the door _____.

➡ 부사구 in front of the door가 문장 **❶** _____ 으로 가면서 주어와 동사가 **❷** _____ 되었다.

🖉 was a large box / ❶ 맨 앞 ❷ 도치

6 다음 두 문장의 뜻이 같도록 빈칸에 알맞은 말을 쓰시오.

He hardly makes any mistakes.
= Hardly _____ any mistakes.

전략 1 주요 비교급 표현의 어순에 주의할 것!

(1) 「The + 비교급 (+ 주어 + 동사), the + 비교급 (+ ❶ ☐ + 동사)」는 '∼하면 할수록
더 …하다'라는 뜻으로 비교급 뒤에 나오는 「주어 + 동사」는 생략이 가능하다. 형용사의 비
교급이 ❷ ☐ 를 수식할 때는 비교급과 함께 문장 앞에 쓴다.

The harder the test is, **the lower** my score is. 시험이 어려우면 어려울수록 내 점수는 더 낮다.
The more *salt* you eat, the thirstier you get. 당신이 소금을 많이 먹으면 먹을수록 당신은 더 목이 마른다.

(2) 「비교급 + and + 비교급」은 '점점 더 ∼한/하게'라는 뜻으로 원급 앞에 more를 붙여서 비교급을 나
타내는 경우는 「more and more + 형용사/부사」로 쓴다. '점점 덜 ∼한/하게'라는 뜻은 비교급
less를 이용해 less and less로 나타낸다.

「형용사비교급 + 명사」가
주어일 경우 「the + 비교급」뒤에
바로 동사가 올 수도 있어.

답 ❶ 주어 ❷ 명사

필수 예제

다음 두 문장의 뜻이 같도록 빈칸에 알맞은 것은?

> If I spend more time with you, I become happier.
> = The more time I spend with you, _____ I become.

① happy   ② the happy   ③ happier

④ the happier   ⑤ happier than

문제 해결 전략

'∼하면 할수록 더 …하다'는
「The + 비교급 (+ 주어 + 동
사), ❶ ☐ + 비교급 (+
주어 + 동사)」로 나타낸다. 비
교급이 명사를 수식할 때는
「the + ❷ ☐ + 명사」
를 함께 문장 앞에 쓴다.

답 ④ / ❶ the ❷ 비교급

확인 문제

1 다음 중 어법상 어색한 것은?

① The more I run, the hungrier I get.

② The bigger they are, the harder they fall.

③ The spicier the food is, the more I like it.

④ The harder you exercise, the healthier you
become.

⑤ The more carefully plan you, the better
will the result be.

2 다음 문장의 빈칸에 알맞은 말을 〈보기〉에서 골라 쓰시오.

┌ 보기 ─────────────────────
│ longer   wiser   more often
└─────────────────────────

(1) Since he read many books, he became
_____ and wiser.

(2) The _____ you eat out, the more
money you spend.

(3) The _____ the speech is, the more
bored people get.

전략 2 · 원급과 비교급을 이용한 최상급 표현에 주의할 것!

(1)	No (other) + 단수명사 Nothing No one	+ 단수동사 +	as + ❶ [ ] + as + A	어떤 ~도 A만큼 …하지 않다
			비교급 + than + A	어떤 ~도 A보다 더 …하지 않다
(2)	A + 동사 + ❷ [ ] + than +		any other + 단수명사 anyone else anything else	A는 다른 어떤 ~보다 더 …하다
			all the other + 복수명사 everyone else everything else	A는 다른 모든 ~보다 더 …하다

🔑 ❶ 원급 ❷ 비교급

필수 예제

다음 두 문장의 뜻이 같도록 빈칸에 알맞은 것은?

> Mark is the most popular student in his school.
> = _____ other student in his school is as popular as Mark.

① No   ② Not   ③ All
④ Any   ⑤ Every

> **문제 해결 전략**
>
> 원급을 이용하여 ❶ [ ] 의 의미를 나타내기 위해서 부정어구 「❷ [ ] other + 단수명사」를 주어로 쓴다.

🔑 ① / ❶ 최상급 ❷ No

확인 문제

1 다음 두 문장의 빈칸에 알맞은 말이 순서대로 바르게 짝 지어진 것은?

> No one can sing as _____ as Maria.
> = Maria can sing _____ than anyone else.

① well ··· best   ② best ··· well
③ well ··· better   ④ good ··· better
⑤ better ··· better

2 다음 그림을 보고, 주어진 표현을 이용해 빈칸에 알맞은 말을 쓰시오.

➡ Bella runs _____.

(horse, faster, all the other)

전략 3 가정법 과거의 형태를 알아 둘 것!

(1) 가정법 과거: '(만약) ~라면 …할 텐데'라는 뜻으로, **❶** [　　　] 사실의 반대를 나타내거나 가능성이 아주 희박한 것에 대한 가정을 나타낸다. 「If + 주어 + were/동사의 과거형 ~, 주어 + 조동사의 과거형 + 동사원형」으로 쓴다.

(2) 가정의 의미를 나타내는 표현: 「Without/But for + 명사(구), 주어 + 조동사의 과거형 + **❷** [　　　] 」은 '~이 없다면 …할 것이다'라는 뜻으로 현재 사실의 반대를 나타내고, 「If it were not for + 명사(구), 주어 + 조동사의 과거형 + 동사원형」으로 바꿔 쓸 수 있다.

Without your help, we could not finish this project.
너의 도움이 없다면 우리는 이 프로젝트를 마칠 수 없을 것이다.

➡ If it **were not for** your help, we could not finish this project.

가정법 과거에서 if절에 be동사가 올 때는 were를 쓴다는 것 기억해!

답 ❶ 현재 ❷ 동사원형

필수 예제

다음 두 문장의 뜻이 같도록 빈칸에 알맞은 것은?

> She is sick in bed, so she can't go to work.
> = If she _____ sick in bed, she could go to work.

① isn't
② were
③ weren't
④ would be
⑤ would not be

문제 해결 전략

현재 사실의 반대를 가정할 때 가정법 **❶** [　　　] 를 쓴다. 형태는 「If + 주어 + were/동사의 과거형, 주어 + 조동사의 과거형 + **❷** [　　　] 」이다.

답 ③ / ❶ 과거 ❷ 동사원형

확인 문제

1 다음 우리말을 영어로 바르게 옮긴 것은?

> 정원이 있으면 나는 개를 키울 텐데.

① If I have a garden, I had a dog.
② If I had a garden, I will have a dog.
③ If I would have a garden, I had a dog.
④ If I had a garden, I would have a dog.
⑤ If I have a garden, I would have a dog.

2 다음 두 문장의 뜻이 같도록 빈칸에 알맞은 말을 쓰시오.

(1) As I don't have enough time, I can't finish it on time.

= If I had enough time, I _____ it on time.

(2) Without music, my life would be boring.

= If it _____ music, my life would be boring.

전략 4 가정법 과거와 단순 조건문을 구별할 것!

(1) 가정법 과거는 「If + 주어 + were/동사의 [❶   ], 주어 + 조동사의 과거형 + 동사원형」의 형태로 현재 사실의 반대나 미래에 일어날 가능성이 낮은 일을 가정할 때 쓴다.

If she **were** stronger, she could carry this box. (현재 사실의 반대)
그녀가 더 힘이 세면 이 상자를 옮길 수 있을 텐데.

If I **saw** him crying, I would be surprised. (가능성이 낮은 일)
그가 울고 있는 것을 보면 나는 놀랄 거다.

(2) 단순 조건문은 「If + 주어 + 동사의 [❷   ], 주어 + 현재시제/미래시제」의 형태로 사실이나 실현 가능성이 있을 때 쓴다.

If you **melt** ice, it becomes water. (사실) 얼음을 녹이면 물이 된다.
If you **study** hard, you will pass the exam. (가능성이 있는 일) 열심히 공부하면 너는 그 시험에 통과할 것이다.

🔑 ❶ 과거형 ❷ 현재형

필수 예제

다음 중 밑줄 친 부분이 어법상 어색한 것은?

① If I see Helen, I <u>will let</u> you know.

② If I drink coffee, I <u>can't sleep</u> at night.

③ If I met my favorite singer, I <u>would jump</u> in joy.

④ If he broke his bad habits, he <u>could be</u> a better man.

⑤ If you spill the beans, you <u>would be</u> in trouble.

문제 해결 전략

[❶   ]는 현재 사실의 반대나 실현 가능성이 희박한 일을 가정할 때 쓰고, [❷   ]은 사실이나 실현 가능성이 있을 때 쓴다.

🔑 ⑤ / ❶ 가정법 과거 ❷ 단순 조건문

확인 문제

1 다음 중 어법상 어색한 것은?

① If I miss the bus, I'll take a taxi.

② If he joined the team, I would leave.

③ If I knew the answer, I will tell you.

④ If they offer me the job, I will accept it.

⑤ If the flight were cheaper, I could take my sister with me.

2 다음 문장의 빈칸에 주어진 단어를 알맞은 형태로 바꿔 쓰시오.

(1) If it _____ your birthday, I would have dinner with you. (be)

(2) If he _____ you, he would answer your texts. (like)

1 다음 문장의 빈칸에 알맞은 말이 순서대로 바르게 짝지어진 것은?

> • There are more and _____ people who have pets.
> • The harder he works, _____ money he makes.

① most … more
② more … more
③ more … the more
④ the more … more
⑤ the more … the more

문제 해결 전략

'점점 더 ~한/하게'는 「비교급 + ❶ _____ + 비교급」, '~하면 할수록 더 …하다'는 「The + 비교급 + 주어 + 동사, ❷ _____ + 비교급 + 주어 + 동사」로 표현한다.

답 ❶ and ❷ the

2 다음 두 문장의 뜻이 같도록 빈칸에 알맞은 것은?

> This movie is the most interesting movie this year.
> = This movie is more interesting than _____ other movie this year.

① no ② all ③ any
④ some ⑤ each

문제 해결 전략

비교급을 이용해 ❶ _____ 의미를 나타내는 표현으로 「A + 동사 + 비교급 + than ❷ _____ other + 단수명사」가 있다. 'A는 다른 어떤 ~보다 더 …하다'라는 뜻이다.

답 ❶ 최상급 ❷ any

3 다음 중 어법상 <u>어색한</u> 것은?

① No one is as important as you.

② She is more beautiful than anyone else.

③ The sooner we start, the sooner we finish.

④ Yoga is getting the more and more popular.

⑤ The more we practice, the better we can perform.

문제 해결 전략

원급을 이용해 ❶ _____ 의미를 나타내는 표현인 「❷ _____ one + 단수동사 + as + 원급 + as + A」는 '아무도 A만큼 ~하지 않다'라는 의미이다.

답 ❶ 최상급 ❷ No

>> 정답과 해설 36쪽

4 다음 우리말을 영어로 옮길 때 빈칸에 알맞은 것은?

내가 너라면, 나는 한번 시도해 볼 텐데.
➡ If I _____ you, I would give it a try.

① am   ② were   ③ will be

④ am not   ⑤ were not

5 다음 우리말을 영어로 바르게 옮긴 것은?

어떤 과일도 망고만큼 달지 않다.

① No other fruit is as sweet as mango.

② Any other fruit is as sweet as mango.

③ Not all fruits are as sweet as mango.

④ Mango is not as sweet as any other fruit.

⑤ All the other fruits are as sweet as mango.

6 다음 그림을 보고, 빈칸에 알맞은 말을 쓰시오.

➡ If it _____ raining, we would go on a picnic.

전략 1 I wish/as if 가정법 과거의 형태를 알아 둘 것!

(1) I wish/as if 가정법 과거: I wish나 as if 뒤에 ❶ ☐ 시제를 쓰면 현재 사실의 반대나 실현 가능성이 낮은 일을 나타낸다.

I wish I <u>had</u> more free time. 나는 자유시간이 더 많으면 좋겠다.
= I am sorry that I don't have more free time. 나에게 자유시간이 더 많이 없어서 유감이다.
He talks **as if** he <u>knew</u> everything. 그는 모든 것을 아는 것처럼 말한다.

(2) 바람을 나타내지만 I wish와 다르게 실현 가능성이 있는 일을 나타낼 때는 「I ❷ ☐ + 주어 + 현재시제/미래시제」를 쓴다.

I wish he <u>could come</u>. (그가 올 가능성이 적음) 그가 올 수 있으면 좋을 텐데.
I hope he <u>can come</u>. (그가 올 가능성이 있음) 나는 그가 올 수 있길 바란다.

> I wish와 as if 뒤에도 주어의 인칭이나 수에 관계없이 be동사는 were로 써.

답 ❶ 과거 ❷ hope

필수 예제

다음 문장의 빈칸에 알맞은 것은?

> My dad is abroad now. I wish he _____ here with me.

① is　　　　　　② are　　　　　　③ were

④ aren't　　　　⑤ weren't

문제 해결 전략

현재 사실의 반대를 소망할 때 '~하면 좋을 텐데'라는 뜻의 「I ❶ ☐ + 주어 + (조)동사의 과거형」을 쓴다. be동사가 올 경우는 ❷ ☐ 를 쓴다.

답 ③ / ❶ wish ❷ were

확인 문제

1 다음 문장의 빈칸에 공통으로 알맞은 것은?

> • She's smiling as if she _____ read my mind.
> • I wish I _____ go to the movies with you, but I have to work today.

① can　　② will　　③ had

④ were　　⑤ could

2 다음 문장의 빈칸에 주어진 설명에 맞게 알맞은 말을 쓰시오.

(1) I wish the brown dress _____ on sale.
　　(In fact, the brown dress is not on sale.)

(2) Amy acts as if she _____ angry.
　　(In fact, Amy is angry.)

전략 2 「It ~ that ...」 구문의 특징을 알아 둘 것!

(1) 「It ~ that ...」 강조 구문: 문장의 주어, 목적어, 부사(구) 등을 강조하여 '~한 것은 바로 …이다'라는 뜻을 나타낸다.

It is와 that 사이에 강조하는 내용을 쓰며, It is와 that을 없애고 강조하는 내용을 원래

문장의 위치로 보내면 그 문장은 ❶ [　　　　]하다. 시제에 따라 is는 was로 바뀐다.

It is seafood pizza **that** Gloria is eating. Gloria가 먹고 있는 것은 바로 해산물 피자이다.

➡ Gloria is eating seafood pizza. (완전한 문장) Gloria는 해산물 피자를 먹고 있다.

(2) It is + 형용사 + that ~: '~하는 것은 …하다'라는 뜻으로, that이 이끄는 명사절을 문장

뒤로 보내고 ❷ [　　　　] it을 앞에 쓴 형태이다. 즉, that 이하 절이 진주어이다. It is와

that을 생략하면 나머지 문장이 불완전하다.

It is true that he didn't come to the meeting. 그가 회의에 오지 않는 것은 사실이다.

➡ He didn't come to the meeting true. (완전하지 않은 문장)

강조하는 대상에 따라 that 대신에 who, which, where 등을 쓰기도 해.

🔑 ❶ 완전 ❷ 가주어

필수 예제

다음 우리말을 영어로 바르게 옮긴 것은?

내가 커피에 넣은 것은 바로 소금이었다.

① That I put in my coffee was salt.

② It was salt that put in my coffee.

③ It was salt that I put in my coffee.

④ That I put in my coffee it was salt.

⑤ It was salt that did I put in my coffee.

문제 해결 전략

'~한 것은 바로 A이다'라는

❶ [　　　　]의 뜻을 나타낼 때

「❷ [　　　　] + be동사 + A

+ that ~」 구문을 쓸 수 있다.

🔑 ③ / ❶ 강조 ❷ It

확인 문제

1 다음 중 밑줄 친 that의 쓰임이 나머지 넷과 <u>다른</u> 것은?

① It is Greg <u>that</u> I want to talk to.

② It is my sister <u>that</u> is writing a letter.

③ It is her clothes <u>that</u> she has to wash.

④ It was late at night <u>that</u> he called me.

⑤ It is impossible <u>that</u> he knows the answer.

2 다음 문장의 밑줄 친 부분을 강조하는 문장을 완성하시오.

Natalie bought <u>an expensive bottle of wine</u>.

➡ It _____

Natalie bought.

전략 3 부사(구) 도치의 특징을 알아 둘 것!

(1) ❶ [　　　] 나 방향을 나타내는 부사(구)가 문장 맨 앞에 쓰일 때 주어와 동사가 도치된다. 주로 be, go, come, lie, sit, stand 등과 함께 쓰이며, 주어가 뒤에 있으므로 동사의 수 일치에 주의한다.

A police officer goes there. 경찰이 거기로 간다.

➡ There goes a police officer. 거기로 경찰이 간다.

A box lies under the tree. 상자 하나가 나무 아래 놓여 있다.

➡ Under the tree lies a box. 나무 아래에 상자가 하나 놓여 있다.

(2) 주어가 ❷ [　　　] 일 경우에는 도치되지 않는다.

He comes here. 그가 여기로 온다.

➡ Here he comes. (O) / Here comes he. (X) 여기로 그가 온다.

「Here/There + 동사 + 주어」로 주어와 동사가 도치될 때 일반동사라도 조동사 do를 쓰지 않는 것에 주의해!

답 ❶ 장소 ❷ 대명사

필수 예제

다음 중 어법상 어색한 것은?

① Here comes the speaker.

② On the hill stood an old tree.

③ There lived a wise king.

④ Around the table gathered they.

⑤ Down the street is a small grocery store.

문제 해결 전략

장소나 방향을 나타내는 부사 (구)가 문장 ❶ [　　　] 에 올 때 주어와 동사가 도치되지만, 주어가 ❷ [　　　] 일 때는 도치되지 않는다.

답 ④ / ❶ 맨 앞 ❷ 대명사

확인 문제

1 다음 중 어법상 어색한 것은?

① In the chair sat an old man.

② On each paper was a number.

③ In front of the door stood Lucas.

④ Out went the doctor and the nurses.

⑤ Above the piano is his family pictures.

2 다음 그림을 보고, 빈칸에 알맞은 말을 〈보기〉에서 골라 쓰시오.

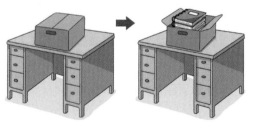

➡ ＿＿＿＿＿＿＿＿＿＿＿＿＿＿＿＿＿＿＿ a box.

Inside the box ＿＿＿＿＿＿＿＿＿＿＿＿＿＿.

┌ 보기 ┐
lied were notebooks on the desk

전략 4 다양한 도치 유형을 구별할 것!

(1) So/Neither + 동사 + 주어: 앞 문장에 be동사나 조동사가 있을 경우 be동사나 조동사를 쓰고 주어를 쓴다. 앞 문장에 일반동사가 있을 경우 ❶ [　　　　　] 동사만 쓰고 주어를 쓴다. 이때 시제, 주어와의 수 일치에 주의한다.

Betty <u>eats</u> a lot, and **so** <u>do</u> I. Betty는 많이 먹는데, 나도 그렇다.

Joe can't speak French, and **neither** can I. Joe는 프랑스어를 못하는데, 나도 그렇다.

(2) 부정어 도치: 부정어를 문장 맨 앞에 쓰고 be동사나 조동사는 주어 앞으로 보내고, 일반동사는 시제를 나타내는 do동사만 앞으로 보내고 주어 뒤에 ❷ [　　　　　] 을 쓴다. 완료시제의 경우는 have동사를 주어 앞으로 보내고 주어 뒤에 p.p.(과거분사)를 쓴다.

The man rarely stopped talking. 그 남자는 좀처럼 말하는 것을 멈추지 않았다.

➡ **Rarely** did the man stop talking.

부정어가 문장 맨 앞에 올 때 뒤에는 의문문의 어순이 온다는 것 기억해!

🔑 ❶ do ❷ 동사원형

필수 예제

다음 문장의 빈칸에 알맞은 것이 <u>아닌</u> 것은?

> _____ have I seen such an interesting animal.

① Never　　　　　② There　　　　　③ Rarely

④ Hardly　　　　　⑤ Seldom

문제 해결 전략

부정어가 문장 맨 앞으로 가면 뒤에 ❶ [　　　] 의 어순이 온다. ❷ [　　　] 나 방향을 나타내는 부사(구)가 문장 앞에 올 때 주어가 대명사인 경우 주어와 동사는 도치되지 않는다.

🔑 ② / ❶ 의문문 ❷ 장소

확인 문제

1 다음 우리말을 영어로 바르게 옮긴 것은?

> 그는 좀처럼 자신에게 돈을 쓰지 않는다.

① Rarely does he spends money on himself.

② Rarely he spent money on himself.

③ Rarely did he spend money on himself.

④ Rarely he spends money on himself.

⑤ Rarely does he spend money on himself.

2 다음 설명에 맞게 대화의 빈칸에 알맞은 말을 쓰시오.

> • Both Luisa and Jack want to go to Spain.
> • Neither Luisa nor Jack can speak Spanish.

> **Luisa** : I want to go to Spain.
> **Jack** : _____ I. But I can't speak Spanish.
> **Luisa** : _____ I.

1 다음 문장의 빈칸에 알맞은 말이 순서대로 바르게 짝지어진 것은?

> • I wish I _____ have homework today.
> • I hope he _____ forget to do his homework.

① don't ⋯ don't   ② didn't ⋯ don't

③ didn't ⋯ doesn't   ④ don't ⋯ doesn't

⑤ weren't ⋯ wasn't

문제 해결 전략

I wish 뒤에는 **❶**　　　시제를 써서 현재 사실에 반대되는 소망을 나타내고, I **❷**　　　 뒤에는 현재 또는 미래시제를 써서 실현 가능성이 있는 일에 대한 바람을 나타낸다.

🔑 ❶ 과거 ❷ hope

2 다음 대화의 빈칸에 알맞은 것은?

> **Mom** : I told you to clean your room.
> **Hyesu** : I _____ clean my room.
> **Mom** : Then why does it still look messy?

① am   ② did   ③ was

④ will   ⑤ didn't

문제 해결 전략

일반동사가 있는 문장에서 동사의 의미를 강조할 때 시제, 주어와의 수에 일치하는 **❶**　　　동사를 앞에 쓰고 뒤에 **❷**　　　을 쓴다.

🔑 ❶ do ❷ 동사원형

3 다음 중 어법상 어색한 것은?

① It is my dress that my sister is wearing.

② It is her children that makes her happy.

③ It was yesterday that I attended the meeting.

④ It was his history project that I helped him with.

⑤ It was my dad who taught me how to drive a car.

문제 해결 전략

「It ~ that ...」 강조 구문에서 It is/was와 **❶**　　　을 제외하면 나머지 부분은 **❷**　　　한 문장이 된다. 강조하는 내용이 주어라면 that 뒤에는 주어를 제외한 나머지 문장이 온다.

🔑 ❶ that ❷ 완전

4 다음 문장의 밑줄 친 부분을 바르게 고쳐 쓰시오.

(1) No longer <u>have I</u> time to watch TV.

➡ _____

(2) On the doorstep <u>was</u> two boxes of cookies.

➡ _____

5 다음 우리말을 영어로 바르게 옮긴 것은?

> 이 지역에는 좀처럼 비가 오지 않는다.

① Seldom it rains in this area.

② Seldom rains it in this area.

③ Seldom is it rain in this area.

④ Seldom does it rain in this area.

⑤ Seldom does it rains in this area.

6 다음 그림을 보고, 주어진 표현을 이용해 빈칸에 알맞은 말을 쓰시오.

Mom: Don't eat on the sofa.

Jimin: Mom, you're talking _____.

(as if, here)

대표 예제 **1**

다음 문장의 빈칸에 알맞은 것은?

It is getting _____ and more difficult to see stars at night.

① much ② more ③ most

④ the more ⑤ the most

Tip

'점점 더 ~한/하게'라는 뜻을 나타낼 때 「❶ _____ + and + 비교급」을 쓴다. 비교급의 형태가 「more + 형용사/부사」일 때는 ❷ _____ 만 반복한다.

🔲 ❶ 비교급 ❷ more

대표 예제 **2**

다음 문장의 빈칸에 공통으로 알맞은 것은?

- He lies on the floor as _____ it were a bed.
- _____ I had a cooking robot, my life would be easier.

① if/If ② so/So ③ than/Than

④ since/Since ⑤ though/Though

Tip

'마치 ~인 것처럼'이라는 뜻의 가정법 과거는 「❶ _____ + 주어 + 동사의 과거형」이고, '(만약) ~라면 …할 텐데'라는 뜻의 가정법 과거는 「❷ _____ + 주어 + 동사의 과거형, 주어 + 조동사의 과거형 + 동사원형」이다.

🔲 ❶ as if/as though ❷ If

대표 예제 **3**

다음 그림을 보고, 빈칸에 알맞은 말을 쓰시오.

➡ Lower your body _____ you were sitting on a chair.

Tip

현재 사실의 반대를 가정하여 '마치 ~인 것처럼'이라는 뜻을 나타내는 표현은 「❶ _____ if/though + 주어 + ❷ _____ 시제」이다.

🔲 ❶ as ❷ 과거

대표 예제 **4**

다음 두 문장의 뜻이 같도록 빈칸에 알맞은 말을 쓰시오.

Irene sold more cookies than any other student.

= No other _____ as Irene.

Tip

「A + 동사 + 비교급 + than any other + 단수명사」는 ❶ _____ 의 의미를 나타내고 「No (other) + 단수명사 + 단수동사 + as + ❷ _____ + as + A」로 바꿔 쓸 수 있다.

🔲 ❶ 최상급 ❷ 원급

대표 예제 5

다음 그림을 보고, 주어진 단어를 이용해 빈칸에 알맞은 말을 쓰시오.

➡ The more you exercise, _____

_____. (become, strong)

Tip

「The + 비교급 + ❶[   ] + 동사, the + ❷[   ] + 주어 + 동사」는 '~하면 할수록 더 …하다'라는 뜻을 나타낸다.

답 ❶주어 ❷비교급

대표 예제 6

다음 중 어법상 어색한 것은?

① The longer you work, the more money you will earn.

② The faster we finish, the sooner we'll have lunch.

③ The lower are his prices, the more customers he has.

④ The more people come to the party, the more food we will need.

⑤ The more I think about the problem, the more worried I get.

Tip

'~하면 할수록 더 …하다'라는 뜻을 나타내는 표현은 「The + 비교급 + ❶[   ] + 동사, ❷[   ] + 비교급 + 주어 + 동사」이다.

답 ❶주어 ❷the

대표 예제 7

다음 문장의 빈칸에 알맞지 않은 것은?

> It was _____ that Mark met Kelly.

① yesterday

② my cousin

③ after the party

④ at the museum

⑤ three months ago

Tip

「It was ~ ❶[   ] …」은 '…한 것은 바로 ~였다'라는 뜻의 강조 구문으로 It was와 that을 생략하면 ❷[   ] 문장이 되어야 한다.

답 ❶that ❷완전한

대표 예제 8

다음 중 의미가 나머지 넷과 다른 것은?

① This is the safest place.

② No other place is safer than this.

③ No other place is as safe as this.

④ Any other place is as safe as this.

⑤ This is safer than any other place.

Tip

원급이나 비교급을 이용한 최상급 표현인 「❶[   ] (other) + 단수명사 + 단수동사 + as + 원급 + as + A」에서 「as + 원급 + as」 대신 「비교급 + than」을 쓸 수 있다. 「A + 동사 + 비교급 + than + ❷[   ] other + 단수명사」로도 나타낸다.

답 ❶No ❷any

대표 예제 9

다음 중 빈칸에 were를 쓸 수 없는 것은?

① On the floor _____ dirty towels.

② He smiles as if he _____ happy to see her.

③ I wish my school _____ closer to my house.

④ Never _____ she traveled to a foreign country.

⑤ If the weather _____ hot, we would go to the beach.

Tip

가정법 과거의 종속절에 be동사가 올 때는 ❶ _____ 를 쓴다. 부사(구)나 부정어가 문장 맨 앞에 올 때는 「동사 + ❷ _____」의 어순으로 쓴다.

답 ❶ were ❷ 주어

대표 예제 10

다음 그림을 보고, 주어진 표현을 바르게 배열해 완전한 문장을 쓰시오.

➡ _____

(I, had, I, a bigger car, wish)

Tip

「I wish + 주어 + (조)동사의 ❶ _____」은 '~하면 좋을 텐데'라는 뜻으로 현재 사실의 반대를 바라는 내용의 ❷ _____ 과거 구문이다.

답 ❶ 과거형 ❷ 가정법

대표 예제 11

다음 문장의 빈칸에 알맞은 것은?

Never before _____ we seen such a beautiful sunset.

① is   ② was   ③ did

④ has   ⑤ have

Tip

부정어가 문장 맨 앞에 올 때 주어와 동사가 ❶ _____ 되는데, 이때 부정어 뒷부분의 어순은 ❷ _____의 어순과 같다.

답 ❶ 도치 ❷ 의문문

대표 예제 12

다음 문장의 밑줄 친 부분을 어법에 맞게 고쳐 쓰시오.

(1) Not until tomorrow morning he will leave the house.

➡ _____

(2) I don't like vegetables, and neither do my brother.

➡ _____

Tip

부정어가 문장 맨 앞에 오면 뒤에 ❶ _____의 어순이 온다. 부정문 뒤에서 '~도 또한 그렇다'는 의미를 나타내는 표현은 「❷ _____ + 동사 + 주어」로, 이때 동사 자리에는 시제와 주어에 맞는 be동사, 조동사, do동사가 온다.

답 ❶ 의문문 ❷ neither

대표 예제 **13**

다음 중 주어진 문장을 가정법으로 바르게 고친 것은?

> As the baby isn't hungry, he does not cry.

① If the baby is hungry, he will cry.

② If the baby were hungry, he cried.

③ If the baby were hungry, he did cry.

④ If the baby were hungry, he would cry.

⑤ If the baby were hungry, he wouldn't cry.

Tip

현재 사실의 ❶ [   ]를 가정할 때 「If + 주어 + 동사의 과거형, 주어 + 조동사의 과거형 + ❷ [   ]」의 가정법 과거를 쓴다.

답 ❶ 반대 ❷ 동사원형

대표 예제 **14**

다음 밑줄 친 부분을 강조하여 문장을 다시 쓰시오.

(1) <u>Noah</u> visited Deborah last week.

➡ _____

(2) Mr. Jang <u>knew</u> where Nick was.

➡ _____

Tip

문장에서 한 가지 내용을 강조할 때는 「It is/was + 강조할 내용 + ❶ [   ] ~」을 쓰고, 일반동사를 강조할 때는 「주어 + do/does/did + ❷ [   ]」의 형태로 쓴다.

답 ❶ that ❷ 동사원형

대표 예제 **15**

다음 그림을 보고, 빈칸에 알맞은 말을 쓰시오.

Student of the Month

Hannah has read the most books in the class!

➡ No other student in the class _____ as Hannah.

Tip

원급을 이용해 최상급의 의미를 나타내는 표현으로 「❶ [   ] (other) + 단수명사 + 단수동사 + as + 원급 + ❷ [   ] + A」 가 있다.

답 ❶ No ❷ as

대표 예제 **16**

다음 문장의 밑줄 친 부분을 바르게 고쳐 쓰시오.

> I didn't tell him the truth. If he <u>knows</u> the truth, he wouldn't forgive me.

➡ _____

Tip

현재 사실의 반대를 가정하는 가정법 과거는 「If + 주어 + 동사의 ❶ [   ], 주어 + 조동사의 과거형 + ❷ [   ]」으로 표현한다.

답 ❶ 과거형 ❷ 동사원형

1 다음 문장의 밑줄 친 동사의 형태가 바르게 짝지어진 것은?

> If he have 10,000 dollars, he would buy a yacht.

① has ⋯ buy
② had ⋯ buy
③ has ⋯ bought
④ had ⋯ bought
⑤ had had ⋯ buy

Tip

'(만약) ~라면 ⋯할 텐데'라는 뜻의 가정법 과거는 「If + 주어 + ❶　　　　, 주어 + 조동사의 과거형 + ❷　　　　」의 형태이다.

🔑 ❶ 동사의 과거형 ❷ 동사원형

3 다음 중 〈보기〉의 밑줄 친 do의 쓰임과 같은 것은?

보기

> I do hope you get the job.

① Never do I want it.
② He has a lot of work to do.
③ You do look like your father.
④ Did you do your homework?
⑤ You don't like cheese, do you?

Tip

평서문에서 일반동사 자리에 「❶　　　　동사 + 동사원형」을 써서 동사의 의미를 ❷　　　　할 수 있다.

🔑 ❶ do ❷ 강조

2 다음 우리말을 영어로 옮길 때 빈칸에 알맞은 것은?

> 그 코미디 쇼는 점점 덜 인기 있어지고 있다.
> ➡ The comedy show is getting _____ _____ popular.

① more or less
② more and more
③ less and less
④ the less and the less
⑤ the more and the more

Tip

'점점 더 ~한/하게'는 「비교급 + ❶　　　　 + 비교급」으로 표현하며, '점점 덜 ~한'이라는 의미는 ❷　　　　 and less로 나타낸다.

🔑 ❶ and ❷ less

4 다음 중 어법상 어색한 것은?

① It was Dongsu that took the photo.
② It was this watch that she gave me.
③ It is their house that they are selling.
④ It is your advice that does he need now.
⑤ It was in the kitchen that he was drinking tea.

Tip

'~한 것은 바로 ⋯다'라는 뜻의 강조 구문은 「It is/was + 강조할 내용 + ❶　　　　 + 나머지 문장」으로 It is/was와 that을 생략하면 ❷　　　　한 문장이 된다.

🔑 ❶ that ❷ 완전

서술형

5 다음 두 문장의 뜻이 같도록 빈칸에 알맞은 말을 쓰시오.

> No one in the picture looks as happy as Yumi.
> = Yumi looks ＿＿＿＿＿＿ any other person in the picture.

Tip

「No one + 단수동사 + as + **❶**＿＿＿ + as + *A*」는 최상급의 의미를 나타내며, 「*A* + 동사 + 비교급 + than **❷**＿＿＿ + 단수명사」로 바꿔 쓸 수 있다.

🗒 ❶ 원급 ❷ any other

서술형

6 다음 그림을 보고, 빈칸에 알맞은 말을 쓰시오.

(1) James is eating Korean food, and so ＿＿＿＿＿ Lisa.

(2) James does not know how to use chopsticks, and neither ＿＿＿＿＿ Lisa.

Tip

'～도 또한 그렇다'라는 동의의 표현은 긍정문 뒤에서는 「**❶**＿＿＿ + 동사 + 주어」로, 부정문 뒤에서는 「**❷**＿＿＿ + 동사 + 주어」로 쓴다. 이때 동사는 앞 문장의 동사에 따른다.

🗒 ❶ so ❷ neither

7 다음 중 그림의 상황을 바르게 표현한 것은?

① I wish I have an umbrella.

② I wish I had an umbrella.

③ I wish had he an umbrella.

④ I wish if I had an umbrella.

⑤ I wish I will have an umbrella.

Tip

현재 사실의 반대를 소망할 때 I **❶**＿＿＿ 가정법 과거를 쓸 수 있고, 이때 종속절에는 (조)동사의 **❷**＿＿＿을 쓴다.

🗒 ❶ wish ❷ 과거형

서술형

8 다음 우리말에 맞게 주어진 표현을 바르게 배열해 완전한 문장을 쓰시오.

> 네가 더 큰 배낭을 가지고 있을수록 너는 더 많은 책을 가지고 다닐 수 있다.
> ➡ ＿＿＿＿＿＿＿＿＿＿＿＿
> (books, the backpack, you have, you can carry, the larger, the more)

Tip

'～하면 할수록 더 …하다'는 「The + **❶**＿＿＿ + 주어 + 동사, **❷**＿＿＿ + 비교급 + 주어 + 동사」로 표현한다.

🗒 ❶ 비교급 ❷ the

1 다음 두 문장의 뜻이 같도록 빈칸에 알맞은 것은?

> I will never go to the theater again.
> = Never again _____ I go to the theater.

① do   ② am   ③ will

④ were   ⑤ don't

2 다음 중 밑줄 친 부분이 어법상 <u>어색한</u> 것은?

① You <u>will get</u> wet if it rains.

② If I saw a ghost, I <u>will run</u> away.

③ If he had time, he <u>could visit</u> his aunt.

④ Without your help, he <u>could not finish</u> this project.

⑤ If there were a sofa, the room <u>would be</u> more comfortable.

서술형

3 다음 두 문장의 뜻이 같도록 빈칸에 알맞은 말을 쓰시오.

> If you put more sugar in your coffee, it will get sweeter.
> = The _____ you put in your
>   coffee, _____ it will get.

4 다음 그림을 보고, 빈칸에 알맞은 것을 <u>모두</u> 고르면?

Wow, these flowers are so beautiful. Why haven't I seen them before?

> He is talking to himself _____ someone were listening.

① if   ② as   ③ as if

④ though   ⑤ as though

5 다음 문장의 빈칸에 알맞지 <u>않은</u> 것은?

> _____, I would be very bored.

① If I were alone

② Without books

③ If I weren't busy

④ If it were raining

⑤ If I don't have a sister

6 다음 우리말을 영어로 바르게 옮긴 것은?

> 그녀가 음식에 대해 더 많이 생각할수록 그녀는 더 배고파졌다.

① She thought about food more, she got hungrier.

② She thought about food the more, she got the hungrier.

③ More she thought about food and hungrier she got.

④ The more she thought about food, the hungrier she got.

⑤ The more did she think about food, the hungrier did she get.

7 다음 우리말을 영어로 옮길 때 that이 들어갈 위치로 알맞은 것은?

> 내 전화기를 소파 아래에 숨긴 것은 바로 내 여동생이었다.
> ➡ It (①) was (②) my sister (③) hid (④) my phone (⑤) under the sofa.

8 다음 중 어법상 <u>어색한</u> 것은?

① Hardly wore he a jacket.

② Never has he heard of the name.

③ Seldom does Toby laugh at jokes.

④ Never before have I seen her cry.

⑤ Not a word did my mom say.

9 다음 그림을 보고, 밑줄 친 부분을 어법에 맞게 고쳐 쓰시오.

> On the table <u>was</u> two cups and a tea pot.

➡ _____

10 다음 그림을 보고, 빈칸에 알맞은 말을 쓰시오.

➡ No one in his family is _____ tall _____ Juan.

1 다음 그림을 보고, 빈칸에 알맞은 말을 〈보기〉에서 골라 써서 대화를 완성하시오.

> **Yuri** I'm so angry!
>
> **Nicole** What's wrong?
>
> **Yuri** I'm studying in the library, and some people are talking loudly _____ they were at home.
>
> **Nicole** How rude!
>
> **Yuri** They've been talking for an hour.
>
> **Nicole** Well, if I _____ you, I would ask them to be quiet.
>
> **Yuri** I'm too shy. _____ you were here to help me.

┌ 보기 ┐
were   as if   I wish

Tip

가정법 과거에는 현재 사실의 반대를 가정하며 '(만약) ~라면 …할 텐데'라는 뜻의 「If + 주어 + 동사의 과거형, 주어 + 조동사의 과거형 + 동사원형」과 '~하면 좋을 텐데'라는 뜻의 「I ❶ [   ] + 주어 + (조)동사의 과거형」, '마치 ~인 것처럼'이라는 뜻의 「❷ [   ] if + 주어 + 동사의 과거형」이 있다.

🔑 ❶ wish ❷ as

2 다음 여행 준비에 관해 조언해 주는 글을 완성하시오.

Step 1 어울리는 내용끼리 연결한다.

(1) If your trip is shorter,   ·   · ⓐ you need to plan more.

(2) If your hotel is closer to a subway station,   ·   · ⓑ it is easier to carry around.

(3) If your baggage is lighter,   ·   · ⓒ you will save more time.

Step 2 위 내용을 보고, 「the + 비교급」 구문을 이용해 빈칸에 알맞은 말을 넣어 글을 완성한다.

┌─────────────────────────────┐
Are you planning a short trip?

The shorter your trip is, _____ _____. Choose a hotel that is close to a subway station. The closer your hotel is to a subway station, _____. Also, pack light. The lighter your baggage is, _____.
└─────────────────────────────┘

Tip

「The + 비교급 + 주어 + 동사, the + 비교급 + 주어 + 동사」는 '~ ❶ [   ] 더 …하다'라는 뜻이다. 「the + 비교급」이 명사를 수식할 경우는 「the + 비교급 + ❷ [   ]」로 쓴다.

🔑 ❶ 하면 할수록 ❷ 명사

3 다음 그림을 보고, 괄호 안의 표현을 바르게 배열해 문장을 완성하시오.

I went into my brother's room. _____
_____ (on, was, the desk) an
envelope, and _____
(in, were, the envelope) five 10-dollar
bills.

4 다음 포스터 내용에 맞게 빈칸에 알맞은 말을 넣어 대화를 완성하시오.

Star Middle School Talent Show

Date: October 10th
Time: 7:00 p.m.
Place: in the school gym

Dance ················	Joy, Amy
Piano ················	John
Viola ················	Sophie
Song ················	Kate
Magic tricks ·········	Eric

A: Look. These are the pictures of the talent show. They are a little blurry.
B: Did the talent show take place in the cafeteria?
A: No, it was _____ that the show took place.
B: Who performed magic tricks? Was it Ted?
A: No, _____ that performed magic tricks.
B: Did Sophie play the violin?
A: No, it was _____ Sophie played.

Tip
❶ _____ 나 방향을 나타내는 부사(구)가 문장 앞에 올 때 주어와 동사는 ❷ _____ 된다.
답 ❶장소 ❷도치

Tip
It is/was와 that 사이에 ❶ _____ 하는 내용을 넣어 '～한 것은 바로 …다'라는 뜻을 나타낼 수 있다. It is/was와 that을 생략해도 ❷ _____ 한 문장이 된다.
답 ❶강조 ❷완전

2주 • 창의·융합·코딩 전략 ❶ **65**

5 다음은 바다의 온도에 관련된 글이다. 그림을 보고, 글의 흐름에 맞게 빈칸에 괄호 안의 단어를 알맞은 형태로 바꿔 쓰시오.

The sea can be very cold. Divers who dive deep know this. At the surface the water may be warm. As the diver goes _____ (deep), the sea becomes _____ (cold).

6 다음 소망이나 바람을 나타내는 문장을 완성하시오.

Step 1 어울리는 내용끼리 연결한다.

(1) My car is too •   • ⓐ I can't.
　　 old, but

(2) I want to go •   • ⓑ I'm an only
　　 hiking, but   child.

(3) I want to have •   • ⓒ I can't afford
　　 a sister, but   a new one.

Step 2 위 내용을 I wish 가정법 과거 구문으로 바꿔 쓴다.

(1) _____

(2) _____

(3) _____

7

다음 지도를 보고, 주어진 단어를 이용해 빈칸에 알맞은 말을 넣어 브라질에 관한 문장을 완성하시오. (단, 최상급 의미를 나타내도록 쓸 것)

브라질 국토 면적
852만 km²

페루 국토 면적
128만 km²

아르헨티나 국토 면적
278만 km²

Brazil is ＿＿＿＿＿＿＿ country in South America. (big)

(1) No other country is ＿＿＿＿＿＿ than ＿＿＿＿＿＿ in South America.

(2) No other country is ＿＿＿＿＿＿ as ＿＿＿＿＿＿ in South America.

(3) Brazil is ＿＿＿＿＿＿ any other ＿＿＿＿＿＿ in South America.

(4) Brazil is ＿＿＿＿＿＿ all the other ＿＿＿＿＿＿ in South America.

8

다음은 취미 조사 결과표이다. 표를 보고, so나 neither를 사용해 대화의 빈칸에 알맞은 말을 쓰시오.

취미 ＼ 이름	Mary	Mike	Anne
swimming	O		
dancing	O	O	
playing computer games		O	
reading	O		O

A: Who likes dancing?

B: Mary likes dancing, and ＿＿＿＿＿＿ Mike.

A: Who doesn't like playing computer games?

B: Mary doesn't like playing computer games, and ＿＿＿＿＿＿ Anne.

1 빈칸에 알맞은 말을 〈보기〉에서 골라 넣어 글을 완성하시오.

BLOG

Paris is a city ❶_____ millions of tourists travel every year. I had wanted to visit Paris ❷_____ I was a child. This summer, I visited my uncle ❸_____ had recently moved to Paris and had a good time.

Paris has many tourist attractions, but my favorite was the Eiffel Tower. The Eiffel Tower was named after Gustave Eiffel, an engineer ❹_____ company designed and built the tower. Built in 1889, the Eiffel Tower has become not only a symbol of Paris ❺_____ of the whole of France. It has an elevator ❻_____ people can go up and enjoy the view of the city from the top. If you're traveling to Paris, never miss an opportunity to see the view from the top of the Eiffel Tower.

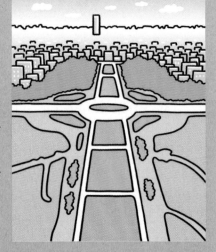

Here's ❼_____ I brought back from Paris: The Little Prince mug. It has a drawing of the Eiffel Tower, ❽_____ reminds me of my trip in Paris.

보기

who	which	what	whose
where	since	so that	but also

>> 정답과 해설 42쪽

2 그림의 상황에 맞게 주어진 단어나 Tip을 이용해 대화를 완성하시오.

#1   A: ❶ I wish I _____ (be) a good swimmer.

　　 B: ❷ _____ _____ you practice, _____ _____ _____ you become.

　　　　 TIP = As you practice harder, you become more confident.

#2   A: ❸ What would you do if the Internet _____ (stop) working for a day?

　　 B: ❹ Never _____ _____ _____ my life without the Internet.

　　　　 TIP = I have never imagined my life without the Internet.

　　　 Nothing is _____ _____ _____ the Internet.

　　　　　 TIP 원급을 이용한 최상급 표현 (= The Internet is the most convenient thing.)

#3   A: ❺ I'm not sure _____ my answer is right. Did Apollo 11 land on the moon in 1968, Carol?   TIP ~인지 아닌지

　　 B: ❻ No, _____ was in 1969 _____ Apollo 11 landed on the moon.

　　　　 TIP in 1969를 강조하는 문장

1 다음 그림을 보고, 설명과 〈조건〉에 맞도록 빈칸에 알맞은 말을 써서 대화를 완성하시오.

Lauren is talking to Fred.

Hunter is using the copy machine.

┌─ 조건 ┐
관계대명사 who와 whom을 한 번씩 사용할 것
└────────┘

A: We have a new guy. His name is Fred.
B: Is he the man (1) _____?
A: No. That's Hunter. He's been working here for months. Fred is the man (2) _____
_____.

Tip

사람을 수식하는 관계대명사가 관계사절에서 ❶ [   ] 역할을 할 때는 who, ❷ [   ] 역할을 할 때는 who 또는 whom을 쓸 수 있다. 단, 전치사 뒤에서 전치사의 목적어로 쓰일 때는 항상 whom을 쓴다.

📖 ❶ 주어 ❷ 목적어

2 다음 표의 내용에 맞게 알맞은 단어 카드를 골라 넣어 대화를 완성하시오.

Which sports do you play?

	Golf	Tennis	Volleyball
Ayoung	X	O	O
Junsu	X	O	X

A: Does Ayoung play tennis?
B: Yes. Ayoung plays _____ tennis _____ volleyball.
A: Who plays golf?
B: _____ Ayoung _____ Junsu plays golf.

not only	nor	either
but also	or	neither

Tip

'A뿐만 아니라 B도'는 「❶ [   ] A but also B」로, 'A도 B도 아닌'은 「❷ [   ] A nor B」로 나타낸다.

📖 ❶ not only ❷ neither

3 다음 그림을 보고, 주어진 단어와 「the + 비교급」을 이용해 빈칸에 알맞은 말을 쓰시오.

(1)

➡ _____ the weather is, _____ is sold. (hot, ice cream)

(2)

➡ _____ the bed is, _____ I can sleep. (comfortable, long)

Tip

'~하면 할수록 더 …하다'는 「The + 비교급 + 주어 + 동사, ❶[_____] + 비교급 + 주어 + 동사」로 표현한다. 비교급이 명사를 수식하는 경우는 「the + 비교급 + 명사」를 쓰는데, 이것이 문장의 주어로 쓰였을 경우는 뒤에 바로 ❷[_____]가 온다.

🖪 ❶ the ❷ 동사

4 다음 그림을 보고, 빈칸에 알맞은 말을 써서 일기를 완성하시오.

September 24th, Sunny

Today, while I was walking, I saw a lady and her dog sitting on a bench. The dog was very cute. The lady asked me _____. I said yes. She told me his name was Max, and I asked her _____. She said that he was 3 years old. I really liked Max, and I think he liked me too!

Tip

의문사가 없는 간접의문문의 어순은 「❶[_____]/whether + 주어 + 동사」, 의문사가 있는 간접의문문의 어순은 「❷[_____] + 주어 + 동사」이다.

🖪 ❶ if ❷ 의문사

5 다음 그림을 보고, 〈보기〉에 주어진 동사를 이용해 문장을 완성하시오.

┌ 보기 ┐
| be | travel | build | live | snow | watch |

(1)

➡ If I _____ younger, I would _____ more.

(2)

➡ If I _____ alone, I could _____ my favorite TV show.

(3)

➡ If it _____, we would _____ a snowman.

6 다음 표를 보고, 〈조건〉에 맞게 빈칸에 알맞은 말을 써서 문장을 완성하시오.

the longest river	the Nile
the highest mountain	Mt. Everest
the largest country	Russia

┌ 조건 ┐
비교급을 이용할 것

(1) _____ than the Nile.

(2) Mt. Everest is _____ any other mountain.

(3) Russia is _____ all the other countries.

7 다음 그림을 보고, 〈보기〉에 주어진 표현을 이용해 빈칸에 알맞은 말을 쓰시오.

┌ 보기 ┐
be   wish   can speak   as if

(1)

➡ I _____ I _____ Italian.

(2)

➡ There are so many Koreans that I feel _____ I _____
in Korea.

8 다음 예지의 일기를 읽고, 「It ~ that ....」 강조 구문을 이용해 각 질문에 답하시오.

> November 15th, Cloudy
>
> Today, I went to Suncity Mall to get a present for my
> sister's birthday. Since my sister loves reading, I went to a
> bookshop. The salesperson recommended two books.
> One was *The Ickabog* by J. K. Rowling, and the other was
> *On the Horizon* by Lois Lowry. My sister likes J. K. Rowling,
> so I chose *The Ickabog*. I hope she likes my present.

(1) Did Yeji buy the present at Starway Mall?

➡ No, _____ .

(2) Did Yeji buy *On the Horizon*?

➡ No, _____ .

적중 예상 전략 | ❶

1 다음 두 문장의 뜻이 같도록 빈칸에 알맞은 것은?

The house in which he lives is very beautiful.
= The house _____ he lives is very beautiful.

① who   ② what   ③ which
④ when   ⑤ where

2 다음 문장의 빈칸에 공통으로 알맞은 것은?

• The book was _____ difficult that I couldn't finish reading it.
• I'm going to get a flu shot _____ that I don't get the flu.

① if   ② so   ③ as
④ too   ⑤ since

3 다음 중 밑줄 친 부분을 생략할 수 있는 것은?

① She stepped on my foot, <u>which</u> made me angry.
② Let's go to the restaurant <u>which</u> is next to the flower shop.
③ The man <u>who</u> you met at the party wants to talk to you.
④ The boy for <u>whom</u> I bought these books doesn't like reading books.
⑤ The guest <u>whose</u> room was not clean complained to the manager.

4 다음 우리말을 영어로 옮길 때 빈칸에 알맞은 것은?

저기가 내가 다녔던 학교이다.
➡ That is the school _____ I went to.

① who   ② that   ③ what
④ where   ⑤ whose

5 다음 중 빈칸에 that을 쓸 수 <u>없는</u> 것은?

① The tea ____ I am drinking has no caffeine.
② Please throw out the potatoes ____ taste funny.
③ You need to choose a password ____ is long enough.
④ I want to sell the cups ____ I don't use anymore.
⑤ He has to leave the company for ____ he has worked for 10 years.

6 다음 중 어법상 옳은 것을 <u>모두</u> 고르면?

> ⓐ Neither my parents nor my sister is at home.
> ⓑ He enjoys both singing and dancing.
> ⓒ You can wear either the white shirt or the blue sweater.
> ⓓ Emily not only started to exercise but also change her diet.

① ⓐ, ⓑ   ② ⓑ, ⓒ   ③ ⓒ, ⓓ

④ ⓐ, ⓑ, ⓒ   ⑤ ⓑ, ⓒ, ⓓ

7 다음 문장의 빈칸에 알맞은 것은?

> He broke his leg _____ he was playing soccer.

① if   ② as if   ③ while

④ since   ⑤ because

8 다음 중 빈칸에 that을 쓸 수 <u>없는</u> 것은?

① She watched the movie at the theater _____ was recently remodeled.

② He dropped the cup _____ he was holding.

③ The knife with _____ I cut the meat is not sharp.

④ The movie was so moving _____ I cried in the end.

⑤ She moved closer to work so _____ she doesn't have to get up early.

9 다음 중 빈칸에 알맞은 말이 <u>같은</u> 것을 <u>모두</u> 고르면?

> ⓐ I found a piece of paper on _____ my name was written.
> ⓑ I forgot to buy _____ I needed for my mother's birthday party.
> ⓒ This is the room in _____ we spend the most time.
> ⓓ My car, _____ was parked in front of the restaurant, is gone.

① ⓐ, ⓑ   ② ⓐ, ⓒ   ③ ⓑ, ⓒ

④ ⓐ, ⓒ, ⓓ   ⑤ ⓑ, ⓒ, ⓓ

10 다음 중 어법상 <u>어색한</u> 것은?

① He likes the singer who released a new album last week.

② He bought the flowers which his wife liked.

③ We want to know what the baby wants.

④ She visited the country where her parents had studied.

⑤ I can explain the way how the computer works.

11 다음 대화의 밑줄 친 ①~⑤ 중 어법상 <u>어색한</u> 것은?

A: Are you ready to order?

B: Yes. I'd like to have the chicken sandwich.

A: Great choice! It is ① <u>not only delicious but also good</u> for you. It also comes with soup.

B: Sounds good. Oh, I forgot to mention I'm allergic to peanuts.

A: Don't worry. ② <u>Neither the sandwich nor the soup contain</u> peanuts. Would you like ③ <u>either coffee or tea</u> with your sandwich?

B: Well, I need something ④ <u>which contains</u> some caffeine.

A: ⑤ <u>Both coffee and tea have</u> caffeine.

B: Then, I'll have coffee.

12 다음 문장의 빈칸에 알맞지 <u>않은</u> 것은?

> I wonder _____.

① why she is late

② whether will it rain

③ where you have been

④ if I can take photos here

⑤ when he bought the shoes

13 다음 문장의 빈칸에 알맞은 말이 바르게 짝지어진 것은?

> • Ally was the only person _____ understood me.
> • I'd like to watch the movie _____ is popular all over the world.
> • Look at the man and his donkey _____ are taking a walk.

① who … that … which

② whom … which … that

③ who … that … which

④ that … what … which

⑤ that … that … that

서술형

14 다음 우리말을 영어로 옮길 때 주어진 단어를 바르게 배열해 빈칸에 쓰시오.

> 나는 저것이 누구의 펜인지 모른다.
> ➡ I don't know _____.
> (is, that, pen, whose)

서술형

15 다음 그림을 보고, 소년의 말을 이용해 문장을 완성하시오.

(1) How much is the shirt?
(2) Can I get a discount?

(1) The boy asked _____.

(2) The boy wanted to know _____
_____.

서술형

17 다음 그림을 보고, 〈보기〉의 표현을 이용해 문장을 완성하시오.

Neither do I. It's humid.

I don't like summer. It's hot.

➡ _____ Minsu _____ Yujin likes summer because it is _____.

┌─ 보기 ├
nor   not only   neither   but also
└

서술형

18 다음 두 문장의 뜻이 같도록 빈칸에 알맞은 말을 쓰시오.

This is the way you wash your hands.
= This is _____ you wash your hands.

서술형

16 다음 그림을 보고, 관계대명사를 이용해 빈칸에 알맞은 말을 쓰시오.

My car is too big!

The man _____ too big is having difficulty parking his car.

서술형

19 다음 두 문장의 뜻이 같도록 빈칸에 알맞은 말을 쓰시오.

She left the door open, and she discovered it the next day.
= She left the door open, _____ she discovered the next day.

1 다음 문장의 빈칸에 공통으로 알맞은 것은?

> • The _____ bitter the chocolate is, the higher the percentage of cacao is.
> • More and _____ people are learning Korean.

① much ② less ③ many
④ more ⑤ most

2 다음 두 문장의 뜻이 같도록 빈칸에 알맞은 것은?

> No other student went to school as early as Adrian.
> = Adrian went to school earlier than _____ other student.

① no ② any ③ all
④ some ⑤ most

3 다음 중 밑줄 친 부분이 어법상 어색한 것은?

① I wish <u>I can go</u> back to my hometown.
② Go slowly <u>as if you were driving</u> on ice.
③ I wish <u>I had</u> time to read more books.
④ I wish <u>I didn't have</u> to go to school.
⑤ The baby smiles <u>as if he understood</u> what his mom said.

4 다음 중 어법상 <u>어색한</u> 것은?

① Down the hill did a bus stand.
② Under the tree were dozens of apples.
③ Never does he have much free time.
④ No longer am I taller than my brother.
⑤ My sister didn't like the movie, and neither did I.

5 다음 우리말을 영어로 바르게 옮긴 것은?

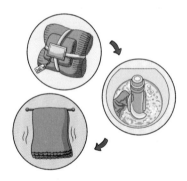

> 네가 수건을 더 많이 세탁하면 할수록 그것은 더 부드러워진다.

① You wash the towel more, it becomes softer.
② More you wash the towel, and softer it becomes.
③ The more towel you wash, the softer it becomes.
④ The more you wash the towel, the softer it becomes.
⑤ You wash the towel the more, it becomes the softer.

6 다음 중 밑줄 친 부분을 강조한 문장이 어법상 <u>어색한</u> 것은?

① Jimmy <u>works</u> very hard.
  ➡ Jimmy does work very hard.

② Anne <u>ate</u> all the cookies.
  ➡ Anne did eat all the cookies.

③ I want to have <u>steak</u> for dinner.
  ➡ It is steak that I want to have it for dinner.

④ <u>Maria</u> borrowed my dictionary.
  ➡ It was Maria that borrowed my dictionary.

⑤ He went to the movies <u>last night</u>.
  ➡ It was last night that he went to the movies.

7 다음 중 빈칸에 were를 쓸 수 <u>없는</u> 것은?

① I wish you _____ telling the truth.

② If it _____ not for my phone, I would get lost.

③ If you _____ hungry, you can have the rest of my sandwich.

④ He sounds as if he _____ reading a storybook to children.

⑤ If his prices _____ high, he wouldn't have many customers.

8 다음 문장을 가정법으로 바르게 바꾼 것은?

As I don't have her number, I can't call her.

① If I had her number, I called her.

② If I had her number, I can call her.

③ If I have her number, I could call her.

④ If I had her number, I could call her.

⑤ If I would have her number, I called her.

9 다음 중 의미가 나머지 넷과 <u>다른</u> 것은?

① This is the most expensive car.

② No car is as expensive as this car.

③ This car is more expensive than any other car.

④ This car is more expensive than all the other cars.

⑤ Any other car is more expensive than this car.

10 다음 두 문장의 뜻이 같도록 빈칸에 알맞은 것을 모두 고르면?

> If it were not for his help, I couldn't fix my computer.
> = _____ his help, I couldn't fix my computer.

① As if ② Since ③ Without
④ As though ⑤ But for

11 다음 중 밑줄 친 that의 쓰임이 나머지 넷과 다른 것은?

① It was caramel that I bought for her.
② It is Audrey that I like the most in my class.
③ It is true that she quit the job.
④ It was in the library that he waited for her.
⑤ It was last Friday that I watched the play.

12 다음 중 어법상 맞는 것을 모두 고르면?

> ⓐ The students didn't come to the class, and neither was the teacher.
> ⓑ Never did she learn how to ride a bike.
> ⓒ No longer does my brother play football.
> ⓓ Not until after lunch can you play computer games.

① ⓐ, ⓑ ② ⓐ, ⓒ ③ ⓑ, ⓓ
④ ⓐ, ⓑ, ⓓ ⑤ ⓑ, ⓒ, ⓓ

13 다음 중 밑줄 친 If[if]의 쓰임이 나머지 넷과 다른 것은?

① If I wanted her to be here, she would be.
② If he colored his hair, he would look better.
③ If the bottle were empty, it would be lighter.
④ What would you do if you had superpowers?
⑤ The man sitting next to me asked if I needed help.

서술형
14 다음 두 문장의 뜻이 같도록 빈칸에 알맞은 말을 쓰시오.

> I am sorry that I can't go to the concert with you.
> = I wish I _____ to the concert with you.

서술형
15 다음 그래프를 보고, 주어진 단어를 이용해 빈칸에 알맞은 말을 쓰시오.

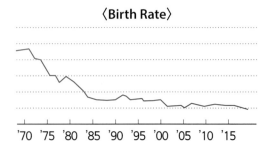

〈Birth Rate〉

'70 '75 '80 '85 '90 '95 '00 '05 '10 '15

> The birth rate is getting _____.
> (and, lower)

서술형

16 다음 그림을 보고, 주어진 표현을 이용해 문장을 완성하시오.

Next to the bed _____, and on the chair _____.

(be, a chair, two cats)

서술형

18 다음 그림을 보고, 빈칸에 알맞은 말을 쓰시오.

I can't reach the top shelf!

➡ If the boy _____ taller, he _____ the top shelf.

서술형

19 다음 그림을 보고, 〈보기〉의 표현과 「It ~ that ....」 구문을 이용해 질문에 답하시오.

GEORGE'S ROOM

┌ 보기 ┐

comic book   his room

(1) Is George reading a novel?

➡ No, _____.

(2) Is George reading a comic book in the living room?

➡ No, _____.

서술형

17 다음 그림을 보고, tall 또는 taller를 이용해 문장을 완성하시오.

ANIMALS OF THE HAPPY ZOO

(1) The giraffe is _____ animal in the zoo.

(2) _____ other animal in the zoo is _____ as the giraffe.

1주 문장의 형식, 시제, 수동태, 조동사

해석 | 1 남: (내가 새치기하도록 그녀가 허락해주면 좋겠다.)
여: (나는 그가 줄 끝으로 가도록 만들 거야.) 야, 새치기하지 마. 나는 한 시간 동안 줄을 서서 기다리는 중이야.
남: 미안해.
a. 소녀는 소년이 새치기하도록 허락한다.
b. 소녀는 소년이 줄 끝으로 가기를 원한다.
2 Chris가 파티에 도착했을 때 그의 친구들은 이미 케이크를 먹었다.
3 남: 나는 네가 영화에 관심이 있다고 들었어. 우리 영화제에 갈까?
여: 좋아. 영화제는 5월에 열릴 거잖아, 그렇지?
남: 아니, 그것은 5월에서 6월로 연기됐어.
a. 영화제는 5월에 열릴 것이다.
b. 영화제는 6월에 열릴 것이다.
4 남: 피부가 타는 것 같아.
여: 우리는 자외선 차단제를 발랐어야 했어.

1주 1일 개념 돌파 전략 ❶

pp. 8~11

개념 1 Quiz 해설 | (1) want는 목적격 보어로 to부정사를 쓴다. (2) 사역동사 make는 목적격 보어로 동사원형을 쓴다. (3) 목적어와 목적격 보어의 관계가 수동일 때는 목적격 보어 자리에 과거분사를 쓴다.
해석 | (1) 나는 네가 나를 도와주기를 원한다.
(2) 엄마는 내가 내 방을 청소하도록 시키셨다.
(3) 그는 그의 자동차가 수리되게 했다.

개념 2 Quiz 해설 | (1) 현재완료의 형태는 「have/has + p.p.」이다. (2) 과거완료의 형태는 「had + p.p.」이다.

1-2 dancing / 너는 어린 소년이 춤추고 있는 것이 보이니?

2-2 had waited

1-1 해석 | 나는 아기가 우는 것을 들었다.
1-2 해설 | 지각동사의 목적격 보어 자리에는 동사원형이나 현재분사가 올 수 있다. 진행의 의미를 강조할 경우에 현재분사를 쓴다.
2-1 해석 | 그는 나에게 이미 그 영화를 봤다고 말한다.
2-2 해설 | 그녀가 온 과거 시점보다 더 이전부터 기다려 왔으므로 「had + p.p.」 형태의 과거완료를 쓴다.

개념 3 Quiz 해설 | (1) 수동태 미래시제는 「will[be going to] + be + p.p.」이다. (2) 진행형 수동태의 형태는 「be동사 + being + p.p.」이므로 being built를 써야 한다. (3) 완료형 수동태의 형태는 「have/has/had + been + p.p.」이므로 being이 아닌 been을 써야 한다.
해석 | (1) 너는 그 파티에 초대될 것이다.
(2) 다리가 건설되고 있다.
(3) 그 문제는 해결되었다.

개념 4 Quiz 해설 | (1) '~을 걱정하다'는 be worried about이다. (2) '~로 가득 차 있다'는 be filled with이다. (3) '~에게 알려지다'는 be known to이다.

개념 5 Quiz 해설 | (1) '~했음에 틀림없다'는 「must have + p.p.」이다. (2) '~했을 리가 없다'는 「can't[cannot] have + p.p.」이다.

3-2 will be canceled　　**4-2** ②　　**5-2** cannot

3-1 어휘 | from far away 멀리서부터
3-2 해설 | 미래시제 수동태는 「will be + p.p.」이다.
　　　어휘 | cancel 취소하다
4-1 해석 | • 나는 내 시험 결과에 만족하지 않는다.
　　　• 그 거리는 많은 사람들로 붐빈다.
　　　어휘 | result 결과
4-2 해설 | '~에 싫증나다'는 be tired of로, '~로 유명하다'는 be known for로 나타낸다.
　　　해석 | • 나는 이 일에 싫증이 난다.
　　　• 그 여배우는 연기 실력으로 유명하다.
　　　어휘 | actress 여배우
5-1 어휘 | careful 조심스러운
5-2 해설 | '~했을 리가 없다'는 「can't[cannot] have + p.p.」이다.

---

1 ④　　**2** ③　　**3** ②　　**4** being　　**5** turned off
6 (1) should　(2) must

---

1 해설 | 목적격 보어 자리에 동사원형 read가 있으므로 목적격 보어로 to부정사를 쓰는 want는 어색하다.
2 해설 | 과거의 동작이 현재까지 계속 진행됨을 강조할 때 쓰는 현재완료진행의 형태는 「have/has + been + -ing」이다.
3 해설 | 엄마가 집에 오신 과거 시점보다 더 이전에 빨래를 했으므로 「had + p.p.」의 과거완료를 쓴다.
　　해석 | 나는 빨래를 했고, 그리고 나서 엄마가 집에 오셨다.
　　= 엄마가 집에 오셨을 때, 나는 이미 빨래를 했었다.
　　어휘 | do the laundry 빨래하다
4 해설 | 진행형 수동태는 「be동사 + being + p.p.」이다.
　　해석 | 그 소녀들이 눈사람을 만들고 있다.
　　→ 눈사람이 그 소녀들에 의해 만들어지고 있다.
　　어휘 | snowman 눈사람
5 해설 | 동사구의 수동태는 동사를 「be동사 + p.p.」로 바꾸고 동사 뒤에 있는 부사나 전치사는 그대로 둔다.
　　해석 | 사람들이 모든 불을 다 껐다. → 모든 불이 다 꺼졌다.
　　어휘 | turn off 끄다 light 불, 전등
6 해설 | '~했어야 했다'는 「should have + p.p.」이고, '~했음에 틀림없다'는 「must have + p.p.」이다.
　　해석 | (1) 나는 버스를 놓쳤다. 나는 더 일찍 일어났어야 했다.
　　(2) 그는 어제 나에게 말을 하지 않았다. 그는 나에게 화가 났음에 틀림없다.
　　어휘 | miss 놓치다

1주 1일 개념 돌파 전략 ❷　　pp. 12~13

CHECK UP

1 해석 | 그 영화는 나를 울게 만들었다.

2 해석 | 오늘 아침부터 계속 비가 내리고 있다.

3 해석 | 나는 콘서트가 시작한 후에 콘서트홀에 도착했다.
　→ 내가 콘서트홀에 도착했을 때 콘서트는 이미 시작했다.

4 해석 | 주문하셨습니까?
　어휘 | serve (식당 등에서 음식을) 제공하다

5 어휘 | look up to 존경하다

6 해석 | 그녀는 정직하다. 그녀가 나에게 거짓말을 했을 리가 없다.
　어휘 | lie 거짓말하다

1주 2일 필수 체크 전략 ❶　　pp. 14~17

전략 1　　필수 예제

해설 | 사역동사 let은 목적격 보어로 동사원형을 쓴다.
해석 | 엄마는 내가 밤에 외출하는 것을 허락하지 않으신다.
어휘 | go out 외출하다

확인 문제

1 ⑤　　**2** hear, sing[singing]

1 해설 | ⑤ 목적어인 her watch가 도난을 당한 수동의 의미이므로 steal의 과거분사인 stolen이 와야 한다.

해석 | ① 그는 나에게 우산을 가져오라고 말했다.
② 나의 언니는 내가 집 청소하는 것을 도와주었다.
③ 선생님은 우리가 그 책들을 읽게 하셨다.
④ 나는 누군가 내 어깨를 만지는 것을 느꼈다.
어휘 | steal 훔치다

2 해설 | 지각동사는 목적격 보어로 동사원형이나 현재분사를 쓴다.
해석 | 나는 밖에서 누군가 노래하는[노래하고 있는] 것을 들을 수 있다.

전략 2 　필수 예제

해설 | '~해 본 적이 있다'라는 경험을 나타내는 현재완료를 쓴다.
⑤ have gone은 가고 지금은 여기 없는 결과를 의미한다.

확인 문제

1 ⑤　**2** has rained

1 해설 | 〈보기〉의 문장과 같이 계속의 의미로 쓰인 것은 ⑤이다. ①, ②: 경험, ③: 완료, ④: 결과
해석 | 〈보기〉 나는 2019년부터 여기에 살고 있다.
① 그들은 하와이에 가 본 적이 있다.
② 나는 인도 음식을 먹어 본 적이 없다.
③ 우리는 그 일을 방금 끝냈다.
④ Tom은 그의 돈을 다 썼니?
⑤ Susan은 일 년 동안 프랑스어를 배우고 있다.
어휘 | spend (돈을) 쓰다

2 해설 | '(계속) ~해 왔다'라는 의미이므로 「have/has + p.p.」 형태의 현재완료를 쓴다. 주어가 3인칭 단수이므로 has를 쓰는 것에 유의한다.
해석 | 세 시간 동안 비가 왔다.

전략 3 　필수 예제

해설 | 한 시간 전부터 지금까지 계속 그림을 그리고 있는 것이므로 현재완료진행을 쓰고, 주어가 3인칭 단수이므로 has been painting이 알맞다.

확인 문제

1 ③　**2** have been taking

1 해설 | 현재완료진행을 이용하여 얼마나 오랫동안 숙제를 하고 있는지 묻고 있으므로 기간에 대한 대답이 가장 알맞다. 현재완료진행은 특정한 과거 시점을 나타내는 표현과 함께 쓸 수 없다.

해석 | A: 너는 얼마나 오랫동안 숙제를 하고 있니?
B: 나는 두 시간 동안 숙제를 하고 있어.

2 해설 | 현재완료진행의 형태는 「have/has + been + -ing」이다.
해석 | 나는 작년부터 테니스 수업을 받고 있다.
어휘 | take a lesson 수업을 받다

전략 4 　필수 예제

해설 | 점심식사를 한 것이 배가 고팠던 것보다 더 이전이므로 주절에는 과거시제를, since가 이끄는 부사절에는 과거완료를 쓴다.
어휘 | since ~ 때문에

확인 문제

1 ③　**2** had never eaten kimchi

1 해설 | 과거의 특정 시점(다시 지은 때)을 기준으로 그 전부터 쭉 비어 있었던 상태를 나타내므로 주절에는 과거완료를 써야 한다.
어휘 | empty 빈, 비어 있는 rebuild (건물 등을) 다시 세우다

2 해설 | 과거의 특정 시점(한국에 온 때) 이전의 경험은 과거완료로 나타내고, 부정어 never는 had와 p.p. 사이에 쓴다.

1주 2일 필수 체크 전략 ❷　　pp. 18~19

1 ②　**2** ①, ③　**3** ④　**4** ④　**5** ③　**6** had left

1 해설 | 목적격 보어로 to부정사가 왔으므로 목적격 보어로 동사원형을 쓰는 사역동사는 올 수 없다.
해석 | 의사는 나에게 규칙적으로 운동을 하라고 ① 말했다
③ 원했다 ④ 강요했다 ⑤ 충고했다.
어휘 | regularly 규칙적으로 force 강요하다, 강제하다

2 해설 | 지각동사 see는 목적격 보어로 동사원형이나 현재분사를 쓴다. 동작이 진행 중임을 강조할 때는 주로 현재분사를 쓴다.
해석 | 나는 Susie가 피아노를 치는[치고 있는] 것을 봤다.

3 해설 | ④ 현재완료는 last month처럼 특정한 과거 시점을 나타내는 부사(구)와 함께 쓰이지 않는다.
have seen → saw

해석 | ① 그들은 이미 저녁식사를 했다.

② 그녀는 자기가 가장 좋아하는 스카프를 잃어버렸다.

③ 나는 여수에 가 본 적이 없다.

⑤ 그는 십 년 동안 이 회사에서 일하고 있다.

어휘 | company 회사

4 **해설 |** ④ 과거에 시작된 일이 현재까지 진행 중임을 나타내므로 「have/has + been + -ing」 형태의 현재완료진행을 쓴다.

5 **해설 |** 이사 오기 전에 부산에 산 것이므로 과거완료 had lived로 쓴다.

6 **해설 |** 숙제를 집에 둔 것은 내가 그 사실을 깨달은 것보다 더 이전의 일이므로 과거완료로 써야 한다.

해석 | 나는 집에 숙제를 두고 온 것을 깨달았다.

어휘 | find out 생각해 내다, 알아내다

1주 3일 필수 체크 전략 ❶   pp. 20~23

전략 1 필수 예제

해설 | 거리가 봉쇄된 것이므로 수동태 「be동사 + p.p.」를 써서 was locked로 하고, 거리를 봉쇄한 주체가 경찰이므로 「by + 행위자」에 맞춰 by police로 쓴다.

어휘 | lock down 봉쇄하다

확인 문제

1 ②   **2** (1) sold (2) invited (3) served

1 **해설 |** ② 동작의 주체가 주어이면 능동태를 쓰고, 동작의 대상이 주어이면 수동태를 쓴다.

해석 | 한 유명 가수가 이 식당을 방문했다.

= 이 식당은 한 유명 가수에 의해 방문되었다.

2 **해설 |** 수동태의 의문문은 「(의문사 +) be동사 + 주어 + p.p. ~?」, 부정문은 「be동사 + not + p.p.」로 나타낸다. 미래시제 수동태는 「will[be going to] be + p.p.」로 쓴다.

해석 | (1) 표는 다 팔렸나요?

(2) 나는 그 콘서트에 초대되지 않았다.

(3) 조식은 7시에서 9시 사이에 제공될 것이다.

어휘 | sell out 다 팔(리)다

전략 2 필수 예제

해설 | 비행기가 지연되는 수동의 의미이고 '~일지도 모른다'라는 뜻을 가진 조동사 may/might가 필요하므로 「조동사 + be + p.p.」를 이용해 may/might be delayed로 쓴다.

어휘 | delay 미루다, 연기하다

확인 문제

1 ④   **2** (1) The movie is being filmed (2) Many dolphins have been killed

1 **해설 |** ④ 진행형 수동태의 형태는 「be동사 + being + p.p.」 이다. is been seeing → is being seen

해석 | ① 그 규칙들은 지켜져야 한다.

② 그 벽은 언제 페인트칠해질까?

③ 그 수영 수업은 취소될 것이다.

⑤ 그 소설은 많은 사람들에게 읽혀져 왔다.

어휘 | rule 규칙 follow 따르다 patient 환자

2 **해설 |** (1) 진행형 수동태는 「be동사 + being + p.p.」 형태이고, (2) 완료형 수동태는 「have/has/had + been + p.p.」 형태이다.

전략 3 필수 예제

해설 | •be pleased with: ~에 기뻐하다 •be filled with: ~로 가득 차 있다.

해석 | •그녀는 깜짝 파티에 기뻐했다.

•그 상자는 오래된 옷들로 가득 차 있다.

확인 문제

1 ①   **2** A deer was run over by a truck.

1 **해설 |** ① '~로 만들어지다'라는 뜻으로 화학적인 변화를 나타낼 때는 be made from을 쓴다.

해석 | ② 나는 스포츠에 관심이 없다.

③ 우리는 시끄러운 소음에 놀랐다.

④ 나의 엄마는 할머니를 걱정하신다.

⑤ 그는 이 마을의 모든 사람에게 알려져 있다.

어휘 | village 마을

2 **해설 |** 동사구의 수동태는 동사를 「be동사 + p.p.」로 바꾸고 나머지 부분은 그대로 뒤에 쓴다. run - ran - run

어휘 | run over (차로) 치다

전략 4 필수 예제

해설 | 과거에 엄마 말씀을 안 들었던 것을 후회하는 것이므로

'~했어야 했다'라는 의미의 「should have + p.p.」를 사용해야 한다. 따라서 빈칸에는 should가 알맞다.

해석 | 나는 엄마 말씀을 안 들었던 것을 후회한다.

= 나는 엄마 말씀을 들었어야 했다.

어휘 | regret 후회하다

확인 문제

1 ② **2** shouldn't have

1 **해설** | '~했을지도 모른다'라는 과거의 일에 대한 약한 추측을 나타내는 표현은 「may/might have + p.p.」로 쓸 수 있다.
해석 | ① 너는 이 이야기에 관해 들을 수 있었다.
③ 너는 이 이야기에 관해 들었을 리가 없다.
④ 너는 이 이야기에 관해 들은 게 틀림없다.
⑤ 너는 이 이야기에 관해 들었어야 했다.

2 **해설** | 대화의 내용상 '~하지 말았어야 했다'라는 표현이 들어가야 하므로 「shouldn't have + p.p.」를 이용한다.
해석 | A: 나 배 아파.
B: 너는 햄버거를 세 개나 먹었잖아. 그렇게 많이 먹지 말았어야 했어.
어휘 | stomachache 위통, 복통

3 **해설** | 첫 번째 문장은 미래시제 수동태로 「will be + p.p.」로 쓰고, 두 번째 문장은 진행형 수동태로 「be동사 + being + p.p.」로 쓴다.
해석 | • 그 책은 공상 과학 영화로 만들어질 것이다.
• 그 시상식은 수백만 명의 사람들에 의해 시청되고 있다.
어휘 | sci-fi 공상 과학(의) award ceremony 시상식 millions of 수백만의

4 **해설** | ④에는 about이 들어가고 나머지는 모두 전치사 with가 들어간다.
해석 | ① 나는 나 자신에게 만족한다.
② 그 방은 연기로 가득 차 있었다.
③ 그 길은 낙엽으로 덮여 있다.
④ 대부분의 십 대들은 자신들의 미래를 걱정한다.
⑤ 그 쇼핑몰은 많은 사람으로 붐볐다.
어휘 | fallen leaf 낙엽

5 **해설** | 「동사 + 부사」로 이루어진 동사구 turn off(끄다)의 수동태가 조동사 should와 함께 쓰인 것으로 should be turned off가 되어야 한다.

6 **해설** | '공부를 더 열심히 했어야 했다'라는 후회의 표현이 들어가야 자연스러우므로 「should have + p.p.」를 이용한다.
해석 | 나는 수학 시험을 망쳤다. 나는 공부를 더 열심히 했어야 했다.
어휘 | mess up 망치다

1주 3일 필수 체크 전략 ❷
pp. 24~25

1 ③ **2** ③ **3** ① **4** ④ **5** ④ **6** should have studied

1 **해설** | 수동태 문장이므로 빈칸에는 p.p.(과거분사)가 들어가야 한다.
해석 | 그 절은 많은 관광객에 의해 방문된다.
어휘 | temple 절 tourist 관광객

2 **해설** | ③ 행위자가 일반 사람이므로 생략할 수 있다.
해석 | ① Juliet은 Romeo에 의해 사랑받는다.
② 그 케이크는 나의 언니에 의해 만들어졌다.
③ 프랑스어는 프랑스에 있는 사람들에 의해 말해진다.
④ 그 교실은 학생들에 의해 청소된다.
⑤ 그 시는 한 유명 작가에 의해 쓰여졌다.
어휘 | poem 시

1주 4일 교과서 대표 전략 ❶
pp. 26~29

1 ② **2** repaired **3** call[calling], called **4** ③
5 been **6** ⑤ **7** ⑤ **8** had, taken off **9** ⑤
10 being **11** ④ **12** must be looked after
13 ② **14** have broken **15** being → been
16 leave → have left

1 **해설** | 사역동사 make는 목적격 보어로 동사원형을 쓰고, 지각동사 see는 목적격 보어로 동사원형이나 현재분사를 쓴다.
해석 | • 심판은 선수들이 줄을 서게 했다.
• 나는 돌고래들이 물 밖으로 점프하는 것을 보았다.
어휘 | referee 심판 line up 줄을 서다

2 **해설** | 그의 자전거가 누군가에 의해 수리되는 수동의 의미이므로 과거분사를 써야 한다.

어휘 | repair 수리하다

3 해설 | hear은 지각동사이므로 목적격 보어로 동사원형이나 현재분사가 온다. B의 경우는 '네 이름이 불리는' 수동의 의미이므로 목적격 보어로 과거분사가 알맞다.
해석 | A: 너는 누가 내 이름을 부르는[부르고 있는] 것을 들었니?
B: 아니, 나는 네 이름이 불리는 것을 듣지 못했어.

4 해설 | ③ last week와 같이 명확한 과거를 나타내는 부사(구)는 현재완료와 함께 쓸 수 없다. has gone → went
해석 | ① 너는 이탈리아 음식을 먹어봤어?
② 기차가 막 역을 떠났다.
④ 나는 5년 동안 태권도를 배웠다.
⑤ 그들은 2010년부터 함께 일했다.

5 해설 | 과거에 시작된 동작이 현재까지 계속 진행 중인 상황이므로 현재완료진행을 쓴다.
해석 | A: 그녀는 얼마나 오랫동안 그림을 그리고 있니?
B: 그녀는 20년째 그림을 그리고 있어.

6 해설 | 〈보기〉의 문장과 같이 계속의 의미를 가진 것은 ⑤이다. ①, ④: 완료, ②: 경험, ③: 결과
해석 | 〈보기〉 Jenny는 태어난 이래로 서울에서 살았다.
① 나는 아직 점심식사를 하지 않았다.
② 그는 부산에 두 번 가봤다.
③ Eric은 본인의 나라로 갔다.
④ 우리는 막 새로운 동네로 이사했다.
⑤ 그들은 오랫동안 친구로 지내왔다.
어휘 | neighborhood 지역, 장소

7 해설 | ⑤ 버스에 우산을 두고 내린 것이 내가 그 사실을 깨달은 것보다 더 먼저 일어난 일이므로 과거완료로 써야 한다.

8 해설 | 내가 공항에 도착했을 때 이미 비행기가 이륙한 상태였다는 뜻이므로 과거완료로 써야 한다.
해석 | 비행기가 이륙했고, 그리고 나서 내가 공항에 도착했다. = 내가 공항에 도착했을 때, 비행기는 이미 이륙했다.
어휘 | take off 이륙하다

9 해설 | 주어진 단어를 바르게 배열하면 The teacher is respected by many students.가 된다.
어휘 | respect 존경하다

10 해설 | 강도가 경찰에게 쫓기고 있는 상황이고 앞에 be동사가 있으므로 진행형 수동태「be동사 + being + p.p.」로 써야 한다.
해석 | 강도는 경찰에 의해 쫓기고 있다.
어휘 | robber 강도 chase 뒤쫓다, 추격하다

11 해설 | 미래시제 수동태 의문문으로 의문사가 있으므로「의문사 + will + 주어 + be + p.p. ~?」어순으로 쓴다.
어휘 | prepare 준비하다

12 해설 | 조동사가 있는 동사구의 수동태로 조동사 뒤에 동사를 「be + p.p.」로 바꿔 쓰고 동사 뒤에 있던 전치사는 그대로 쓴다.
해석 | 부모는 그들의 아이들을 돌봐야 한다.
→ 아이들은 그들의 부모에게 보살핌을 받아야 한다.
어휘 | look after 보살펴 주다

13 해설 | ② '~로 유명하다'는 be known for로 쓴다.
해석 | ① 그 가구는 모두 나무로 만들어졌다.
③ David는 자신의 취업 면접을 걱정한다.
④ 나의 형은 영화 제작에 관심이 있다.
⑤ 그 배우는 자신의 연기에 만족하지 않았다.
어휘 | furniture 가구 performance 연기, 공연

14 해설 | '~했음에 틀림없다'라는 뜻으로 과거 사실에 대한 강한 추측을 나타내는 표현은「must have + p.p.」이다.
해석 | 그가 그 꽃병을 깬 게 확실하다.
= 그가 그 꽃병을 깼음에 틀림없다.
어휘 | It is certain that ~ ~인 것이 확실하다 vase 꽃병

15 해설 | 완료의 의미를 가진 현재완료 수동태이므로「have/has + been + p.p.」로 써야 한다. being → been
어휘 | release 출시하다

16 해설 | 대화의 흐름상 B에는 '~해야 한다'가 아니라 '~했어야 했다'라는 후회가 와야 하므로「should have + p.p.」로 써야 한다.
해석 | A: 길에 차가 너무 많아. 우리 늦겠다.
B: 우리는 더 빨리 출발했어야 했어.

1주 4일 교과서 대표 전략 ❷ pp. 30~31

1 ② **2** ⑤ **3** ④ **4** had, sold **5** ④ **6** (1) covered with (2) surprised at **7** ④ **8** You shouldn't have lied to her.

1 해설 | 사역동사가 쓰인 문장으로 첫 번째 문장은 사람이 목적어이므로 목적격 보어로 동사원형을 쓰고, 두 번째 문장은 사물이 목적어로 목적격 보어와 수동 관계이므로 과거분사를 쓴다.
해석 | • 나는 수리공이 TV를 수리하게 했다.
• 나는 수리공에 의해 TV를 수리 받았다.
어휘 | repairman 수리공

2 해설 | 현재완료는 yesterday, ~ ago, last ~ 등 과거의 명백한 시점을 나타내는 표현과 함께 쓸 수 없다.

해석 | A: 너는 제주도에 가 본 적이 있니?

B: 응. 나는 그곳에 ① 한 번 ② 두 번 ③ 전에 ④ 여러 번 ⑤ 지난 여름에 가 봤어.

어휘 | once 한 번 several times 여러 차례

3 해설 | ④ 삼 년 전부터 쓰기 시작해서 지금까지도 계속 쓰고 있는 상황이므로 「have/has + been + -ing」의 현재완료진행을 쓴다.

4 해설 | 내가 극장에 도착한 시점에 이미 표가 다 팔리고 없던 상황이므로 과거완료로 써야 한다.

해석 | 내가 극장에 도착했을 때, 표는 이미 다 팔렸다.

5 해설 | 영어가 말하여지는 것이므로 수동태 문장으로 써야 한다. 행위자가 일반인일 경우 「by + 행위자」를 생략할 수 있다.

해석 | 영어는 많은 나라에서 말해진다.

6 해설 | (1) '~로 덮여 있는'의 뜻을 가진 covered with가 알맞다. (2) '~에 놀란'의 뜻을 가진 surprised at이 알맞다.

해석 | (1) 산꼭대기가 눈으로 덮여 있다.

(2) 그녀는 거미에 놀랐다.

7 해설 | ④ look up to에서 look을 「be동사 + p.p.」로 바꾸고 up to는 뒤에 그대로 써야 한다. 그리고 그 뒤에 「by + 행위자」를 쓴다. 주어가 3인칭 단수이고 과거시제이므로 was를 쓰는 것에 주의한다.

해석 | 미국인들은 Abraham Lincoln을 존경했다.

→ ④ Abraham Lincoln은 미국인들에 의해 존경받았다.

8 해설 | 과거에 한 일에 대해 후회하는 표현으로 '~하지 말았어야 했다'라는 의미의 「shouldn't have + p.p.」로 쓴다.

해석 | A: 너 걱정스러워 보인다. 무슨 일이야?

B: 내가 거짓말을 해서 엄마가 굉장히 화나셨어.

A: 오. 너는 그녀에게 거짓말을 하지 말았어야 했어.

1주 누구나 합격 전략

pp. 32~33

1 ③   **2** ⑤   **3** is being taken care of   **4** I have been learning ballet   **5** ②   **6** ③   **7** have lost   **8** being   **9** ④   **10** I should have gone to bed earlier.

---

1 해설 | ③ '(목적어가) ~하도록 허락하다'라는 뜻을 가진 사역동사 let은 목적격 보어로 동사원형을 쓴다. to go → go

어휘 | go hiking 하이킹 가다

2 해설 | ⑤ get은 '~ 시키다'라는 뜻을 가지고 있지만 사역동사가 아니므로 목적격 보어로 to부정사가 와야 한다.

memorize → to memorize

해석 | ① 제가 짐 나르는 것을 도와주실 수 있나요?

② 그의 상사는 그가 마음을 바꾸도록 설득했다.

③ 나는 어제 공원에서 Jeremy가 개를 산책시키고 있는 것을 봤다.

④ 그 나이든 남자는 공항에서 지갑을 도난당했다.

어휘 | baggage 짐 persuade 설득하다 memorize 암기하다

3 해설 | 진행형 수동태이므로 「be동사 + being + p.p.」 형태가 되어야 하는데, take care of의 동사구가 쓰였으므로 동사인 take를 과거분사로 바꾸고 나머지 care of는 뒤에 그대로 쓴다.

어휘 | nursing home 양로원

4 해설 | 과거에 시작된 동작이나 상태가 현재까지 계속 진행 중임을 강조할 때 「have/has + been + -ing」 형태의 현재완료진행을 쓴다.

해석 | A: 너는 얼마나 오랫동안 발레를 배우고 있니?

B: 나는 다섯 살 때부터 쭉 발레를 배우고 있어.

5 해설 | 그가 나에게 말을 한 것은 과거이고, 그가 책을 읽지 못한 것은 대과거이므로 과거완료로 써야 한다.

6 해설 | ③ '~에 관심이 있다'는 be interested in으로 나타낸다.

어휘 | cotton 면 Western 서양의 proverb 속담

7 해설 | 과거에 배낭을 잃어버렸고 현재까지도 찾지 못했다는 뜻이므로 현재완료로 써야 한다.

해석 | 나는 배낭을 잃어버렸고, 현재 가지고 있지 않다.

= 나는 배낭을 잃어버렸다.

어휘 | backpack 배낭

8 해설 | 진행형 수동태이므로 「be동사 + being + p.p.」 형태로 쓴다.

해석 | A: 계단으로 가자. 엘리베이터가 지금 수리 중이야.

B: 그래.

9 해설 | ④ 「can't[cannot] have + p.p.」는 '~했을 리가 없다'라는 뜻이다.

10 해설 | '잠자리에 더 일찍 들었어야 했다'라는 후회의 표현이 알맞으므로 「should have + p.p.」를 이용한다.

해석 | A: 너 너무 피곤해 보여.

B: 나는 지난밤에 겨우 네 시간 잤어. 잠자리에 더 일찍 들었어야 했는데.

1 (1) his car washed (2) his computer fixed (3) her room cleaned   **2** (1) has been going hiking on Sundays, 12 (2) has been keeping a diary everyday, 8 (3) has been doing volunteer work at a nursing home, 14   **3** Step 1 (1) was turned on (2) was moved (3) were stolen   Step 2 (1) had been broken (2) had been turned on (3) had been moved (4) had been stolen   **4** must have been very difficult   **5** (1) being carried up by (2) is, crowded with   **6** (1) had done his homework (2) hadn't[had not] taken a shower   **7** (1) have your bike repaired (2) have your eyesight checked (3) have your fingernails cut   **8** should have got[gotten] up, could have had

1 해설 | 사역동사 have 뒤에 목적어로 사람이 아닌 사물이 나왔고 목적격 보어와의 관계가 수동이므로 목적격 보어로 과거분사를 써야 한다.
해석 | 지난 일요일 오전, 미나의 가족은 바빴다. 〈보기〉 미나의 엄마는 머리를 파마했다. (1) 미나의 아빠는 세차를 했다. (2) 미나의 오빠는 자기 컴퓨터를 수리했다. (3) 미나는 자기 방 청소를 했다. 오후에, 그들은 이런 저런 이야기를 하며 함께 시간을 보냈다.
어휘 | perm 파마를 하다 this and that 이런 저런

2 해설 | 과거에 시작된 행동을 현재까지 계속 하고 있는 상황이므로 「have/has + been + -ing」 형태의 현재완료진행을 쓴다.
해석 | 〈보기〉 유나는 열 살 때부터 수영을 배우고 있다.
(1) 수호는 열두 살 때부터 일요일마다 하이킹을 가고 있다.
(2) 나라는 여덟 살 때부터 매일 일기를 쓰고 있다.
(3) 지훈이는 열네 살 때부터 양로원에서 봉사 활동을 하고 있다.
어휘 | keep a diary 일기 쓰다 volunteer work 자원봉사 활동

3 해설 | 과거의 특정 시점을 기준으로 완료된 상황을 묘사하고 있으므로 시제는 과거완료로 쓰고, 행위의 대상이 주어이므로 수동태를 써야 한다. 과거완료 수동태는 「had + been + p.p.」로 나타낸다.
해석 | Step 1 〈보기〉 누군가 창문을 깼다. → 창문이 깨졌다.
(1) 누군가 TV를 켰다. → TV가 켜져 있었다.
(2) 누군가 탁자를 옮겼다. → 탁자가 옮겨졌다.

(3) 누군가 엄마의 보석들을 훔쳐갔다. → 엄마의 보석들이 도난당했다.
Step 2 우리가 가족 여행에서 돌아왔을 때, (1) 창문은 깨져 있었다. (2) TV는 켜져 있었다. (3) 탁자는 옮겨져 있었다. (4) 엄마의 보석들은 도난당했다.
어휘 | jewel 보석(류) get back from ~에서 돌아오다

4 해설 | 시험에서 만점을 받은 사람이 한 명도 없다고 했으므로 '그 시험은 매우 어려웠던 게 틀림없다'라는 강한 추측의 말이 들어가야 자연스럽다.
해석 | 엄마: 오늘 수학 시험은 어땠니?
수지: 시험을 잘 못 봤어요.
엄마: 너는 공부를 열심히 했잖아, 그렇지 않니?
수지: 네, 하지만 아무도 만점을 못 받았어요.
엄마: 그 시험은 매우 어려웠던 게 틀림없구나.
어휘 | do well on ~을 잘하다, ~을 잘 보다 perfect score 만점

5 해설 | (1) Charlie is carrying up the stroller.를 수동태 문장으로 바꾼 것이다. carry up은 동사구로 하나의 동사로 취급한다. (2) always가 있으므로 현재시제로 쓰고, '~로 붐비다'는 be crowded with로 나타낼 수 있다.
해석 | (1) 유모차는 Charlie에 의해 위로 날라지고 있다.
(2) 그 벼룩시장은 항상 즐기는 많은 사람들로 붐빈다.
어휘 | stroller 유모차 carry up ~을 위로 나르다 flea market 벼룩시장

6 해설 | (1) 엄마가 집에 돌아온 과거 시점 이전에 숙제를 했으므로 과거완료 긍정문이 알맞다. (2) 엄마가 집에 돌아온 과거 시점 이전에 샤워를 하지 않았으므로 과거완료 부정문으로 쓴다.
해석 | David의 엄마가 오후 5시에 외출을 할 때, 그녀는 David에게 "내가 돌아오기 전에 네가 해야 할 일을 하렴."이라고 말했다. David는 (1) 엄마가 오후 7시에 돌아오시기 전에 숙제를 했다. 하지만, 그는 (2) 엄마가 돌아오신 시간까지 샤워를 하지 않았다.

7 해설 | 「사역동사 have + 목적어 + 목적격 보어」에서 목적어와 목적격 보어의 관계가 수동이면 목적격 보어로 과거분사를 쓴다.
해석 | 〈보기〉 너의 차는 더럽다. 너는 네 차가 세차되게 해야 한다.
(1) 너의 자전거는 고장 났다. 너는 네 자전거가 고쳐지게 해야 한다.
(2) 너의 시력이 떨어지고 있다. 너는 네 시력이 정기적으로 검사되게 해야 한다.
(3) 너의 손톱들은 너무 길다. 너는 네 손톱들이 깎아지게 해야 한다.

어휘 | eyesight 시력 fingernail 손톱

8 해설 | should have + p.p.: ~했어야 했다, could have + p.p.: ~할 수 있었다

해석 | 4월 20일, 화요일

최악의 아침이었다. 나는 늦게 일어나서 아침을 먹을 충분한 시간이 없었다. 설상가상으로 통학 버스를 놓쳐서 엄마에게 또 학교까지 데려다 달라고 해야 했다. 엄마는 나에게 화가 나셨다.

〈생각풍선〉 나는 일찍 일어났어야 했다. 그러면 아침을 먹을 수 있고 통학 버스도 탈 수 있었을 텐데.

어휘 | terrible 끔찍한 even worse 설상가상으로 upset 화가 난

---

to부정사, 동명사, 분사

해석 | 1 남: 나는 대사를 외우는 것이 어려워.
여: 걱정하지 마. 너는 대사를 외울 수 있을 만큼 충분히 똑똑해.
남: 아니야. 그리고 나는 너무 떨려서 연기를 할 수가 없어.
a. 나는 너무 긴장해서 연기를 할 수 있다.
b. 나는 너무 긴장해서 연기를 할 수 없다.
2 남: 너 Vicky의 파티에 갈 거니?
여: 글쎄, 나는 오늘 밤에 나가고 싶지 않은데 그녀의 초대를 승낙할 수밖에 없었어.
3 여: Sam, 누가 나인지 맞춰봐.
남: 흠, 개를 산책시키고 있는 여자애인가?
여: 아니, 그녀는 나의 쌍둥이 자매인 Kate야. 나는 엄마가 디자인한 내가 제일 좋아하는 드레스를 입고 있었어.
남: 와, 예쁘네. 울고 있는 이 여자애는 누구니?
여: 내 여동생 Lucy야.
a. 바지를 입고 있는 소녀
b. 풍선을 잡고 있는 소녀
4 TV를 보면서 Bentley는 빨래를 개고 있었다. 그는 피곤해서 <u>TV를 켠 채</u> 잠이 들었다.

개념 돌파 전략 ❶   pp. 40~43

개념 1 Quiz 해설 | (1) 뒤에 있는 to부정사가 문장의 진주어이므로 가주어 it을 쓴다. (2) to부정사의 의미상 주어는 보통 「for + 명사/목적격 대명사」로 쓴다.

해석 | (1) 그녀와 이야기하는 것이 좋았다.
(2) 그가 약간의 휴식을 취하는 것이 좋을 것이다.

어휘 | rest 휴식

개념 2 Quiz 해설 | (1) '너무 ~해서 …할 수 없는'은 「too + 형용사/부사 + to부정사」로 표현한다. (2) '~인[하는] 것 같다'는 「seem + to부정사」로 표현한다.

어휘 | get better 나아지다

개념 3 Quiz 해설 | look forward to -ing는 '~하기를 고대하다'라는 뜻으로 동명사를 쓰는 관용 표현이다.

해석 | 그는 너를 만나기를 고대하고 있다.

1-2 It is great to see my family again.

2-2 He is smart enough to solve the problem.

3-2 to wash → washing

1-1 해석 | 산책할 시간을 갖는 것은 아주 좋다.
어휘 | take a walk 산책하다

1-2 해설 | to부정사가 문장의 주어일 때 가주어 it을 주어 자리에 쓰고 to부정사를 문장 뒤로 보낼 수 있다.
해석 | 내 가족을 다시 보는 것은 아주 좋다.

2-2 해설 | '…할 만큼 충분히 ~한'이라는 뜻은 「형용사 + enough + to부정사」로 쓴다.
어휘 | solve 해결하다, 풀다

3-1 해석 | 나는 아이스크림을 먹고 싶다.

3-2 해설 | 「spend + 시간 + -ing」는 '~하는 데 시간을 쓰다'라는 뜻으로 동명사를 쓰는 관용적인 표현이다.
해석 | 우리 아빠는 세차하는 데 많은 시간을 보냈다.

개념 4 **Quiz** 해설 | 능동의 의미일 때는 현재분사, 수동의 의미일 때는 과거분사를 쓴다.
해석 | (1) 자고 있는 아기를 봐.
(2) 영어는 전 세계에서 말해지는 언어이다.
어휘 | language 언어 all over the world 전 세계에서

개념 5 **Quiz** 해설 | 부사절과 주절의 주어가 같고 시제도 일치하므로 부사절의 접속사와 주어를 생략하고 동사를 현재분사로 바꾼다. (2)는 부정문이므로 분사 앞에 not을 쓴다.
해석 | (1) 그는 축구할 때 다리가 부러졌다.
(2) 배가 고프지 않아서 나는 점심을 걸렀다.
어휘 | break one's leg 다리가 부러지다 skip 거르다, 건너뛰다

4-2 stolen **5-2** ①

4-2 해설 | '도난당한 차'라는 수동의 의미를 나타내는 과거분사를 쓴다.
해석 | 경찰은 어제 도난당한 차를 찾았다.

5-1 해석 | 그녀는 환하게 웃으며 나에게 걸어왔다.
어휘 | brightly 밝게

5-2 해설 | 분사구문이 있는 문장의 의미가 '~하면 …할 것이다'라는 조건의 의미로 해석하는 것이 자연스러우므로 If(만약 ~하면)가 알맞다.
해석 | 조심히 다루면, 그 스웨터는 오래 갈 것이다.
어휘 | treat 다루다, 취급하다 with care 조심히 last 오래가다, 지속하다

 2주 1일 개념 돌파 전략 ❷ pp. 44~45

CHECK UP

1 해설 | 이 기계는 칼 가는 것을 쉽게 만든다.
어휘 | machine 기계 sharpen 날카롭게 하다

2 해석 | 나는 너무 긴장해서 아무것도 먹을 수 없었다.
어휘 | nervous 불안해하는

4 해석 | 그녀는 할리우드에서 떠오르는 별이다.

5 해석 | 그가 그 소식을 들었을 때 그는 내가 괜찮은지 묻기 위해 나에게 전화를 했다.

6 어휘 | shut 닫다

---

1 He found it very difficult to express his feelings.
2 ④　**3** from visiting　**4** (1) waiting　(2) invited
5 Filled　**6** ③

---

1 해설 | 「주어 + 동사 + 가목적어 it + 목적격 보어 + to부정사」의 어순으로 배열한다.
어휘 | express 표현하다 feelings 감정

2 해설 | seem은 뒤에 to부정사를 써서 '~인[하는] 것 같다'라는 의미를 나타낸다.
해석 | 나의 엄마는 그 사실을 아시는 것 같다.
어휘 | truth 사실, 진실

3 해설 | 'A가 ~하는 것을 막다'는 「keep/stop/prevent + A + from -ing」로 표현한다. 전치사 from 뒤에 동명사를 쓰는 것에 주의한다.
어휘 | virus 바이러스 grandparent 조부, 조모

4 해설 | 명사 people을 수식하는 분사로 바꾼다. (1) 사람들이 기다리는 것이므로 능동의 의미를 갖는 현재분사로 바꾼다. (2) 사람들이 초대된 것이므로 수동의 의미를 갖는 과거분사로 바꾼다.
해석 | (1) 버스를 기다리는 사람들은 피곤해 보인다.
(2) 그 파티에 초대된 사람들 대부분이 내 친구들이다.

5 해설 | 부사절 Because the box was filled with books에서 접속사 Because와 주어 the box를 생략한 분사구문으로 (Being) Filled with books이다. 이때 Being은 생략이 가능하다.
해석 | 책들로 가득 차서 그 상자는 아주 무거웠다.

6 해설 | 「with + 명사 + 분사」는 '~가 …한/된 채로'라는 뜻이다. 옷이 먼지로 덮인 것이므로 빈칸에는 수동의 의미를 갖는 과거분사가 알맞다.
해석 | 내 아들은 옷이 먼지로 덮인 채 집에 왔다.
어휘 | dust 먼지

2주 2일 필수 체크 전략 ❶

pp. 46~49

전략 1 필수 예제

해설 | 5형식 문장으로 목적어 자리에 있는 it은 뜻이 없는 가목적어이고 뒤에 진목적어로 to부정사가 온다. 따라서 빈칸에는 to ask가 와야 한다.
해석 | 그들은 누군가에게 나이를 묻는 것이 무례하다고 생각할지도 모른다.
어휘 | consider 생각하다 rude 무례한

확인 문제

1 ①　**2** (1) It is good for health to eat vegetables.
(2) He found it difficult to quit smoking.

1 해설 | ① 5형식 문장에서 동사의 목적어가 없이 목적격 보어가 왔으므로 목적어 자리에 진목적어 to raise my arms를 대신하는 가목적어 it을 써야 한다. found hard → found it hard
해석 | ② 인천에 도착하는 데 한 시간이 걸린다.
③ 그녀가 안경 안 쓴 것을 보니 이상했다.
④ 그녀가 어제 학교에 안 갔다는 것은 사실이다.
⑤ 그들은 모든 학생이 악기를 배우는 것을 원칙으로 하고 있다.
어휘 | raise 들어 올리다, 높이다 make it a rule 원칙으로 하다 musical instrument 악기

2 해설 | (1) to부정사가 주어로 올 때 주어 자리에 가주어 it을 쓰고 to부정사를 뒤에 쓸 수 있다. (2) to부정사가 5형식 문장의 목적어로 올 때 목적어 자리에 가목적어 it을 쓰고 to부정사는 뒤에 쓴다.
어휘 | vegetable 채소 good for health 건강에 좋은 quit 그만두다

전략 2 필수 예제

해설 | you가 to spend time의 의미상 주어이므로 빈칸에는 for가 와야 한다.
해석 | 당신이 다른 사람들과 시간을 보내는 것은 도움이 될 것이다.

확인 문제

1 ③　**2** It is easy for the girl to stand on one leg.

1 해설 | ③ to부정사의 의미상 주어는 보통 「for + 명사/목적격 대명사」로 쓰지만, 성격을 나타내는 형용사 foolish 뒤에

서는 「of + 명사/목적격 대명사」로 쓴다.

해석 | ① 내가 침착함을 유지하는 것은 쉽지 않았다.

② 네가 우리에게 전화할 필요는 없다.

③ 네가 경찰에게 거짓말을 한 것은 어리석었다.

④ 그녀가 내내 프랑스어로 말하는 것은 어렵다.

⑤ 그들은 그가 의사가 되는 것이 가능하다고 여기지 않았다.

어휘 | stay calm 침착함을 유지하다 necessary 필요한 foolish 어리석은 all the time 내내 possible 가능한

2 해설 | 「가주어 It + be동사 + 형용사 + 의미상 주어(for + 명사) + to부정사」의 어순으로 배열한다.

해석 | 그 소녀가 한 다리로 서 있는 것은 쉽다.

전략 3 　필수 예제

해설 | enough가 to부정사와 함께 쓰여 '…할 만큼 충분히 ~한'이라는 뜻으로 쓰일 때는 「형용사 + enough + to부정사」의 어순으로 쓰고, '충분한'의 뜻으로 단순히 명사를 수식할 때는 명사 앞에 온다.

해석 | •그 아기는 혼자 앉을 만큼 충분히 나이가 들지 않았다.

•그 일을 할 충분한 사람들이 있다.

확인 문제

1 ④　**2** (1) too bright, to sleep　(2) loudly enough, to hear

1 해설 | '…할 만큼 충분히 ~하게'는 「부사 + enough + to부정사」로 표현한다.

어휘 | thief 도둑

2 해설 | (1) '너무 ~해서 …할 수 없는'은 「too + 형용사/부사 + to부정사」로 표현한다. (2) '…할 만큼 충분히 ~하게'는 「부사 + enough + to부정사」로 표현한다.

해석 | (1) 너무 밝아서 나는 잠을 잘 수 없다.

(2) 그들이 아주 크게 이야기해서 나는 그들의 소리를 들을 수 있었다. = 그들은 내가 그들의 소리를 들을 수 있을 만큼 충분히 크게 이야기했다.

어휘 | loudly 큰 소리로

전략 4 　필수 예제

해설 | '~하는 것에 익숙하다'는 be used to -ing이고, '~하기를 고대하다'는 look forward to -ing이므로 빈칸에는 동명사 eating이 와야 한다.

해석 | •그는 혼자 먹는 것에 익숙하다.

•그들은 그들이 가장 좋아하는 식당에서 먹는 것을 고대하고 있다.

확인 문제

1 ⑤　**2** (1) laughing　(2) cooking

1 해설 | ⑤ worth -ing는 '~할 가치가 있는'이라는 뜻으로 to watch 대신 동명사 watching을 써야 한다.

해석 | ① 우리 형은 한때 혼자 살았다.

② 이 칼은 빵을 자르는 데 사용된다.

③ 그 남자는 자기 직업을 즐기는 것 같다.

④ 그 책은 너무 지루해서 다 읽을 수 없었다.

2 해설 | (1) 「cannot help but + 동사원형」은 '~하지 않을 수 없다'라는 뜻으로 cannot help -ing로 바꿔 쓸 수 있다. (2) be accustomed to -ing는 '~에 익숙하다'라는 뜻으로 be used to -ing로 바꿔 쓸 수 있다.

해석 | (1) 그 소녀는 웃지 않을 수 없었다.

(2) 나는 집에서 요리하는 것에 익숙하다.

2주 2일 필수 체크 전략 ❷　　pp. 50~51

1 ①　**2** ④　**3** ②　**4** ③　**5** ⑤　**6** is too big for the boy to wear

1 해설 | •진주어인 to부정사가 뒤에 있으므로 주어 자리에는 가주어 it을 쓴다. •진목적어인 that절이 뒤에 있으므로 목적어 자리에는 가목적어 it을 쓴다.

해석 | •문을 열어 두는 것이 필요한가?

•나는 이 집이 100년 전에 지어졌다는 것이 놀랍다.

2 해설 | to부정사의 의미상 주어는 보통 「for + 명사/목적격 대명사」로 쓴다. 성격이나 태도를 나타내는 형용사가 to부정사 앞에 올 때는 「of + 명사/목적격 대명사」로 쓴다.

해석 | 내가 거기에 한 시간 내에 가는 것은 불가능하다.

3 해설 | ② '…할 만큼 충분히 ~한/하게'는 「형용사/부사 + enough + to부정사」로 enough가 형용사나 부사 뒤에 오는 것에 주의한다. enough early → early enough

해석 | ① 카레가 너무 매워서 먹을 수 없었다.

③ 당신은 절대 새로운 것들을 배울 수 없을 만큼 아주 늙지는 않았다. (배움에는 나이가 없다.)

④ 그는 그 차를 살 만큼 충분한 돈이 없다.

⑤ 그 책은 영화로 만들어질 만큼 충분히 인기 있었다.

어휘 | spicy 매운 sunrise 일출 popular 인기 있는

4 해설 | be busy -ing는 '~하느라 바쁘다', feel like -ing는 '~하고 싶다', be used to -ing는 '~하는 것에 익숙하다', 「stop + A + from -ing」는 'A가 ~하는 것을 막다'라는 뜻으로 모두 동명사를 쓰는 표현이다. 「cannot help but + 동사원형」은 '~하지 않을 수 없다'는 의미이다.

해석 | ① 그는 숙제하느라 바쁘다.

② 그는 숙제를 하고 싶지 않다.

③ 그는 숙제를 하지 않을 수 없었다.

④ 그는 집에서 숙제하는 것에 익숙했다.

⑤ 그의 여동생은 그가 숙제하는 것을 막았다.

5 해설 | '~하는 것에 익숙하다'는 be used to -ing인데 부정문이므로 be동사 뒤에 not을 붙인다. 「used to + 동사원형」은 '~하곤 했다', 「be used to + 동사원형」은 '~하는 데 사용되다'라는 뜻이다.

6 해설 | 「too + 형용사 + for + 명사 + to부정사」의 어순으로 배열한다.

해석 | 그 코트는 너무 커서 그 소년이 입을 수 없다.

2주 3일 필수 체크 전략 ❶　　　　pp. 52~55

전략 1 　필수 예제

해설 | •수식을 받는 the girl이 앉아 있는 능동의 의미이므로 현재분사 sitting이 와야 한다. •쿠키가 팔리는 수동의 의미이므로 과거분사 sold가 와야 한다.

해석 | •Peter 옆에 앉아 있는 소녀가 누군지 아니?

•내 아들은 제과점에서 파는 쿠키를 아주 좋아한다.

확인 문제

1 ③　**2** (1) recycled　(2) driving

1 해설 | ③ 소년이 병원으로 이송되는 것이므로 수동의 의미를 갖는 과거분사를 써야 한다. taking → taken

해석 | ① 그는 자기 엄마가 만든 케이크만 먹는다.

② 나는 선생님이 보내신 이메일을 읽었다.

④ 트럭 뒤에 주차된 차는 내 것이다.

⑤ 버스 정류장에서 버스를 기다리던 몇 사람이 차에 치였다.

어휘 | injure 부상을 입다 park 주차하다 belong to ~에 속하다, ~의 것이다 a couple of 몇 사람의

2 해설 | (1) 종이가 재활용되는 것이므로 수동의 의미를 갖는 과거분사를 쓴다. (2) 남자가 차를 운전하는 것이므로 능동의 의미를 갖는 현재분사를 쓴다.

해석 | (1) 그들은 인쇄용으로 재활용된 종이를 사용한다.

(2) 그 차를 운전하고 있는 남자가 내 삼촌이다.

어휘 | recycle 재활용하다

전략 2 　필수 예제

해설 | •tried가 문장의 동사라서 '문이 잠긴' 수동의 의미인 과거분사 locked가 알맞다. •접속사가 없는 문장으로 miss는 분사가 되어야 하는데 '학생들이 기한을 놓치는' 능동의 의미이므로 현재분사 missing이 와야 한다.

해석 | •그는 안에서 잠긴 문을 열려고 했다.

•기한을 놓친 학생들은 점수를 잃을 것이다.

어휘 | lock 잠그다 deadline 기한, 마감 시간

확인 문제

1 ③　**2** (1) attending　(2) decorated

1 해설 | 동명사 -ing는 명사처럼 문장에서 주어, 보어, 목적어, 전치사의 목적어로 사용된다. 현재분사 -ing는 형용사처럼 명사를 수식하거나 분사구문의 형태로 부사절의 역할을 대신한다. ③을 제외한 나머지는 모두 '보는 것'이라는 뜻의 동명사로 쓰였고, ③은 '보고 있는'의 뜻으로 앞의 The man을 수식하는 현재분사로 쓰였다.

해석 | ① 나는 야구 경기 보는 것을 아주 좋아한다.

② 그는 영화 보는 것을 끝내지 못했다.

③ TV를 보고 있는 남자는 나의 삼촌이다.

④ 그는 TV를 보는 것이 시간 낭비라고 생각한다.

⑤ 뉴스를 보는 대신에 책을 읽어라.

어휘 | waste 낭비 instead of ~ 대신에

2 해설 | (1) 학생들이 학교에 다니는 것이므로 능동의 현재분사를 쓴다. (2) 트리가 꾸며지는 것으로 수동의 과거분사를 쓴다.

해석 | (1) 이 학교에 다니는 학생들의 수는 증가해 왔다.

(2) 장신구로 꾸며진 크리스마스트리는 멋졌다.

어휘 | attend 출석하다 increase 증가하다 decorate 장식하다 ornament 장신구 awesome 멋진

전략 3 　필수 예제

해설 | Because he didn't know the recipe에서 접속사와 주어를 생략하고 know를 현재분사 knowing으로 바꾼다. 이때 not은 분사 앞에 쓴다.

어휘 | recipe 조리법

확인 문제

1 ③   **2** playing soccer, the boys ate ice cream

1 해설 | ③ If you take the subway에서 접속사와 주어를 생략하고 take를 현재분사 taking으로 바꾼다. Taken → Taking

해석 | ① 먹기 전에 너는 손을 씻어야 한다.
② 그 소식에 놀라서 나는 컵을 떨어뜨렸다.
④ 그 방에 아무도 없어서 그녀는 불을 껐다.
⑤ 돈이 없어서 그는 새 차를 살 수 없다.

2 해설 | 접속사를 생략하지 않은 분사구문이다. 「접속사 + 분사 ~, 주어 + 동사 ....」의 어순으로 배열한다.

해석 | 축구를 하고 나서 소년들은 아이스크림을 먹었다.

전략 4   필수 예제

해설 | (1) 기회는 주어지는 것이므로 수동을 의미하는 과거분사 Given이 와야 한다. (2) 학생들이 듣는 것이므로 능동을 나타내는 현재분사 Hearing이 되어야 한다.

해석 | (1) 기회가 주어지면 당신은 외국에서 공부하고 싶습니까?
(2) 숙제에 관해 들었을 때 학생들은 불평하기 시작했다.

어휘 | opportunity 기회 abroad 해외에서 complain 불평하다

확인 문제

1 ②   **2** with her sister sitting beside her

1 해설 | ② When she was told to be quiet를 분사구문 (When being told to be quiet)으로 바꾼 것으로 being은 생략이 가능하다.

해석 | ① 혼자 남겨졌을 때 그 소년은 울기 시작했다.
③ 그와 이야기하고 싶지 않아서 나는 그의 전화를 피했다.
④ 학교에 가까이 살지만, 그는 항상 늦는다.
⑤ 다가오는 휴일을 생각하니 나는 신이 난다.

어휘 | avoid 피하다 upcoming 다가오는, 곧 있을

2 해설 | '~가 …한 채로'라는 의미를 나타낼 때는 「with + 명사 + 현재분사」를 쓴다. 여동생이 앉아 있는 능동의 의미이므로 현재분사 sitting을 쓴다.

해석 | Jenny는 책을 읽고 있다. 그녀의 여동생은 그녀 옆에 앉아 있다. → Jenny는 그녀의 여동생이 그녀 옆에 앉아 있는 상황에서 책을 읽고 있다.

어휘 | beside ~의 옆에

2주 3일 필수 체크 전략 ❷   pp. 56~57

1 ②   **2** ③   **3** ①   **4** (1) sleeping   (2) applying
5 ④   **6** (1) ⓐ (2) ⓒ (3) ⓑ

1 해설 | ·명사를 수식하는 분사로 사람들이 올 것으로 예상되는 것이므로 과거분사를 쓴다. ·주어인 타임캡슐을 수식하는 보어로 타임캡슐이 묻혀 있는 것이므로 과거분사를 쓴다.

해석 | ·오늘 올 것으로 예상되는 대부분의 사람들은 선생님들이다.
·그 타임캡슐은 오래된 건물에 계속 묻혀 있다.

어휘 | expect 예상하다, 기대하다 time capsule 타임캡슐 remain 계속 ~한 상태로 남아있다 bury 묻다

2 해설 | 명사를 수식하는 분사가 와야 하고 남자가 체포된 것이므로 과거분사를 쓴다.

해석 | A: 어젯밤에 나는 경찰이 젊은 남자를 체포하는 것을 봤어.
B: 어젯밤에 체포된 남자가 내 이웃이야.

어휘 | arrest 체포하다 neighbor 이웃

3 해설 | ① 문장의 동사는 is이고 소녀가 춤추는 것이므로 현재분사가 와야 한다. danced → dancing

해석 | ② 그의 친구들과 비교했을 때 그는 그리 크지 않다.
③ 폭탄이 터지면서 건물을 파괴했다.
④ 내 아들은 그의 새 재킷을 아주 좋아해서 매일 그것을 입는다.
⑤ 16세기에 만들어져서 이 꽃병은 아주 귀중하다.

어휘 | compare 비교하다 bomb 폭탄 explode 폭발하다 destroy 파괴하다 valuable 소중한, 귀중한

4 해설 | (1) '자고 있는'이라는 의미로 현재분사가 단독으로 명사 앞에서 명사를 수식하고 있다. (2) '그 일에 지원한'이라는 의미로 현재분사구가 명사 뒤에서 명사를 수식하고 있다.

해석 | (1) 그녀는 자고 있는 아기를 안았다.
(2) 그 일에 지원한 대부분의 사람들은 막 대학을 졸업했다.

어휘 | apply for ~에 지원하다 graduate 졸업하다 college 대학

5 해설 | '~가 …된 채로'는 「with + 명사 + 과거분사」로 표현한다.

어휘 | cross 서로 겹치게 놓다

6 해설 | (1) As it was a rainy day에서 접속사만 생략하고 주어 It을 남긴 분사구문이다. (2) Because the book was written in German에서 접속사와 주어를 생략한 분사구문이다. Being written ~에서 Being은 생략이 가능하다. (3) As he entered the house에서 접속사와 주어를 생략하고

동사를 현재분사로 고친 분사구문이다.

해석 | (1) 비가 와서 나는 실내에 머무르기로 했다.

(2) 독일어로 쓰여서 그 책은 영어로 번역되었다.

(3) 집에 들어가면서 그는 신발을 벗었다.

어휘 | take off 벗다 enter 들어가다 translate 번역하다

 4일 교과서 대표 전략 ❶ pp. 58~61

1 abandoned with the doors unlocked **2** ④
3 ① **4** given **5** ② **6** ③ **7** being
8 completing → completed **9** ① **10** Opening
the envelope, she found two concert tickets.
11 to, understand **12** ③ **13** ③ **14** The
weather made it harder to take good pictures.
15 ② **16** The pool was too dirty to swim in.

1 **해설 |** 「with + 명사 + 분사」는 '~가 …한/된 채로'라는 뜻이다. 과거분사구 abandoned with ~가 앞에 있는 명사를 수식한다.

어휘 | victim 피해자 unlocked 잠겨 있지 않은 abandon 버리다

2 **해설 |** ·be used to -ing는 '~하는 것에 익숙하다'라는 뜻으로 동명사를 쓰는 관용적인 표현이다. ·명사 the tree를 수식하는 분사가 와야 하는데 나무가 서 있는 것이므로 능동의 의미를 갖는 현재분사를 쓴다.

해석 | ·교사로서 나는 오랜 시간 서 있는 것에 익숙하다.

·그는 산 정상에 서 있는 나무 사진을 찍었다.

3 **해설 |** to부정사의 의미상 주어는 보통 「for + 명사/목적격 대명사」를 쓴다. 단, sweet처럼 사람의 성격이나 태도를 나타내는 형용사가 앞에 있으면 「of + 명사/목적격 대명사」로 쓴다.

해석 | ·당신이 저를 초대하다니 다정하네요.

·우리가 그 집을 떠나는 것은 쉽지 않았다.

4 **해설 |** 조건을 나타내는 부사절 If the tree is given enough water를 분사구문으로 나타내면 (If) (Being) Given enough water이다. 분사구문의 의미를 더 명확하게 하기 위해 접속사 If를 생략하지 않았고, 「being + p.p.」에서 being은 대개 생략한다.

해석 | 충분한 물이 주어지면 그 나무는 빨리 자랄 것이다.

5 **해설 |** ·부사절 When she was asked the question을 접속사가 있는 분사구문으로 바꾼 것이다. 그녀가 질문을 받은 것이므로 수동의 의미를 갖는 과거분사를 쓴다. ·음악가들이 연주를 하는 것이므로 능동의 의미를 갖는 현재분사를 쓴다.

해석 | ·그 질문을 받았을 때 그녀는 대답하지 않았다.

·그 오케스트라에서 연주하는 대부분의 음악가들은 70대이거나 그 이상이다.

어휘 | musician 음악가 perform 연주하다 orchestra 오케스트라, 관현악단

6 **해설 |** ③ to부정사의 의미상 주어로 「for + 명사/목적격 대명사」를 쓴다. for he → for him

해석 | ① 학교에 도착하는 데 30분이 걸린다.

② 당신을 볼 수 있어서 영광이다.

④ Nicky가 그 기회를 놓치다니 안타깝다.

⑤ 우리가 그것을 볼 충분한 시간이 없어서 유감이다.

어휘 | honor 영광 surprise 뜻밖의 일 accept 받아들이다 offer 제안 pity 유감 unfortunate 불행한, 유감스러운

7 **해설 |** 부사절을 분사구문으로 바꾼 것으로 부사절의 주어와 주절의 주어가 다르므로 there를 생략하지 않고 was를 현재분사 being으로 바꾼다.

해석 | 할 것이 아무것도 없어서 우리는 집에 갔다.

8 **해설 |** 건물이 완성되는 것이므로 수동의 의미를 갖는 과거분사를 쓴다. When being completed에서 being이 생략되었다.

해석 | 완공되면, 그 건물은 500미터 높이가 될 것이다.

어휘 | complete 완성하다

9 **해설 |** ①은 '그것'이라는 의미의 대명사 it이고, 나머지는 모두 문장 뒤에 있는 진목적어를 대신해 쓰인 가목적어 it이다.

해석 | ① 그녀의 남편은 그것을 아무 어려움 없이 찾았다.

② 나는 여기에서 그렇게 많은 사람들을 볼 수 있다는 것이 놀랍다고 생각한다.

③ 그녀는 모든 사람이 그녀를 아는 것을 당연하게 여겼다.

④ 기술은 집에서 온라인으로 공부하는 것을 가능하게 만들었다.

⑤ 나는 여기 없는 누군가에 관해 이야기하는 것이 적절하다고 생각하지 않는다.

어휘 | take A for granted A를 당연하게 여기다 technology 기술 proper 적절한

10 **해설 |** 분사로 시작하는 구문 뒤에 콤마(,)를 찍고 그 뒤에 주절을 쓴다.

해석 | 봉투를 열었을 때 그녀는 콘서트 티켓 두 장을 발견했다.

어휘 | envelope 봉투

11 해설 | seem은 '~인[하는] 것 같다'라는 뜻으로 뒤에 to부정사를 쓸 수 있다.

해석 | 그 개는 무슨 일이 일어났는지 이해하는 것 같다.

어휘 | happen 일어나다

12 해설 | 진주어인 to부정사구(to finish reading the book)를 문장 뒤로 보내고 주어 자리에 가주어 it을 쓴다.

13 해설 | have difficulty -ing는 '~하는 데 어려움을 겪다', worth -ing는 '~할 가치가 있는', 「used + to부정사」는 '~하곤 했다, 한때는 ~했다', 「spend + 시간 + -ing」는 '~하는 데 시간을 쓰다', be used to -ing는 '~하는 것에 익숙하다'라는 뜻이다. ③ being → be

해석 | ① 그녀는 깨어 있는 것에 어려움을 겪었다.

② 그 산은 등산할 가치가 있다.

④ 비디오 게임을 하는 데 너무 많은 시간을 쓰지 마라.

⑤ 나는 안경 없이 책을 읽는 것에 익숙하지 않다.

어휘 | awake 깨어 있는

14 해설 | 「주어 + 동사 + 가목적어 it + 목적격 보어 + to부정사」의 어순으로 배열한다.

15 해설 | worth -ing는 '~할 가치가 있는', cannot help -ing는 '~하지 않을 수 없다', look forward to -ing는 '~하는 것을 고대하다', be used to -ing는 '~하는 것에 익숙하다', 「spend + 시간 + -ing」는 '~하는 데 시간을 쓰다'라는 의미로 동명사를 쓰는 대표적인 표현이다. ② help but raising → help raising 또는 help but raise

어휘 | stranger 낯선 사람

16 해설 | 「주어 + 동사 + too + 형용사 + to부정사」의 어순으로 배열한다.

해석 | 그 수영장은 너무 더러워서 수영할 수가 없었다.

2주 4일 교과서 대표 전략 ❷ pp. 62~63

1 ③   2 ①   3 ⑤   4 Lie on your back with your knees bent.   5 is used to taking   6 ④   7 ②   8 taken, standing

1 해설 | 부사절 As I walked along the street를 분사구문으로 나타낸 것으로 부사절과 주절의 주어와 시제가 일치하므로 접속사와 주어를 생략하고 walked를 현재분사 walking으로 바꿨다.

2 해설 | 문장의 진주어인 that절과 to부정사(구)가 뒤에 있으므로 주어 자리에 가주어 it을 쓴다.

해석 | • 고양이는 아홉 개의 목숨이 있다고 한다.

• 머리에 떠오르는 아이디어를 적어 두는 것이 유용할 수 있다.

어휘 | write down 적어 놓다 think of ~을 생각하다[머리에 떠올리다]

3 해설 | be busy -ing는 '~하느라 바쁘다'라는 뜻으로 동명사를 쓰는 구문이고, 「형용사 + enough + to부정사」는 '…할 만큼 충분히 ~한'이라는 뜻으로 「so + 형용사 + that + 주어 + can ~」으로 바꿔 쓸 수 있다.

해석 | • 그는 쿠키를 파느라 바쁘다.

• 바나나는 네가 먹을 수 있을 만큼 충분히 익었다.

어휘 | ripe 익은

4 해설 | '~가 …된 채로'는 「with + 명사 + 과거분사」로 표현한다.

해석 | 무릎을 굽힌 채로 등을 대고 반듯이 누워라.

어휘 | lie 눕다 bend 굽히다

5 해설 | '~하는 것에 익숙하다'는 be used to -ing로 나타낸다.

6 해설 | '…할 만큼 충분히 ~하지 않은'이라는 뜻은 「not + 형용사 + enough + to부정사」로 나타낸다.

해석 | ④ 그 소녀는 놀이기구를 탈 만큼 충분히 크지 않다.

어휘 | ride 놀이기구

7 해설 | ② 문장의 진목적어는 뒤에 있는 to부정사구로 목적어 자리에 가목적어 it을 써야 한다. believe → believe it

해석 | ① 나는 그가 웃는 것을 보는 게 놀랍다고 생각한다.

③ 그가 우리 가족을 도와준 것은 우리에게 많은 의미가 있다.

④ 그의 이야기를 듣는 것은 늘 흥미롭다.

⑤ 그녀가 사업에서 성공할 것이라는 것은 확실하다.

어휘 | mean 의미가 있다, 가치가 있다 succeed 성공하다

8 해설 | 사진은 사람에게 찍히는 것이므로 a photo 뒤에 수동의 의미를 갖는 과거분사를 쓴다. 사람들이 서 있는 것이므로 the people 뒤에 능동의 의미를 갖는 현재분사를 쓴다.

해석 | 이것은 윤지가 찍은 사진이다. 집 앞에 서 있는 사람들은 그녀의 부모님이다.

어휘 | in front of ~의 앞에

리에 가주어 it을 쓰고 진주어를 문장 뒤에 쓸 수 있다.

해석 | 헬멧을 쓰지 않고 자전거를 타는 것은 위험하다.

어휘 | helmet 헬멧 safety 안전 without ~없이

9 해설 | ③ 접속사 As와 주어 I를 생략하고 was confused를 being confused로 바꾸면 분사구문이 된다. 이때 being은 생략할 수 있다. Confusing → Confused

해석 | ① 너무 추워서 우리는 수영하러 갈 수 없다.

② 그는 그녀를 보고 놀란 것 같았다.

③ 그가 말한 것에 혼란스러워서 나는 그냥 그를 응시했다.

④ 그는 커피가 점점 식어가는 채로 거기에 앉아 있었다.

= 그는 커피가 점점 식어가는 동안 거기 앉아 있었다.

⑤ 그는 머리를 뒤로 빗어 넘긴 채로 검은 정장을 입고 있었다.

= 그는 검은 정장을 입고 있었고 머리는 뒤로 빗어 넘겨졌다.

어휘 | confuse 혼란시키다 stare at ~을 응시하다 suit 정장 brush 머리를 빗다

10 해설 | '~하자마자'는 on -ing로 표현한다.

어휘 | straight 곧바로 dairy 유제품의 section 부분, 구역

---

②주 누구나 합격 **전략**   pp. 64~65

1 ④   2 ④   3 ①   4 ②   5 from going   6 ⑤
7 for her to carry   8 It is dangerous to ride a bike without wearing a helmet.   9 ③   10 On entering the store, she walked straight to the dairy section.

1 해설 | •접속사 뒤에 주어가 없으므로 분사구문이 되어야 한다. 그가 숙제를 끝내는 것이므로 능동의 의미를 갖는 현재분사 finishing으로 써야 한다. •문장에 동사가 없으므로 동사를 써야 한다.

해석 | •숙제를 끝낸 후에 그는 TV 보는 것을 허락받았다.

•아이들은 게임을 하고 새로운 기술들을 배우면서 그 수업을 즐겼다.

어휘 | allow 허락하다 skill 기술

2 해설 | '~하느라 바쁘다'는 be busy -ing로 표현한다.

3 해설 | 문장 뒤에 있는 to부정사(구)가 진목적어로 빈칸에는 가목적어 it을 써야 한다.

해석 | •그는 온라인으로 식료품을 사는 것이 편리하다는 것을 알게 되었다.

•그것에 대해 생각하는 것조차 내가 숨쉬기 힘들게 만든다.

어휘 | convenient 편리한 grocery 식료품 breathe 숨쉬다

4 해설 | ② '…할 만큼 충분히 ~한'은 「형용사 + enough + to부정사」로 나타내는데, enough가 형용사 뒤에 오는 것에 주의한다. enough old → old enough

어휘 | bright 밝은 careless 부주의한

5 해설 | 「keep + A + from -ing」는 'A가 ~하는 것을 막다'는 뜻이다.

해석 | 나쁜 날씨는 우리가 해변에 가는 것을 막았다.

6 해설 | ⑤ 샐러드 먹는 데에 포크가 사용되는 것이므로 수동의 의미를 갖는 과거분사를 써야 한다. using → used

해석 | ① 나는 조각으로 잘라져 있는 두 개의 사과가 필요하다.

② 그들은 침실에 숨어 있는 소년을 발견했다.

③ 초록색 드레스를 입은 소녀는 누구였니?

④ 마당에 흰색으로 칠해진 의자가 있었다.

어휘 | piece 조각 hide 숨다, 숨기다 yard 마당

7 해설 | '너무 ~해서 …할 수 없는'은 「too + 형용사/부사 + to부정사」로 표현하며, to부정사의 의미상 주어는 to부정사 앞에 보통 「for + 명사/목적격 대명사」로 나타낸다.

해석 | 그 가방은 너무 무거워서 그녀는 그것을 가지고 다닐 수 없다.

8 해설 | '~하는 것'이라는 뜻의 to부정사가 주어일 때 주어 자

---

②주 창의·융합·코딩 **전략 ❶, ❷**   pp. 66~69

1 going shopping, helping, doing   2 (1) it, to deal (2) It, for, to carry   3 blowing, taking, made 4 Step 1 (1) ⓒ (2) ⓐ (3) ⓑ   Step 2 Left out, Not knowing the food was spoiled, (After) Eating the food   5 looking forward to seeing   6 (1) Finding, embarrassed (2) Not feeling well   7 (1) painted (2) holding (3) amazing   8 too narrow for two cars to pass, wide enough for two cars to pass

1 해설 | feel like -ing는 '~하고 싶다'라는 뜻이고, go -ing는 '~하러 가다'라는 뜻으로 뒤에 주로 여가 활동이 온다. be busy -ing는 '~하느라 바쁘다', have difficulty -ing는 '~하는 데에 어려움을 겪다'라는 뜻이다.

해석 | Ivan: 오늘 뭐할 거야? 나 쇼핑하러 가고 싶어. 나랑 같이 갈래?

Molly: 미안하지만 못 가. 나는 남동생 숙제를 도와주느라 바빠. 그 애가 수학 숙제를 하는 데에 어려움을 겪고 있거든.

Ivan: 알겠어. 괜찮아. 월요일에 보자!

2 **해설 |** (1) 「동사 + 가목적어 it + 목적격 보어 + to부정사」의 형태가 되어야 한다. (2) 가주어 It이 앞에 있고 진주어 to부정사구가 문장 뒤에 있는 형태이다. to부정사 앞에 「for + 명사」를 써서 의미상 주어를 나타낸다.

해석 | 리포터: 서빙하는 사람으로서 가장 어려운 점은 무엇인가요?

Justin: 무례한 손님들 상대하는 거요.

Karen: 무거운 접시 나르는 거요.

(1) Justin은 무례한 손님들을 상대하는 것이 어렵다고 생각한다.

(2) Karen은 무거운 접시를 나르는 것이 어렵다.

어휘 | server 서빙하는 사람 deal with 다루다, 상대하다 customer 고객, 손님 plate 접시

3 **해설 |** 첫 번째 빈칸에는 소년이 촛불을 끄는 것이므로 The boy 뒤에 현재분사를 쓴다. 두 번째 빈칸에는 소녀가 사진을 찍는 것이므로 The girl 뒤에 현재분사를 쓴다. 세 번째 빈칸에는 케이크가 엄마에 의해 만들어지는 수동의 의미이므로 the cake 뒤에 과거분사를 쓴다.

해석 | 오늘은 Tom의 생일이다. 촛불을 끄고 있는 소년이 Tom이다. 사진을 찍고 있는 소녀는 Tom의 누나이다. 곧 그들은 그들의 엄마가 만든 케이크를 즐길 것이다.

어휘 | blow out 끄다 candle 초

4 **해설 |** 분사구문은 부사절에서 접속사와 주어를 생략하고 동사를 -ing 형태로 바꿔 만든다. 「being + p.p.」 형태일 때 being은 생략하고, 부정문은 분사 앞에 not을 쓴다. 접속사의 의미가 중요할 때는 접속사를 남겨두기도 한다.

해석 | Step 1 (1) 음식을 먹은 후에 나는 배가 아팠다.

(2) 음식이 밖에 있어서 상했다.

(3) 나는 그 음식이 상한 줄 몰랐기 때문에 그것을 먹었다.

Step 2 나의 형은 남은 음식을 냉장고에 넣는 것을 잊어버렸다. 밖에 내버려두어서 그 음식이 상했다. 음식이 상한 것을 몰라서 나는 그것을 먹었다. 그 음식을 먹고 나서 나는 배가 아팠다. 나는 이제 나아졌지만 먹기 전에 음식을 확인하지 않은 것은 부주의했다.

어휘 | leftovers 남은 음식 go bad (음식이) 상하다 spoil 상하다 feel well 건강 상태가 좋다

5 **해설 |** look forward to -ing: ~하기를 고대하다, be동사가 있으니 현재진행시제로 쓰는 것에 주의한다.

해석 | Tom: 너 운동회 날 경주에 참가할 거니?

Jessica: 물론이지. 난 100미터 경주를 할 거야.

Tom: 와. 너를 경주에서 보는 것이 기대돼.

Jessica: 내가 경주에서 이길지 잘 모르겠어.

Tom: 넌 할 수 있어. 그냥 최선을 다해.

Jessica: 격려해줘서 고마워.

어휘 | take part in ~에 참가하다 race 경주 Sports Day 운동회 날 make it 해내다, 성공하다

6 **해설 |** When/As he found the toilet paper roll nearly empty를 분사구문으로 전환하면 Finding the toilet paper roll nearly empty이다. 두 번째 빈칸에는 '당황한'이라는 뜻의 수동을 나타내는 과거분사 embarrassed가 알맞다. (2) Because/Since/As she didn't feel well을 분사구문으로 바꾸면 Not feeling well이다.

해석 | (1) 화장실 휴지가 거의 떨어진 것을 발견했을 때 그는 당황했다.

(2) 몸이 좋지 않아서 Jessie는 약을 먹었다.

어휘 | toilet paper roll 두루마리 휴지 nearly 거의 embarrassed 당황한 take medicine 약을 먹다

7 **해설 |** (1) 그림들은 화가에 의해 그려지는 것(수동)이므로 과거분사로 써야 한다. (2) 엄마가 아기를 안고 있는 것(능동)이므로 현재분사가 알맞다. (3) 그림이 놀라운 것(능동)이므로 현재분사가 알맞다.

해석 | Kelly: 안녕, Alex. 주말에 뭐했어?

Alex: 나는 미술관에 갔어. Gustav Klimt가 그린 그림들을 봤어.

Kelly: 정말? 엄마가 아기를 안고 있는 그림 봤어?

Alex: 물론이지. 나는 그 그림이 아주 굉장한 예술 작품이라고 생각해.

Kelly: 나도 전적으로 동의해.

어휘 | describe 묘사하다 quite 아주, 완전히 agree 동의하다

8 **해설 |** 도로가 너무 좁아 차 두 대가 지나갈 수 없는 상황이다.

해석 | A: 도로가 너무 좁아서 차 두 대가 지나갈 수 없을 것 같아 보이네.

B: 맞아, 우리는 그것을 차 두 대가 지날 수 있도록 충분히 넓게 만들어야 해.

어휘 | narrow 좁은

BOOK 1 마무리 전략

pp. 70~71

1 ❶ have been waiting ❷ had left
  ❸ should be turned off
2 ❶ with ❷ jumping ❸ must have eaten
3 ❶ I found it impossible to persuade her.
  ❷ It was careless of you to spill the milk.
  ❸ I was too scared to go outside.
  ❹ My grandmother is healthy enough to travel alone.
  ❺ The museum is worth visiting.
  ❻ The police found the jewelry hidden in her apartment.
  ❼ The girl singing on the stage is my sister.
  ❽ Waving to his friends, he ran along the platform.
  ❾ Not wanting to hurt his feelings, she kept silent.
  ❿ Justin was standing with his arms folded.

1 **해설 |** ❶ 과거에 시작된 동작이나 상태가 현재까지 계속 진행 중임을 나타낼 때 현재완료진행 「have/has + been + -ing」를 이용한다.
❷ 휴대전화를 집에 두고 온 것이 그것을 알아차린 것보다 더 먼저 일어난 일이므로 과거완료 「had + p.p.」로 나타낸다.
❸ 조동사가 있는 수동태는 「조동사 + be + p.p.」로 쓴다.
해석 | 여: 너 어디니? 나 30분째 너 기다리고 있는 중이야.
남: 5분 후면 거기 도착할 거야. 미안해.
남: 전화기를 집에 놓고 왔다는 걸 알게 돼서 집에 다시 돌아가야 했어. 그래서 늦은 거야.
여: 알았어, 서두르고 휴대전화 꺼야 한다는 거 기억해.
어휘 | that's why ~ 그래서 ~하다

2 **해설 |** ❶ be filled with: ~로 가득 차 있다
❷ 지각동사 see의 목적격 보어로 동사원형 또는 현재분사를 쓴다.
❸ 「must have + p.p.」는 '~했음에 틀림없다'라는 의미로 과거의 일에 대한 강한 추측을 나타낸다.
해석 | 강아지: (와! 상자가 쿠키로 가득 차 있어.)
여: 저 개가 울타리를 뛰어 넘고 있는 걸 내가 봤어.
남: 그 개가 쿠키를 다 먹어 버린 것이 틀림없어.
어휘 | fence 울타리

3 **해설 |** ❶ 5형식 문장에서 to부정사가 목적어로 쓰일 때 목적어 자리에 가목적어 it을 쓰고 to부정사를 문장 뒤에 쓴다.
❷ careless는 성격이나 태도를 나타내는 형용사이므로 뒤에

오는 to부정사의 의미상 주어는 「of + 명사/목적격 대명사」로 나타낸다.
❸ 「so + 형용사/부사 + that + 주어 + can't ....」는 '너무 ~해서 …할 수 없다'이라는 뜻으로 「too + 형용사/부사 + to부정사」로 바꿔 쓸 수 있다.
❹ 「so + 형용사/부사 + that + 주어 + can ....」은 '매우 ~해서 …할 수 있는'이라는 의미로 「형용사/부사 + enough + to부정사」로 바꿔 쓸 수 있다.
❺ worth -ing는 '~할 가치가 있는'이라는 의미이다.
❻ 보석이 '숨겨진' 것이므로 수동의 의미를 나타내는 과거분사로 고쳐야 한다.
❼ 소녀가 '노래하고 있는' 것이므로 능동의 의미를 나타내는 현재분사로 고쳐야 한다.
❽ 부사절과 주절의 주어와 시제가 일치할 때 부사절의 접속사와 주어를 생략하고 동사를 현재분사로 바꾸어 분사구문을 만든다.
❾ 분사구문의 부정은 분사 앞에 not을 쓴다.
❿ '~가 …한/된 채로'라는 의미를 나타내는 「with + 명사 + 분사」 구문에서 명사와 분사의 관계가 수동이면 과거분사를 써야 하므로 fold를 과거분사 folded로 고쳐야 한다.
해석 | ❶ 나는 그녀를 설득하는 것이 불가능하다는 것을 알았다.
❷ 우유를 쏟다니 너는 조심성이 없었다.
❸ 나는 너무 무서워서 밖에 나갈 수 없었다.
❹ 나의 할머니는 아주 건강하셔서 혼자 여행할 수 있다.
→ 나의 할머니는 혼자 여행할 만큼 충분히 건강하시다.
❺ 그 박물관은 방문할 가치가 있다.
❻ 경찰은 그녀의 아파트에 숨겨진 보석을 발견했다.
❼ 무대에서 노래 부르고 있는 소녀는 내 여동생이다.
❽ 그는 친구들에게 손을 흔들면서 플랫폼을 따라 달렸다.
❾ 그녀는 그의 감정을 상하게 하고 싶지 않아서 침묵을 지켰다.
❿ Justin은 팔짱을 낀 채 서 있었다.
어휘 | spill 쏟다 scared 겁먹은, 두려워하는 wave (손을) 흔든다 hurt one's feelings 감정을 상하게 하다 keep silent 침묵을 지키다 fold 접다

신유형·신경향·서술형 전략　　pp. 72~75

1 (1) reading, finding (2) taking, resting **2** (1) ⓑ, Not eating breakfast (2) ⓒ, Hearing the news (3) ⓐ, Feeling tired **3** have been waiting for the bus for 30 minutes **4** (1) The street lamps will be turned on at 8 o'clock. (2) The president has been elected. (3) The flowers are being sold in the market. (4) The project will be completed by December. **5** (1) use (2) (to) clean **6** (1) ③ (2) I looked forward to seeing my favorite player. **7** (1) smart enough to speak (2) too big for John to wear **8** (1) playing basketball are Suho[Minsu] and Minsu[Suho] (2) reading a book is Sora (3) running on the track are Mira[Yuna] and Yuna[Mira]

1 해설 | '~하는 것에 익숙하다'는 be used to -ing이고, '~하는 데 어려움을 겪다'는 have difficulty -ing이다. 또, '~하느라 바쁘다'는 be busy -ing이며, '~하고 싶다'는 feel like -ing이다.
해석 | (1) 그 남자는 지도를 읽는 데 익숙하지 않다. 그는 길을 찾는 데 어려움을 겪고 있다.
(2) 그 여자는 세 아이를 돌보느라 바쁘다. 그녀는 혼자 쉬고 싶다.

2 해설 | (1) 분사구문의 부정은 분사 앞에 not을 붙인다. (2), (3) 접속사와 주어를 생략하고 동사를 현재분사로 만든다.
해석 | (1) 아침을 먹지 않아서 나는 배가 고팠다.
(2) 그 소식을 들었을 때, 그들은 충격을 받았다.
(3) 피곤해서 그는 낮잠을 잤다.
어휘 | take a nap 낮잠 자다

3 해설 | 30분 전에 버스를 기다리기 시작해서 현재까지도 기다리고 있는 상황이므로 「have/has + been + -ing」 형태의 현재완료진행을 쓴다.
해석 | Q: 너는 얼마나 오랫동안 버스를 기다리고 있니?
A: 나는 30분째 버스를 기다리고 있어.

4 해설 | (1) 미래시제이면서 동사구의 수동태이므로 will be 뒤에 p.p.를 쓰고 이어서 동사구의 나머지 부분인 전치사를 쓴다. (2) 현재완료 수동태이고 주어가 3인칭 단수이므로 「has been + p.p.」로 쓴다. (3) 현재진행시제로 진행형 수동태는 「be동사 + being + p.p.」인데, 주어가 복수이므로 be동사는 are로 쓴다. (4) 조동사가 있는 수동태는 「조동사 + be + p.p.」이므로 will be completed가 되어야 한다.
해석 | 〈보기〉 그들은 탑을 건설하고 있다. → 탑이 건설되고 있다.

(1) 그들은 가로등을 8시에 켤 것이다. → 가로등은 8시에 켜질 것이다.
(2) 그들은 대통령을 선출했다. → 대통령이 선출되었다.
(3) 그들은 시장에서 꽃들을 팔고 있다. → 꽃들이 시장에서 팔리고 있다.
(4) 우리는 12월까지 그 프로젝트를 완성할 것이다. → 그 프로젝트는 12월까지 완성될 것이다.
어휘 | street lamp 가로등 elect 선출하다

5 해설 | (1) 사역동사 let이 쓰였으므로 목적격 보어로 동사원형을 쓴다. (2) help는 목적격 보어로 동사원형과 to부정사 둘 다 쓸 수 있다.
해석 | 〈보기〉 음악 소리 줄여라. → 그의 엄마는 그에게 음악 소리를 줄이라고 요청했다.
(1) 너는 내 노트북 컴퓨터를 사용할 수 있어. → 그녀의 오빠는 그녀가 자신의 노트북 컴퓨터를 사용하도록 허락했다.
(2) 너 교실 청소하고 있는 중이니? 내가 도와줄게. → 그의 친구는 그가 교실 청소하는 것을 도와주었다.

6 해설 | look forward to -ing는 '~하기를 고대하다'라는 의미로 to 뒤에 동명사를 쓴다.
해석 | 5월 11일. 토요일
나는 아버지와 함께 야구장에 갔다. 경기장은 많은 야구팬들로 붐볐다. 경기를 보는 사람들 모두 매우 신나 보였다. 나는 내가 가장 좋아하는 선수를 보는 것을 고대했다. 하지만 그는 부상을 입어서 경기에 나오지 않았다. 어쨌든 우리 팀이 이겼고, 나는 행복했다.
어휘 | stadium 경기장 anyway 어쨌든

7 해설 | 「so + 형용사/부사 + that + 주어 + can ....」은 '…할 수 있을 만큼 충분히 ~한/하게'라는 뜻으로 「enough + to부정사」로 바꿔 쓸 수 있고, 「so + 형용사/부사 + that + 주어 + can't ....」는 '너무 ~해서 …할 수 없는'이라는 뜻으로 「too + 형용사/부사 + to부정사」로 바꿔 쓸 수 있다.
해석 | (1) Kate는 너무 똑똑해서 세 가지 언어를 말할 수 있다. → Kate는 세 가지 언어를 말할 수 있을 만큼 충분히 똑똑하다.
(2) 그 티셔츠는 너무 커서 John이 입을 수 없다.

8 해설 | 현재분사구가 명사를 꾸미고 있으므로 명사 뒤에 위치한다.
해석 | 〈보기〉 스톱워치를 보고 있는 남자는 체육 선생님이신 박 선생님이다.
(1) 농구를 하는 소년들은 수호[민수]와 민수[수호]다.
(2) 책을 읽고 있는 소녀는 소라다.
(3) 트랙 위를 달리고 있는 소녀들은 미라[유나]와 유나[미라]다.
어휘 | stopwatch 스톱워치

1 ③   **2** ④   **3** ⑤   **4** ①   **5** ③   **6** ②   **7** ⑤

8 ③   **9** ③   **10** ⑤   **11** ⑤   **12** ④   **13** ②

14 ③   **15** had never/not met, Had Sujin met

16 (1) have been reading a book for two hours
(2) has been talking on the phone for two hours
(3) has been snowing for two hours   **17** should
have gone   **18** (1) The lights should be turned
off.   (2) The door should be locked.   **19** must
have been

1 해설 | ③ allow는 목적격 보어로 to부정사를 쓰고, 사역동
사 let은 목적격 보어로 동사원형을 쓴다.
해석 | • 부모님은 내가 친구들과 캠핑 가는 것을 허락하지 않
으신다.
• 선생님은 내가 집에 일찍 가도록 허락하셨다.

2 해설 | ④ 현재완료 수동태의 형태는 「have/has + been +
p.p.」로 has been fixed가 되어야 한다.
해석 | ① 나는 바이올린 연주하는 것을 배운다. → 나는 바이
올린 연주하는 것을 배워오고 있다.
② 그 미스터리 소설은 다 팔렸다. → 그 미스터리 소설은 다
팔렸었다.
③ 가족사진이 찍힌다. → 가족사진이 찍히고 있다.
④ 세탁기가 기술자에 의해 수리된다.
⑤ 그 테니스 경기는 취소되었다. → 그 테니스 경기는 취소될
것이다.
어휘 | call off 취소하다, 중지하다

3 해설 | '~했어야 했는데 (안 했다)'라는 뜻이므로 「should
have + p.p.」로 나타낸다.
해석 | 나는 아빠 말을 들었어야 했는데 안 그랬다.

4 해설 | be well-known for는 '~로 잘 알려져 있다', be
worried about은 '~을 걱정하다', be filled with는 '~로
가득 차 있다', be interested in은 '~에 관심이 있다'라는 표
현이다.
해석 | • 한국인들은 예의바른 것으로 잘 알려져 있다.
• 너는 기말고사가 걱정되니?
• 그 바구니는 신선한 과일로 가득 차 있었다.
• 나는 소문들에 관심이 없다.
어휘 | polite 예의바른 fresh 신선한 rumor 소문

5 해설 | 지각동사 see의 목적격 보어로 동사원형과 현재분사
를 쓸 수 있는데, 두 번째 문장에서 「have/has been +
-ing」의 현재완료진행이 와야 하므로 공통으로 알맞은 것은
playing이다.

해석 | • 너는 그 소녀가 피아노를 치고 있는 것을 봤니?
• 그 남자는 20살부터 계속 그 밴드에서 기타를 치고 있다.

6 해설 | '~했을 리가 없다'는 「can't[cannot] have + p.p.」로
쓰므로 영작하면 She can't[cannot] have lied to me.이
다. ② may는 필요없다.

7 해설 | be satisfied with: ~에 만족하다, be known for:
~로 유명하다, be tired of: ~에 싫증이 나다
해석 | • 그 수영 선수는 자신의 기록에 만족하지 못했다.
• 그 박물관은 Dali의 그림들로 유명하다.
• 너는 아침식사로 시리얼 먹는 것에 싫증이 났니?

8 해설 | ③ 그가 그 사실을 깨달은 것보다 지하철에 가방을 놓
고 내린 것이 더 먼저 일어난 일이므로 that절에는 과거완료
를 써야 한다.

9 해설 | ⓐ 과거의 시점을 기준으로 이미 완료된 일을 나타내므
로 과거완료로 써야 한다. has been → had been ⓒ 지각
동사 see의 목적격 보어는 동사원형이나 현재분사를 쓴다.
to talk → talk 또는 talking
해석 | ⓑ 어젯밤에 그의 자전거가 도난당했다.
ⓓ 나는 그 프로젝트를 끝냈어야 했다.

10 해설 | ⑤ 목적격 보어가 동사원형이므로 let, make 등의 사
역동사와 see, hear 등의 지각동사가 빈칸에 들어갈 수 있다.
해석 | 나는 내 여동생이 노래하도록 ① 허락했다 ③ 시켰다.
/ 나는 내 여동생이 노래하는 것을 ② 봤다 ④ 들었다.

11 해설 | '~해야 한다'라는 뜻을 가진 must와 수동태가 결합되
었으므로 「must be + p.p.」로 쓴다.
어휘 | dry-clean 드라이클리닝하다

12 해설 | 미래시제 수동태는 「will[be going to] + be + p.p.」
이다. 진행형 수동태는 「be동사 + being + p.p.」이고, 완료
형 수동태는 「have/has/had + been + p.p.」로 쓴다.
해석 | • 그 그림은 2월까지 전시될 것이다.
• 내가 가장 좋아하는 노래가 카페에서 흘러나오고 있다.
• 그 건물은 2년 동안 지어지고 있다.
어휘 | exhibit 전시하다

13 해설 | 과거에 대한 강한 추측을 나타내는 '~했음에 틀림없다'
라는 표현은 「must have + p.p.」로 나타낸다.

14 해설 | '~에 기뻐하다'는 be pleased with로, '~로 덮여 있
다'는 be covered with[in]로 나타낸다.
해석 | • Chris는 그 결과에 기쁘다.
• 그 도시는 화산재로 덮였다.
어휘 | volcanic ash 화산재

15 해설 | 과거완료의 부정문은 had와 p.p. 사이에 부정어 not
이나 never를 쓰고, 의문문은 「Had + 주어 + p.p. ~?」의 어
순으로 쓴다.
해석 | 수진이는 전에 삼촌을 만난 적이 있었다.

→ 수진이는 전에 삼촌을 만나 본 적이 없었다.

→ 수진이가 전에 삼촌을 만난 적이 있었나요?

16 해설 | 과거에 시작된 행동이나 상태가 현재까지 진행되고 있으므로 「have/has + been + -ing」 형태의 현재완료진행을 쓴다.

해석 | 〈보기〉 아빠는 두 시간째 소파에서 주무시고 계신다.

(1) 나는 두 시간째 책을 읽고 있다.

(2) 엄마는 두 시간째 전화 통화를 하고 계신다.

(3) 두 시간째 눈이 내리고 있다.

17 해설 | 과거의 일을 후회하고 있으므로 '~했어야 했다'라는 뜻의 「should have + p.p.」를 쓴다.

해석 | 나는 그 콘서트에 가지 않았던 것을 후회한다.

= 나는 그 콘서트에 갔어야 했다.

18 해설 | 조동사가 있는 수동태이므로 「조동사 + be + p.p.」 형태가 되어야 한다.

해석 | 〈보기〉 우리는 창문들을 닫아야 한다. → 창문들은 닫혀야 한다.

(1) 우리는 불을 꺼야 한다. → 불은 꺼져야 한다.

(2) 우리는 문을 잠가야 한다. → 문은 잠겨져야 한다.

19 해설 | '~했음에 틀림없다'라는 뜻으로 과거 일에 대한 강한 추측을 나타내는 표현은 「must have + p.p.」이다.

해석 | 집에 돌아오자마자, 민수는 잠자리에 들었다. 그는 매우 피곤했음에 틀림없다.

적중 예상 전략 | ❷

pp. 80~83

1 ②　　2 ④　　3 ④　　4 ①　　5 ②　　6 ⑤　　7 ②

8 ①　　9 ④　　10 ⑤　　11 ③　　12 ⑤　　13 ④

14 (1) with her eyes shining　(2) with his legs crossed　15 understanding → understand
16 enough flour to make ten cakes　17 seems to have difficulty speaking in public　18 (1) broken
(2) cleaned　19 (1) Listening to music　(2) Drinking coffee

1 해설 | '한때 ~했다'라는 표현은 「used to + 동사원형」으로, '~하는 것에 익숙하다'는 be used to -ing로 쓴다.

해석 | • 그는 한때 런던에 살았다.

• 그녀는 새 차를 운전하는데 익숙하지 않다.

2 해설 | ④ 'A가 ~하는 것을 막다'는 「stop/prevent/keep + A + from -ing」이다.

어휘 | grade 성적을 매기다 allowance 용돈 historical site 유적지 conserve 보존하다

3 해설 | ④ '부러진 팔'이라는 뜻이므로 과거분사인 broken이 맞다.

해석 | ① 탄 음식을 먹지 마라.

② 빛나는 별들을 봐.

③ 저녁으로 튀긴 닭(프라이드치킨)을 먹자.

⑤ 솥에는 끓는 물이 많이 있었다.

4 해설 | ①은 거리를 나타내는 비인칭 주어이고, 나머지는 모두 가주어 It이다.

해석 | ① 여기에서 병원까지는 멀다.

② 공기 없이 사는 것은 불가능하다.

③ 아기를 돌보는 것은 쉽지 않다.

④ 좋은 친구를 사귀는 것은 중요하다.

⑤ 외국어를 배우는 것은 어렵다.

5 해설 | ②는 「cannot help + -ing」 구문에 쓰인 동명사이고, 나머지는 모두 현재분사이다.

해석 | ① 나는 어젯밤에 누군가 우는 것을 들었다.

② 슬픈 영화를 보면서 나는 울지 않을 수 없었다.

③ 그녀는 우는 소년을 진정시켰다.

④ 내가 작별 인사로 손을 흔들 때 엄마는 울고 계셨다.

⑤ 너는 저기에서 울고 있는 저 어린 소녀를 아니?

어휘 | calm 진정시키다

6 해설 | ①과 ③은 가주어 It을, ②와 ④는 가목적어 it을 쓴다. ⑤에는 that이 들어가야 한다.

해석 | ① 오래된 습관들을 고치는 것은 쉽지 않다.

② 나는 저녁에 개를 산책시키는 것을 원칙으로 삼았다.

③ 네 꿈을 좇는 것은 중요하다.

④ 나는 그 소식을 믿는 것이 어려웠다.

⑤ 방이 너무 어두워서 나는 아무것도 식별할 수 없었다.

어휘 | pursue 좇다, 추구하다 recognize 인식하다, 깨닫다

7 해설 | 첫 번째 빈칸에는 '만들고 있는'이라는 진행의 뜻을 가진 현재분사 making이, 두 번째 빈칸에는 '만들어진'이라는 수동의 뜻을 가진 과거분사 made가 알맞다.

해석 | A: 쿠키를 만들고 있는 저 노부인은 누구니?

B: 나의 할머니셔. 나는 특히나 할머니가 만든 초콜릿 쿠키를 아주 좋아해.

어휘 | especially 특히

8 해설 | ⓐ와 ⓑ에는 to부정사의 의미상 주어를 나타낼 때 보통 쓰는 for가 들어가고, ⓒ와 ⓓ에는 사람의 성격이나 태도를 나타내는 형용사가 앞에 있으므로 of가 들어가야 한다.

해석 | ⓐ 그 청바지는 너무 커서 내가 입을 수 없다.

ⓑ 너에게는 물구나무서기가 쉽니?

ⓒ 그가 그 지갑을 경찰에게 갖다 주다니 정직했다.

ⓓ 네가 그들을 저녁식사에 초대한다면 좋을 것이다.

9 **해설 |** ④「형용사/부사 + enough + to부정사」는 '…할 만큼 충분히 ~한/하게'라는 의미로「so + 형용사/부사 + that + 주어 + can ….」으로 바꿔 쓸 수 있다.

해석 | ① 그녀는 수줍음이 많아서 무대에서 노래할 수 없다.
② 나는 길을 걷다가 옛 친구를 만났다.
③ 그는 매우 화가 나 보인다.
④ 그 콘서트홀은 수천 명의 사람을 수용할 수 있을 만큼 충분히 컸다. ≠ 그 콘서트홀은 너무 커서 수천 명의 사람을 수용할 수 없다.
⑤ 나는 요리하는 것이 어렵다. = 나는 요리하는 데 어려움을 겪는다.

10 **해설 |** 분사구문에서 '~가 …한/된 채로'는「with + 명사 + 분사」이다.

해석 | 그녀는 눈을 감은 채로 골똘히 생각하고 있었다.

11 **해설 |** ⓐ seem 뒤에는 to부정사가 오므로 knowing 대신 know가 되어야 한다. ⓓ 분사구문의 부정은 분사 앞에 not을 붙여서 만든다.

해석 | ⓑ 너는 어디에서 이 사진들을 찍었니?
ⓒ 시간이 더 주어지면 나는 그 보고서를 끝낼 수 있다.
ⓔ 비가 오는데 밖에 있어서 빨래가 다 젖었다.

어휘 | laundry 세탁물; 빨래하다

12 **해설 |** '너무 ~해서 …할 수 없는'은「too + 형용사/부사 + to부정사」로 표현한다.

해석 | 어떤 사람들은 너무 가난해서 음식을 살 수 없다.

13 **해설 |** •'~가 …한/된 채로'는「with + 명사 + 분사」로 쓰는데, 라디오는 켜지는 것이므로 과거분사를 쓴다. •'~하고 싶다'는 feel like -ing로 표현한다.

14 **해설 |**「with + 명사 + 분사」는 '~가 …한/된 채로'라는 뜻을 가진 분사구문의 일종이다. 분사와 명사와의 관계가 능동이면 현재분사, 수동이면 과거분사를 쓴다.

해석 | 〈보기〉 그는 음악을 들었다. 그의 손가락은 탁자를 두드리며 박자를 맞추고 있었다. → 그는 손가락으로 탁자를 두드리며 박자를 맞추면서 음악을 들었다.
(1) 그녀는 쇼를 보았다. 그녀의 눈은 반짝이고 있었다. → 그녀는 눈을 반짝이며 쇼를 봤다.
(2) 그 노인은 잡지를 읽고 있다. 그의 다리는 꼬아져 있다. → 그 노인은 다리를 꼰 채 잡지를 읽고 있다.

어휘 | tap 톡톡 두드리다, (음악에 맞춰 손가락 등으로) 박자를 맞추다

15 **해설 |** To understand what the teacher explained was difficult.에서 to부정사구를 문장의 뒤로 보내고 주어 자리에 가주어 It을 쓴 문장이다.

해석 | 선생님이 설명한 것을 이해하기 어려웠다.

어휘 | explain 설명하다

16 **해설 |**「형용사/부사 + enough + to부정사」어순이지만 명사와 함께 쓰이면 enough는 명사 앞에 온다.

해석 | 그녀에게는 케이크 열 개를 만들 만큼 충분한 밀가루가 있다.

어휘 | flour 밀가루

17 **해설 |** '~인 것 같다'라는 의미의 It seems that ~은「seem + to부정사」로 바꿔 쓸 수 있다. 주어와 시제에 맞게 seem을 바꿔 쓴다.

해석 | 그녀는 대중 앞에서 말하는 데 어려움을 겪는 것 같다.

어휘 | in public 대중 앞에서

18 **해설 |** 목적어와 목적격 보어의 관계가 수동이므로 과거분사를 써야 한다.

해석 | (1) 그는 축구 경기를 하다가 다리가 부러졌다.
(2) 나는 정오 전에 내 방을 청소해야 한다.

19 **해설 |** 분사구문을 이용하여 동시동작을 표현할 수 있다. 분사구문은 동사에 -ing를 붙여서 만든다.

해석 | 〈보기〉 TV를 보면서 소미의 엄마는 러닝머신 위를 달리고 있다.
(1) 음악을 들으면서 소미는 문자 메시지를 보내고 있다.
(2) 커피를 마시면서 소미의 아빠는 신문을 읽고 있다.

어휘 | treadmill 러닝머신

BOOK 2 정답과 해설

1주 관계사, 접속사

해석 | 1 여: 봐! 이 엘리베이터에는 숫자 4가 빠져 있어. 너는 그 이유를 알고 있니?

남: 나는 한국인들이 숫자 4를 피한다고 들었는데, 그것은 중국어로 '죽음'이라는 단어처럼 들리기 때문이야.

2 아들: 전 졸려요. 낮잠을 자야 할 것 같아요.

엄마: 밤에 잠을 더 잘 자려면 30분 이내로 자렴.

a. 그녀는 그가 낮잠을 짧게 자기를 원한다.

b. 그녀는 그가 낮잠을 자지 않기를 원한다.

3 여: 내 자전거를 훔쳐간 사람을 묘사해 줄 수 있니?

남: 내가 말할 수 있는 것은 도둑이 검은 야구 모자를 쓰고 있었다는 것뿐이야. 그 사람이 남자인지 여자인지는 확실하지 않아.

4 남: 문제가 있나요?

여: 네, 저는 스테이크도 파스타도 주문하지 않았어요.

1주 1일 개념 돌파 전략 ❶
pp. 6~9

개념 1 Quiz 해설 | (1) 관계대명사가 관계사절에서 주어 역할을 하므로 주격을 쓴다. (2) 앞 문장 전체가 선행사일 때 관계대명사 which를 쓴다.

해석 | (1) 나는 그 책을 가지고 있는 여자애를 안다.

(2) 나는 오늘 아침에 피곤한데, 그것은 나에게 드문 일이다.

어휘 | unusual 드문, 흔하지 않은

개념 2 Quiz 해설 | (1) 장소를 나타내는 선행사 the town이 있고 관계사절에서 부사 역할을 하므로 장소를 나타내는 관계부사 where를 쓴다. (2) 이유를 나타내는 선행사 reasons가 있고 관계사절에서 부사의 역할을 하므로 이유를 나타내는 관계부사 why를 쓴다.

어휘 | reason 이유

1-2 which   2-2 ①

1-1 해석 | 책상 위에 있는 공책은 내 것이다.

1-2 해설 | 대명사 it이 앞에 나온 문장 전체를 가리키므로 「접속사 + 대명사」를 계속적 용법의 관계대명사 which로 바꿔 쓸 수 있다.

해석 | 내 친구가 나에게 거짓말을 했고, 그것이 나를 아주 화나게 했다.

2-1 해석 | 그녀가 사는 집은 여기에서 멀지 않다.

어휘 | far from ~에서 멀리

2-2 해설 | 선행사인 the moment가 시간을 나타내고 있고, 관계사가 관계사절에서 부사 역할을 하고 있으므로 관계부사 when을 쓴다.

해석 | 나는 내가 그 소식을 처음 들었던 순간을 여전히 기억한다.

어휘 | moment 순간

개념 3 Quiz 해설 | 전화를 받지 못한 이유를 나타내는 종속접속사가 와야 한다.

해석 | 나는 바빠서 전화를 받지 못했다.

난 이것을 다 읽자마자 상사에게 임금을 올려달라고 요청할 거야.

개념 4 Quiz 해설 | (1) '그가 좋아하는지'라는 뜻의 간접의문문으로 「if + 주어 + 동사」의 어순이 적절하다. (2) '그가 언제 올지'라는 뜻의 간접의문문이므로 「의문사 + 주어(+ 조동사) + 동사」의 어순이 되어야 한다.
해석 | (1) 너는 그가 아이스크림을 좋아하는지 아니?
(2) 아무도 그가 언제 올지 모른다.

개념 5 Quiz 해설 | (1) 'A뿐만 아니라 B도'라는 뜻의 상관접속사는 「not only A but (also) B」이다. (2) 'A도 B도 아닌'은 「neither A nor B」이다.

3-2 ②   4-2 it was   5-2 (1) or (2) but

3-1 어휘 | sleepy 졸린
3-2 해설 | '~하는 동안'이라는 시간의 의미와 '~하는 반면'이라는 대조의 의미를 모두 갖는 접속사는 while이다.
해석 | • 네가 책을 읽는 동안 나는 그림을 그렸다.
• 어떤 학생들은 야구를 좋아하는 반면, 다른 학생들은 농구를 좋아한다.
4-1 해석 | 나는 모른다. + 너는 피자를 좋아하니?
→ 나는 네가 피자를 좋아하는지 모른다.
4-2 해설 | 의문사가 있는 간접의문문은 「의문사 + 주어 + 동사」의 어순으로 쓴다.
해석 | 그는 점원에게 "그거 얼마예요?"라고 물었다.
→ 그는 점원에게 그것이 얼마인지 물었다.
5-1 해석 | Julie도 Brian도 베이징에 가 본 적이 없다.
5-2 해설 | 상관접속사 「either A or B」는 'A와 B 둘 중 하나'라는 뜻이고 「not only A but also B」는 'A뿐만 아니라 B도'라는 뜻이다.
해석 | (1) 우리는 수영하러 가거나 낚시하러 갈 수 있다.
(2) 그녀는 피곤할 뿐 아니라 배도 고팠다.

CHECK UP

1 **해석 |** 너는 무엇이 되고 싶은지 결정했니?
2 **해석 |** 역사를 가르치는 박 선생님은 고양이 두 마리를 키운다.
3 **해석 |** 여기가 그들이 태어난 집이다.
4 **해석 |** 나는 해야 할 숙제가 있어서 쇼핑하러 갈 수 없었다.
5 **해석 |** 너는 아니? + 그가 스페인어를 하니?
→ 너는 그가 스페인어를 하는지 아니?
6 **해석 |** 그는 수프를 먹지 않았다. 그는 빵도 먹지 않았다.
→ 그는 수프도 빵도 먹지 않았다.

1 ③   2 ⑤   3 ④   4 (1) As soon as, ~ 하자마자
(2) Since, ~한 이후로 (3) so that, ~하기 위해서
5 what time it is   6 (1) and (2) or

1 **해설 |** 관계대명사 which는 선행사가 사물, 동물, 상황 또는 절일 때 쓸 수 있다. ③은 '선생님이 말한 것'이라는 의미로 선행사를 포함하는 관계대명사 what을 쓴다.
해석 | ① 나는 최선을 다하지 않았는데, 그것을 후회한다.
② 그는 그가 아주 많이 좋아하는 컵을 잃어버렸다.
③ 학생들은 선생님이 말한 것을 따라 했다.
④ 내 친구는 산책 가는 것을 좋아하는 고양이를 키운다.
⑤ Anne은 그녀가 어제 산 모자를 쓰고 있다.
어휘 | repeat 반복하다, 따라 하다
2 **해설 |** 선행사가 앞에 나온 절일 때는 계속적 용법의 관계대명사 which를 쓴다.
해석 | 엄마가 커피를 만들고 계시는데, 그것은 그녀가 매일 아침 하는 일이다.
3 **해설 |** 선행사가 the reason으로 이유를 나타내므로 관계부사 why를 쓴다.
해석 | David는 그녀가 일을 그만둔 이유를 알 지도 모른다.
4 **해설 |** (1) as soon as는 '~ 하자마자'라는 시간의 의미를 나타내는 접속사이다. (2) since는 '~한 이후로'라는 시간의 의미를 나타내는 접속사이다. (3) so that은 '~하기 위해서'라는 목적의 의미를 나타내는 접속사이다.
해석 | (1) 나는 집에 가자마자 쉴 것이다.
(2) 그는 대학을 졸업한 이후로 여기서 일했다.
(3) 그 소년은 자전거를 사기 위해서 돈을 모으고 있었다.
어휘 | take a rest 쉬다 save (돈을) 모으다

5 해설 | 의문사가 있는 간접의문의 어순은 「의문사 + 주어 + 동사」이다.

6 해설 | (1) 상관접속사 「both A and B」는 'A와 B 둘 다'라는 뜻이다. (2) 상관접속사 「either A or B」는 'A와 B 둘 중 하나'라는 뜻이다.
해석 | (1) 유나와 지완이 둘 다 열심히 공부했다.
(2) 너는 문자 메시지나 이메일 둘 중 하나를 받을 것이다.
어휘 | receive 받다

 1주 2일 필수 체크 전략 ❶　　　pp. 12~15

전략 1 　필수 예제

해설 | 빈칸 뒤에 「명사 + 동사」가 있으므로 빈칸에는 소유격 관계대명사 whose가 와야 한다.
해석 | 나는 친구가 있고 그의 꿈은 수의사가 되는 것이다.
→ 나는 수의사가 되는 것이 꿈인 친구가 있다.
어휘 | vet 수의사

확인 문제

1 ⑤　　**2** (1) which　(2) that

1 해설 | ⑤ 선행사가 「사람 + 동물」이므로 관계대명사 that을 쓴다. ① what ② whose ③ whom ④ which
해석 | ① 그게 정확하게 내가 말하고 싶었던 것이다.
② 나는 케이스가 검은색인 무선 이어폰을 잃어버렸다.
③ 그녀는 내가 종종 점심을 함께 먹는 반 친구다.
④ 그녀는 새 자전거를 샀고, 그것을 매일 탄다.
⑤ 벤치에 앉아 있는 소녀와 고양이를 봐.
어휘 | exactly 정확히 classmate 반 친구

2 해설 | (1) 선행사 my birthday를 수식하고 계속적 용법으로 쓸 수 있는 관계대명사 which를 쓴다. (2) 선행사가 the first person인데 first의 수식을 받는 선행사 뒤에는 관계대명사 that을 쓴다.
해석 | (1) 나는 그것을 내 생일에 샀는데, 그것은 두 달 전이었다.
(2) 그녀가 내 머릿속에 떠오른 첫 번째 사람이었다.
어휘 | come to one's mind 떠오르다

전략 2 　필수 예제

해설 | ① 선행사가 사람(the students)이고 뒤에 동사가 있으므로 주격 관계대명사 who를 써야 한다.
해석 | ① 나는 아주 열심히 공부하는 학생들을 안다.
② 그녀는 내가 파리에 함께 갔었던 친구다.
③ Barbara가 내가 파티에 초대했던 여자다.
④ 나는 Marty에게서 들었던 아이를 돕고 싶다.
⑤ 내가 근무 중에 만났던 재미있는 사람들이 많았다.
어휘 | on the job 근무[작업] 중에

확인 문제

1 ②　　**2** which/that I borrowed

1 해설 | ② 선행사가 사람이고 뒤에 주어와 동사가 있으므로 목적격 관계대명사가 와야 한다. 전치사 for의 목적어로 쓰일 때는 whom을 쓴다. ① who/that ③ whose ④ which ⑤ who/that
해석 | ① 옆집에 사는 여자는 모델이다.
② 그녀는 내가 찾고 있던 사람이다.
③ 너는 성이 '사'인 친구가 있니?
④ 이게 네가 맞춰서 춤을 출 수 있는 노래들이다.
⑤ 너는 출입구에 서 있는 사람들을 볼 수 있니?
어휘 | next door 옆집에 family name 성 gate 출입구

2 해설 | '내가 도서관에서 빌린 책'이라는 표현은 선행사 the book 뒤에 「목적격 관계대명사 which/that + 주어 + 동사」를 써서 나타낸다.
해석 | 나는 그 책을 반납해야 한다. 나는 그 책을 도서관에서 빌렸다. → 나는 도서관에서 빌린 책을 반납해야 한다.
어휘 | return 돌려주다, 반납하다 borrow 빌리다

전략 3 　필수 예제

해설 | 선행사가 장소를 나타내는 the restaurant이지만 빈칸 뒤의 문장이 about의 목적어가 없는 불완전한 문장이므로 관계대명사 which가 알맞다.
해석 | 저기가 내가 너에게 말해 왔던 식당이다.

확인 문제

1 ④　　**2** where his friends were eating

1 해설 | ④ 관계사절에 주어가 없으므로 주격 관계대명사를 써야 한다. when → which 또는 that
해석 | ① 나는 내가 숨어야 하는 이유를 모르겠다.

② 금요일은 모두가 행복한 날이다.

③ 여기가 우리가 공연할 콘서트홀이다.

⑤ 우리는 지난주에 문을 연 그 식당을 아주 좋아한다.

2 해설 | 친구들이 '식탁에서' 점심을 먹고 있는 것이므로 장소를 나타내는 선행사 the table을 수식하는 관계부사 where를 쓰고 뒤에 주어와 동사를 쓴다.

해석 | 그 소년은 친구들이 점심을 먹고 있는 식탁으로 걸어갔다.

전략 4 [필수 예제]

해설 | ① 목적격 관계대명사 which는 바로 앞의 전치사 with의 목적어로 쓰여서 생략할 수 없다.

해석 | ① 이게 네가 가지고 페인트칠을 할 수 있는 붓이다.

② 나는 네가 늦은 그 이유를 알고 싶다.

③ 네가 지금 읽고 있는 책을 나에게 보여 줘.

④ 바이올린을 연주하고 있는 남자는 나의 삼촌이다.

⑤ 네가 일하지 않고 있는 그때 그것을 할 수 있다.

[확인 문제]

1 ⑤ **2** (1) The book I'm reading is interesting.
(2) I'll tell you the reason he can't come.

1 해설 | ⑤ 콤마(,) 뒤에 쓰인 계속적 용법의 관계대명사는 생략할 수 없다. he → which he

해석 | ① 조 선생님은 모든 학생이 존경하는 선생님이다.

② 그는 그들이 일하는 방식을 좋아하지 않는다.

③ 여기 네가 찾고 있던 책이 있다.

④ 그녀는 모두가 함께 일하고 싶어 하는 사람이다.

어휘 | sunflower 해바라기 plant 심다

2 해설 | (1) the book 뒤에 수식하는 내용 '내가 읽고 있다'를 쓴다. 목적격 관계대명사가 생략된 형태이다. (2) the reason 뒤에 수식하는 내용 '그가 올 수 없다'를 쓴다. 관계부사 why가 생략된 형태이다.

1주 2일 필수 체크 전략 ❷   pp. 16~17

1 ①, ②, ④ **2** ③ **3** ⑤ **4** ② **5** ② **6** the place where you can have

1 해설 | 빈칸 뒤에 주어와 동사가 있고 talking to의 전치사 to의 목적어가 없으므로 사람을 나타내는 선행사 The woman을 수식하는 목적격 관계대명사를 쓴다.

해석 | 내 상사가 이야기하고 있는 여자는 그의 아내이다.

2 해설 | ③ 선행사가 two dogs로 복수이므로 동사는 bark를 써야 한다.

해석 | 내 이웃에게는 하루 종일 짖는 개 두 마리가 있는데, 그것은 나를 짜증나게 한다.

어휘 | bark 짖다 annoyed 짜증이 난

3 해설 | ⑤ 관계대명사 that은 계속적 용법으로 쓸 수 없다. that → which

해석 | ① 네가 해야 할 일은 좀 쉬는 것이다.

② 그녀는 믿을 수 있는 친구가 필요했다.

③ 이것은 우리가 관심 있는 문제이다.

④ 나는 네가 어제 받은 편지의 복사본을 가지고 있다.

어휘 | trust 신뢰하다 copy 복사본

4 해설 | •빈칸에는 관계사절 끝에 있는 전치사 at의 목적어 역할을 하는 관계대명사 that/which를 쓴다. •선행사가 시간을 나타내는 the moment이고 빈칸 뒤에 완전한 문장이 왔으므로 시간을 나타내는 관계부사 when을 쓴다.

해석 | •여기가 우리가 내려야 할 역이다.

•Sam은 그가 그녀를 처음 봤던 순간을 잊지 못한다.

어휘 | get off 내리다 forget 잊다

5 해설 | '~한 것'이라는 뜻으로 선행사를 포함하는 관계대명사는 what이다.

어휘 | aloud 소리 내어

6 해설 | 장소를 나타내는 선행사 the place 뒤에 관계부사 where를 쓰고 그 뒤에 수식하는 내용을 쓴다.

해석 | 여기가 네가 점심을 먹을 수 있는 장소이다.

1주 3일 필수 체크 전략 ❶   pp. 18~21

전략 1 [필수 예제]

해설 | if와 not의 의미가 함께 포함되어 있는 접속사는 unless이다.

해석 | 서두르지 않으면, 너는 기차를 놓칠 것이다.

[확인 문제]

1 ③ **2** (1) though (2) that

1 해설 | ③ '~ 때문에'라는 이유의 의미와 '~한 이후로'라는 시간의 의미를 갖는 접속사는 since이다.

해석 | •아무도 그 개를 원하지 않았기 때문에 나는 그 개를 입양하기로 결정했다.

•열 살 때부터 나는 조부모님과 살았다.

어휘 | decide 결정하다 adopt 입양하다

2 해설 | (1) 빈칸 앞뒤의 내용이 대조되므로 양보의 접속사 though가 어울린다. (2) '매우 ~해서 …하다'라는 결과의 의미를 갖는 접속사는 「so ~ that …」이다.

해석 | (1) 그는 배가 아주 고팠지만 아무것도 먹지 않았다.

(2) 비가 매우 심하게 와서 우리는 온종일 집에 있었다.

전략 2 　필수 예제

해설 | '비록 ~이지만'이라는 표현은 양보의 접속사 though/although/even though로 나타낼 수 있다. 접속사 뒤에는 주어와 동사가 있는 절이 온다.

어휘 | lonely 외로운

확인 문제

1 ① 　 2 Though/Although/Even though

1 해설 | ① '~하는 동안'이라는 뜻의 접속사는 while이다. during은 전치사로 뒤에 명사(구)가 온다.

During → While

해석 | ② 그는 고등학교 때부터 아침을 먹지 않았다.

③ 그녀는 나쁜 서비스에도 불구하고 그 식당을 좋아한다.

④ 그들은 쌍둥이지만 아주 다르다.

⑤ 엄마가 나를 기다리고 계셔서 나는 서둘러야 했다.

2 해설 | 빈칸 뒤에 주어와 동사가 있는 절이 있으므로 '비록 ~이지만, ~에도 불구하고'라는 뜻을 가진 양보의 접속사를 쓴다.

해석 | 더운 날씨에도 불구하고 우리는 야외에 앉았다.

= 날씨가 더웠지만 우리는 야외에 앉았다.

어휘 | outdoors 야외에서

전략 3 　필수 예제

해설 | ③ 의문사가 있는 간접의문문이므로 「의문사 + 주어 + 동사」의 어순으로 쓴다. I wonder how he lost his weight.가 되어야 한다.

해석 | ① 그녀는 나에게 배고픈지 물었다.

② 나는 그것이 언제 일어났는지 알고 싶다.

④ 너는 무엇이 나를 행복하게 만드는지 아니?

⑤ 네가 이번 주말에 어디 갈 것이지 나에게 말해 줄 수 있니?

어휘 | lose weight 살이 빠지다

확인 문제

1 ② 　 2 if/whether Mina feels

1 해설 | I don't know. + How many apples did you eat?을 간접의문문을 이용해 나타낼 때 how many apples 뒤에 주어와 동사를 쓴다. 이때, 동사를 과거시제로 쓰는 것에 주의한다.

2 해설 | 의문사가 없는 간접의문문의 어순은 「if/whether + 주어 + 동사」이다.

해석 | 미나는 괜찮니?

그 소년은 미나가 나아졌는지 궁금해한다.

전략 4 　필수 예제

해설 | ② 「both A and B」는 복수 취급하기 때문에 단수동사 has를 쓸 수 없다.

해석 | ① 너든 Anne이든 ② 너와 Anne 둘 다 ③ 너뿐만 아니라 Anne도 ④ 너도 Anne도 아닌 ⑤ 너뿐만 아니라 Anne도 그 강의를 들어야 한다.

어휘 | course 강의, 강좌

확인 문제

1 ④ 　 2 reading, watching

1 해설 | ④ 「neither A nor B」는 'A도 B도 아닌'이라는 뜻으로 주어 자리에 오면 B에 동사의 수를 일치시킨다.

2 해설 | enjoy는 목적어로 동명사를 쓰는 동사이므로 「either A or B」에서 A와 B의 형태를 동명사로 일치시킨다.

해석 | 집에서 Mary는 책을 읽거나 TV 보는 것을 즐긴다.

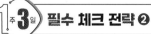 3일 필수 체크 전략 ❷ 　 pp. 22~23

1 ③ 　 2 ① 　 3 ⑤ 　 4 ③ 　 5 ④ 　 6 not only called her but also

1 **해설** | ③ '~하는 동안'이라는 뜻과 '~하는 반면'이라는 뜻을 가진 접속사는 while이다.
해석 | •Tony는 운전하는 동안 항상 음악을 듣는다.
•내 여동생은 딸기 아이스크림을 좋아하는 반면, 나는 초콜릿 아이스크림을 좋아한다.

2 **해설** | ① 열심히 해서 A 학점을 받을 것이라는 내용으로 since는 이유를 나타내는 접속사로 쓰였다. 이유를 나타내는 접속사로 because, as 등을 쓸 수 있다.
해석 | 그 과제를 열심히 했으니까 너는 A 학점을 받을 것이다.

3 **해설** | •the summer break는 명사구이므로 앞에 전치사를 쓴다. 맥락상 '~ 동안에'라는 뜻을 갖는 during이 알맞다.
•뒤에 절이 왔고, 내용상 '비록 ~이지만'이라는 의미의 양보를 나타내는 접속사 though, although 등을 쓴다.
해석 | •여름 방학 동안 나는 그 책을 다 읽을 것이다.
•Tom은 돈을 약간 모으긴 했지만, 그것이 그가 원했던 새 기타를 살 만큼 충분하지는 않았다.

4 **해설** | ③ 상관접속사 「not only A but also B」의 형태로 동사 do를 수식하는 부사가 A와 B에 와야 한다.
perfect → perfectly
해석 | ① 그녀는 그 셔츠를 빨지도 입지도 않았다.
② Lena와 그녀의 남편 둘 다 요리하는 것을 아주 좋아한다.
④ 나는 그 책을 읽는 것뿐만 아니라 그 영화를 보는 것도 즐겼다.
⑤ 너는 그 돈을 쇼핑하는 데 쓰거나 모으거나 둘 중 하나를 할 수 있다.

5 **해설** | how old를 하나의 의문사로 보고 뒤에 「주어 + 동사」를 쓴다. 주절의 시제가 과거이므로 간접의문문의 시제도 과거로 바꾸는 것에 주의한다.

6 **해설** | 상관접속사 「not only A but also B」 구문에서 A와 B에 각각 동사를 쓴 형태이다.
해석 | 은지: Scott 선생님께 연락해 봤니?
서준: 응. 나는 그녀에게 전화를 했을 뿐만 아니라 이메일도 보냈어.
어휘 | contact 연락하다

---

1 ④ 2 ③ 3 ④ → want 4 so, that 5 ④
6 As soon as he woke up, he turned on his computer 7 ③ 8 ② 9 ② 10 ③ 11 (1) both, and (2) neither, nor 12 (1) who/that are singing on the stage (2) whose hair is long
13 (1) which (2) why 14 Sally not only plays tennis but also teaches it. 15 (1) so that (2) Though/Although/Even though 16 (1) what time he will come (2) if/whether he will bring something to eat

1 **해설** | ④ 사람 선행사를 수식하면서 전치사 to의 목적어로 사용되는 관계대명사가 와야 하므로 whom을 쓴다.
해석 | 네가 방금 얘기를 나눈 소녀는 내 친구다.

2 **해설** | a time을 수식하는 관계부사 when, 시간의 부사절을 이끄는 접속사 when이 각각 쓰였다.
해석 | •내가 피자 한 판을 다 먹을 수 있던 때가 있었다.
•내가 도착했을 때 Jenny는 통화를 하고 있었다.
어휘 | whole 전체의

3 **해설** | 선행사 the people이 복수이므로 주격 관계대명사 뒤에 복수형 동사를 쓴다.
해석 | 이들이 표를 사고 싶어하는 사람들이다.

4 **해설** | '매우 ~해서 …하다'라는 의미는 결과를 나타내는 접속사 「so ~ that ….」을 이용해서 쓴다.
해석 | 인터넷이 매우 느려서 나는 온라인 수업에 참석할 수 없다.

5 **해설** | ④ '~한 이후로'라는 뜻과 '~ 때문에'라는 뜻을 가진 접속사는 since이다.
해석 | •그가 작년에 떠난 이후로 나는 그에게서 소식을 듣지 못했다.
•그녀는 배가 고팠기 때문에 그 음식을 보고 행복했다.

6 **해설** | as soon as는 '~ 하자마자'라는 시간의 의미를 나타내는 종속접속사이다.
해석 | 그는 일어나자마자 이메일을 확인하기 위해 컴퓨터를 켰다.

7 **해설** | wonder의 목적어인 명사절로 쓸 수 있는 간접의문문이 와야 하고, 의문사가 있는 간접의문문의 어순은 「의문사 + 주어 + 동사」이다. ③ → how heavy the box is
해석 | 나는 ① 내 소포가 언제 도착할지 ② 왜 네가 일찍 일어났는지 ④ 그가 쿠키를 구울 수 있는지 ⑤ 누가 그 문제를 풀 수 있는지 궁금하다.

어휘 | parcel 소포

8 **해설 |** ② whom이 전치사 to 뒤에서 전치사의 목적어로 사용되었으므로 생략할 수 없다.

해석 | ① 그녀가 너를 위해 구운 케이크는 맛있니?

② 그녀는 그녀가 편지를 보낸 사람을 만난 적이 있니?

③ 네가 항상 듣는 그 노래 제목이 뭐니?

④ 내가 3년간 가르친 학생들이 오늘 졸업한다.

⑤ 나는 네가 여행 중에 찍은 사진들이 정말 마음에 든다.

어휘 | taste ~한 맛이 나다

9 **해설 |** ② 앞에 전치사 for가 있으므로 which를 써야 한다.

해석 | ① 그는 자기 집에서 먼 병원으로 가야 한다.

② 내가 지원한 직장은 내가 일과 생활의 균형을 잡을 수 있게 해 준다.

③ 그녀는 학교 신문에 글을 쓰는 기자이다.

④ 입고 있는 코트를 벗어 주세요.

⑤ 그가 만나야 할 사람들이 그 파티에 있을 것이다.

어휘 | work-life balance 일과 생활의 균형 take off 벗다

10 **해설 |** ③은 명사구로 접속사 though 뒤에 올 수 없다.

해석 | ① 그 소년은 피곤했지만 ② 날씨가 지독히 안 좋았지만 ④ Jim은 새로 한 머리가 마음에 들지 않았지만 ⑤ 내 남동생은 시험에서 떨어졌지만 그는 얼굴에 미소를 지어 보였다.

어휘 | put on a smile 미소를 짓다 terrible 지독한, 끔찍한 treatment 대우

11 **해설 |** 'A와 B 둘 다'는「both A and B」로, 'A도 B도 아닌'은「neither A nor B」로 표현한다.

해석 | (1) 수지는 우유와 주스 둘 다 좋아한다.

(2) 민준이는 우유도 주스도 좋아하지 않는다.

12 **해설 |** (1) 소녀들이 노래하고 있으므로 주격 관계대명사를 쓴 뒤 무대 위에서 노래하고 있다는 진행 중인 내용을 덧붙인다. (2) Nicole의 머리가 긴 것이므로 소유격 관계대명사를 쓴 뒤 머리가 길다는 내용을 덧붙인다.

해석 | (1) 무대에서 노래하고 있는 소녀들은 Nicole과 Sophie다.

(2) 머리가 긴 소녀는 Nicole이다.

13 **해설 |** (1) a poem을 수식하는 계속적 용법의 관계대명사 which가 와야 한다. (2) 이유를 나타내는 the reason을 수식하는 관계부사 why를 쓴다.

해석 | (1) 그 시인은 그의 아내를 위해 시를 써 주었는데, 그녀는 그것을 좋아하지 않았다.

(2) 나에게 네가 여기 온 이유를 말해 줘.

어휘 | poet 시인

14 **해설 |** 주어 Sally가 3인칭 단수이므로 상관접속사 not only 와 but also 뒤에 각각 3인칭 단수 동사를 쓴다.

해석 | Sally는 테니스를 칠 뿐만 아니라 가르치기도 한다.

15 **해설 |** (1) 목적을 나타내는 접속사를 쓴다. (2) 양보의 의미를 나타내는 접속사를 쓴다.

해석 | (1) 그는 돈을 아끼기 위해 학교에 걸어가기로 결심했다.

(2) 나는 그를 매일 봤지만, 그를 잘 알지 못했다.

16 **해설 |** 간접의문문은「의문사/if/whether + 주어 + 동사」의 어순으로 쓴다. 직접의문문에서 you가 가리키는 대상이 Bill 이므로 간접의문문에서 he로 바뀌는 것에 주의한다.

해석 | 너 언제 올 거야? 먹을 것을 가져올 거야?

Robin은 Bill에게 그가 몇 시에 올 것인지, 그리고 그가 먹을 것을 가져올 것인지 묻는다.

1주 4일 교과서 대표 전략 ❷ pp. 28~29

1 ②   **2** This is the way I studied for the test. / This is how I studied for the test.   **3** ④   **4** ④
5 ⑤   **6** (1) Both, are (2) Neither, is   **7** ①   **8** ③

1 **해설 |** 〈보기〉의 that은 선행사 the boy를 수식하는 관계대명사이다. ①은 지시형용사, ③, ④, ⑤는 접속사로 쓰였다.

해석 | 〈보기〉 그가 어제 나를 도와준 소년이다.

① 나는 저 의자를 전에 본 기억이 있다.

② 그녀는 내가 만난 가장 친절한 사람이다.

③ 내 친구들은 내가 초콜릿을 먹지 않는다는 것을 안다.

④ 그 책은 너무 지루해서 나는 그것을 읽다가 잠들었다.

⑤ 그가 좋은 사람이라는 사실에도 불구하고, 나는 그를 좋아하지 않는다.

어휘 | fall asleep 잠들다

2 **해설 |** 방법을 나타내는 선행사 the way와 관계부사 how 중 하나만 써야 한다.

해석 | 이것이 내가 시험을 대비해 공부했던 방법이다.

3 **해설 |** ④는 '~할 때'라는 시간의 의미이고, 나머지는 모두 이유의 의미로 쓰였다.

해석 | ① 나는 너무 많이 먹어서 몸이 좋지 않다.

② 네가 그녀를 모르니까 내가 너에게 그녀를 소개해 줄게.

③ 그는 차가 없어서 집에 걸어가야 했다.

④ 그녀가 집으로 운전해 갈 때 도로 옆에서 이상한 남자를 봤다.

⑤ 나는 돈을 좀 모아야 해서 일 년 동안 외식을 하지 않을 것이다.

어휘 | introduce 소개하다 eat out 외식하다

4 해설 | '비록 ~이지만'이라는 뜻의 접속사는 though이다.
해석 | 비에도 불구하고 그들은 수영하러 갔다.
= 비가 오고 있었지만 그들은 수영하러 갔다.

5 해설 | 첫 번째 빈칸에는 전치사 뒤에서 사물을 수식하는 관계대명사 which를 쓴다. 두 번째 빈칸에는 계속적 용법으로 사람을 수식하는 주격 관계대명사 who를 쓴다.
해석 | •그것은 내가 감사하게 여기는 선물이었다.
•오늘 밤 연설을 할 예정인 Sarah는 Peter 옆에 앉아 있다.
어휘 | grateful 감사하는 give a speech 연설하다

6 해설 | 「both A and B」는 'A와 B 둘 다'라는 뜻으로 복수 취급하고, 「neither A nor B」는 'A도 B도 아닌'이라는 뜻으로 B에 동사의 수를 일치시킨다.
해석 | (1) Mary와 Jason 둘 다 마스크를 쓰고 있다.
(2) Mary도 Jason도 모자를 쓰지 않고 있다.

7 해설 | ① '~인지 (아닌지)'라는 의미의 간접의문문이므로 whether 뒤에는 「주어 + 동사」의 어순이 되어야 한다.
was I → I was
해석 | ② 나는 그가 왜 소리를 지르고 있는지 궁금했다.
③ 엄마는 내가 고양이 밥을 줬는지 알고 싶어 하신다.
④ 그가 언제 올 것인지 너에게 이야기했니?
⑤ 그 남자는 나에게 은행이 어디 있는지 물었다.
어휘 | shout 소리치다 feed 먹이를 주다

8 해설 | 주어진 두 문장의 내용이 대조되므로 대조의 접속사 while이 어울린다.
해석 | ① 미소와 지호 둘 다 수학을 좋아한다.
② 만약 미소가 수학을 좋아하면 지호는 수학을 좋아할 것이다.
③ 미소는 수학을 좋아하는 반면, 지호는 수학을 좋아하지 않는다.
④ 미소가 수학을 좋아하기 때문에 지호는 수학을 좋아한다.
⑤ 미소뿐만 아니라 지호도 수학을 좋아한다.

1주 누구나 합격 전략   pp. 30~31

1 ①   **2** ⑤   **3** which   **4** ②   **5** ①   **6** ④
7 not only English but also French   **8** (1) who/that wrote *Pride and Prejudice*   (2) whose goal was to travel to India   **9** ⑤   **10** take out

---

1 해설 | 사람을 수식하는 주격 관계대명사와 '누구'라는 뜻의 의문사로 사용되는 who를 쓴다.
해석 | •마지막에 떠난 학생이 불을 끄지 않았다.
•나는 나의 진정한 친구들이 누구인지 알게 되어 행운이다.

2 해설 | ⑤ 뒤에 주어가 없는 불완전한 절이 왔으므로 주격 관계대명사를 써야 한다. where → which/that
해석 | ① 그녀는 배고파 보이는 고양이를 봤다.
② 나는 그 경기를 볼 수 있는 장소를 안다.
③ 네가 공부하고 싶지 않은 때가 있을 것이다.
④ 그는 아기가 자고 있는 방으로 들어갔다.
어휘 | be located in ~에 위치하다

3 해설 | 종속절의 대명사 it이 주절의 carrot soup를 가리키므로, 접속사 and와 대명사 it을 대신해 계속적 용법의 관계대명사 which를 쓴다.
해석 | 나는 당근 수프를 만들었고, 그것을 모든 사람들이 좋아했다.

4 해설 | '매우 ~해서 …하다'라는 결과의 의미를 갖는 접속사는 「so ~ that ...」이다.
해석 | 꽃들이 매우 예뻐서 소년은 그 향기를 맡기 위해 멈췄다.
어휘 | stop + to부정사: ~하기 위해 멈추다

5 해설 | '~인지 (아닌지)'라는 뜻의 의문사가 없는 간접의문문은 「if/whether + 주어 + 동사」의 어순으로 쓴다.

6 해설 | ④는 '~하는 반면'이라는 대조의 접속사로 쓰였고, 나머지는 모두 '~하는 동안'이라는 시간의 접속사로 쓰였다.
해석 | ① 나는 버스를 기다리는 동안 그녀에게 전화했다.
② 내가 가게에 있는 동안 누군가 내 지갑을 훔쳐갔다.
③ 그녀는 일하는 동안 자주 음악을 들었다.
④ 나는 집에서 먹는 것을 더 좋아하는 반면, 내 남편은 식당에서 먹는 것을 더 좋아한다.
⑤ 그녀의 아이들이 자는 동안 그녀는 크리스마스트리를 장식했다.
어휘 | prefer 선호하다

7 해설 | 'A뿐만 아니라 B도'는 「not only A but also B」로 표현한다.

8 해설 | 사람 선행사 뒤에 그 사람을 수식하는 관계대명사를 쓴 뒤 설명을 덧붙여 관계사절을 만들 수 있다. 관계사절에서 해당 대명사가 주어로 쓰였으면 주격 관계대명사 who 또는 that을, 소유격으로 쓰였으면 소유격 관계대명사 whose를 쓴다.
해석 | (1) Jane Austen은 〈오만과 편견〉을 쓴 작가였다.
(2) Vasco da Gama는 목표가 인도로 여행 가는 것이었던 탐험가였다.
어휘 | explorer 탐험가 goal 목표

9 해설 | ⑤는 '~로서'라는 의미의 전치사로 뒤에 절이 아닌 명

사구가 왔다.

해석 | ① 내가 파리에 있는 동안 그는 나를 보러 왔다.

② 그 소년은 작았지만 아주 힘이 셌다.

③ 그녀는 낙제하고 싶지 않았기 때문에 열심히 공부했다.

④ 겨우 5월이지만 벌써 여름같이 느껴진다.

⑤ 독서를 아주 좋아하는 사람으로서 나는 이 책을 추천한다.

어휘 | fail (시험에) 떨어지다, 낙제하다 recommend 추천하다

10 해설 | 「either *A* or *B*」는 상관접속사로 A와 B의 형태는 일치해야 한다. A가 do로 동사원형이 쓰였으므로 B에도 동사원형이 와야 한다.

해석 | 그녀는 설거지를 하거나 쓰레기를 버려야 했다.

어휘 | trash 쓰레기

1주 창의·융합·코딩 전략 ❶, ❷　　pp. 32~35

1 who, whom　**2** (1) so that　(2) Since　(3) While
3 Step 1 (1) Why do you want　(2) Can you work　(3) When can you start　**Step 2** why I wanted to work, if/whether I could work, when I could start working　**4** both, and, either, or, Neither, nor
5 (1) as soon as　(2) While　(3) While　(4) As soon as
6 (1) ⓑ Not only Tuesday but also Thursday　(2) ⓒ Either Tuesday or Thursday　**7** (1) Paris is where you can see the Eiffel Tower.　(2) April Fool's Day is when people tell lies for fun.　**8** (1) which was made in Germany　(2) who studies computer science at university　(3) which made my parents worried

1 해설 | 첫 번째 빈칸에는 Theodore Roosevelt 뒤에 계속적 용법의 주격 관계대명사를 쓴 뒤 설명을 덧붙인다. 두 번째 빈칸에는 선행사가 사람이고 전치사 after의 목적어 역할을 하는 목적격 관계대명사 whom을 쓴다.

해석 | 그는 미국의 26번째 대통령이었다. / 그는 Teddy Roosevelt라고 불렸다. / 테디 베어는 그의 이름을 따서 지어졌다.

Teddy Roosevelt라고 불렸던 Theodore Roosevelt는 미국의 26번째 대통령이었다. '테디 베어'가 이름을 따라 지은

이 전직 미국 대통령은 미국 역사상 가장 인기 있는 대통령 중 한 명이다.

어휘 | president 대통령 name after ~의 이름을 따서 짓다 former 이전의

2 해설 | (1) 커피를 마시는 목적이 뒤에 나왔으므로 '~하기 위해서'라는 뜻의 so that을 쓴다. (2) 집에서 TV를 보는 이유가 앞에 나왔으므로 '~ 때문에'라는 의미의 Since가 알맞다. (3) 남동생과 나의 그림 실력을 대조하는 내용의 절이 나왔으므로 '~하는 반면'이라는 뜻의 접속사 While을 쓴다.

해석 | (1) 나는 깨어 있을 수 있게 커피를 마시고 있다.

(2) 밖에 비가 오니까 나는 집에서 TV를 볼 것이다.

(3) 내 남동생은 그림을 잘 그리는 반면, 나는 못 그린다.

어휘 | awake 깨어 있는 be poor at ~을 잘 못하다

3 해설 | '~인지 (아닌지)'라는 뜻의 간접의문문은 「의문사/if/whether + 주어 + 동사」의 어순으로 쓴다. 의미에 맞게 대명사와 시제를 바꾸는 것에 주의한다.

해석 | Haley: 면접 어떻게 됐어?

은정: 잘 끝났어.

Haley: 관리자가 뭘 물어봤어?

은정: 그는 내가 왜 거기서 일하고 싶어 하는지, 그리고 내가 주말에 일할 수 있는지 물어봤어.

Haley: 그 밖에 또 무엇을 물어봤어?

은정: 그는 또 내가 언제 일을 시작할 수 있는지 물었어.

Haley: 그건 네가 거기 취직했다는 뜻이야?

은정: 응!

어휘 | on weekends 주말에 interview 면접 manager 운영자, 관리자

4 해설 | 'A와 B 둘 다'는 「both *A* and *B*」로, 'A와 B 둘 중 하나'는 「either *A* or *B*」로, 'A도 B도 아닌'은 「neither *A* nor *B*」로 표현한다.

해석 | 보라는 토요일과 일요일 둘 다 피아노 수업을 받을 것이다. 진수는 토요일에 낚시를 하러 가거나 도서관에 갈 것이다. 보라도 진수도 이번 주말에는 숙제가 없다.

5 해설 | 시간을 나타내는 접속사 while은 '~하는 동안'의 의미이고, as soon as는 '~ 하자마자'라는 의미이다.

해석 | (1) 운이 좋은 날이었다. 아침에 내가 버스 정류장에 오자마자 버스가 도착했다.

→ (2) 학교로 걸어가는 동안 거리에서 천 원을 발견했다.

→ (3) 집으로 오는 동안, 나는 내가 좋아하는 소녀를 보았다.

→ (4) 집에 도착하자마자 폭우가 내리기 시작했다.

어휘 | on one's way home 귀가 길에 heavily 몹시

6 해설 | 표를 통해 화요일과 목요일 저녁에 Andy의 일정이 비어 있음을 알 수 있다. 「both *A* and *B*」가 주어일 때는 복수 취급하기 때문에 동사가 복수여야 한다. 따라서 Not only

Tuesday but also Thursday(화요일뿐만 아니라 목요일도)나 Either Tuesday or Thursday(화요일 또는 목요일)가 알맞다.

해석 | Rosie: Andy, 이번 주에 함께 저녁을 먹는 거 어때?
Andy: 좋은 생각이야!
Rosie: 무슨 요일이 좋니?
Andy: 화요일뿐만 아니라 목요일도/화요일 또는 목요일에 난 괜찮아.

7 해설 | (1) 파리라는 장소가 나와 있고 선행사 the place가 생략되어 있으므로 관계부사 where로 연결한다. (2) 만우절이라는 시간이 나와 있고 선행사 the day가 생략되어 있으므로 관계부사 when으로 연결한다.
해석 | (1) 파리는 에펠 탑을 볼 수 있는 곳이다.
(2) 만우절은 사람들이 재미로 거짓말을 하는 날이다.
어휘 | for fun 재미로 Valentine's Day 밸런타인데이(2월 14일) marathon 마라톤 April Fool's Day 만우절(4월 1일)

8 해설 | (1) 선행사가 사물(a new car)일 때 계속적 용법의 주격 관계대명사는 which를 써야 한다. (2) 선행사가 사람(a son)일 때 계속적 용법의 주격 관계대명사는 who를 써야 한다. (3) 선행사가 앞의 절 전체(I came home late)일 때 계속적 용법의 관계대명사는 which를 쓴다.
해석 | 〈예시〉 나는 세종대왕을 존경하는데, 그는 한글을 창제했다.
(1) 그가 새 차를 샀는데, 그것은 독일에서 만들어졌다.
(2) 그들에게는 아들이 있는데, 그는 대학에서 컴퓨터 공학을 공부한다.
(3) 나는 집에 늦게 왔는데, 그것이 부모님을 걱정하게 만들었다.
어휘 | admire 존경하다 computer science 컴퓨터 공학 university 대학

해석 | 1 여: 가자, Max! 너 점점 더 뚱뚱해지고 있어. 네가 더 운동할수록, 너는 더 건강해질 거야.
강아지: (나이가 들수록, 더 졸리네.)
2 여: 한국에 있는 어떤 섬도 제주도만큼 크지 않다.
a. 제주도는 한국에서 가장 큰 섬이다.
b. 어떤 섬들은 제주도보다 더 크다.
3 여: 내가 바쁘지 않으면, 스키를 타러 갈 수 있을 텐데.
a. 내가 바쁘면 좋을 텐데.
b. 내가 스키를 타러 갈 수 있으면 좋을 텐데.
4 남: 우리가 어제 그의 지문을 발견한 곳은 바로 유리잔이었습니다.

 개념 돌파 전략 ❶   pp. 38~41

개념 1 Quiz 해설 | 두 개의 절 앞에 각각 「the + 비교급」을 써서 '~하면 할수록 더 …하다'라는 뜻을 나타낸다.
해석 | (1) 네가 더 빨리 뛸수록 너는 더 일찍 도착할 것이다.
(2) 날씨가 추워질수록 나는 밖에 덜 나가고 싶다.

개념 2 Quiz 해설 | 「비교급 + than any other + 단수명사」는 최상급의 의미를 나타낸다.
해석 | 그는 그의 반에서 가장 예의 바른 학생이다.
= 그는 그의 반에 다른 어떤 학생보다 더 예의 바르다.

해석 | 그녀는 정말로 다른 의견을 가지고 있었다.
어휘 | opinion 의견

개념 3 Quiz 해설 | 현재 사실의 반대를 가정하는 가정법 과거로 주절에 「조동사의 과거형 + 동사원형」을 쓴다.
해석 | (1) 내가 새라면 날 수 있을 텐데.
(2) 그가 똑똑하다면 그것을 믿지 않을 텐데.

1-2 the less   2-2 better   3-2 had

1-1 해석 | 당신이 책을 더 많이 읽을수록 당신은 더 많이 배운다.
1-2 해설 | 「The + 비교급 + 주어 + 동사, the + 비교급 + 주어 + 동사」 구문으로 '~하면 할수록 더 …하다'라는 뜻이다. little의 비교급은 less이다.
해석 | 숙제가 많으면 많을수록 너는 더 적은 자유 시간을 갖는다.
2-1 해석 | 어떤 차도 이 차만큼 빠르지 않다.
2-2 해설 | 「Nothing + 동사 + 비교급 + than ~」으로 최상급 의미를 나타낸다.
해석 | 그 검정 치마가 가장 좋아 보였다.
= 어떤 것도 그 검정 치마보다 더 좋아 보이지 않았다.
3-2 해설 | 현재 사실의 반대를 가정하는 가정법 과거 구문에서 if절의 동사는 과거형으로 쓴다.
해석 | 나는 돈이 없어서 세계 여행을 할 수 없다.
= 내가 돈이 있다면 세계 여행을 할 수 있을 텐데.

개념 4 Quiz 해설 | 현재 사실의 반대를 가정한 가정법 과거로 I wish와 as if 뒤에는 동사의 과거형을 쓴다.

개념 5 Quiz 해설 | 동사 had의 의미를 강조하기 위해 시제를 나타내는 조동사 did와 동사원형 have를 썼다.

개념 6 Quiz 해설 | (1) 장소의 부사(구)가 문장 맨 앞에 오면 주어와 동사가 도치된다. (2) 부정어가 문장 맨 앞에 오면 뒤에 의문문의 어순이 와야 한다.
해석 | (1) 거기에 공주가 살았다.
(2) 그는 다시는 하이킹을 하러 가지 않을 것이다.

4-2 were   5-2 It is water that I want to drink.
6-2 ③

4-2 해설 | 그가 현재 여기 있는데 그렇지 않은 것처럼 행동한다는 내용의 가정법 과거이므로 if절에 동사의 과거형을 쓴다. if절의 동사가 be동사인 경우 주어의 인칭이나 수에 상관없이 were를 쓴다.
해석 | 그녀는 마치 그가 여기에 우리와 함께 있지 않은 것처럼 행동하고 있다.
5-1 어휘 | textbook 교과서
5-2 해설 | It is와 that 사이에 강조하는 내용 water를 쓰고 나머지 내용은 that 뒤에 쓴다.
해석 | 나는 물을 마시고 싶다.
→ 내가 마시고 싶은 것은 바로 물이다.
6-1 해석 | 우리 아빠는 화가 나셨고, 나 역시 화가 났었다.
= 우리 아빠는 화가 나셨고, 나도 그랬다.
6-2 해설 | 부정어가 문장 맨 앞에 있으므로 뒤에는 의문문의 어순 「do동사 + 주어 + 동사원형」이 온다. 시제가 현재이고 주어가 3인칭 단수이므로 do동사는 does를 쓴다.
해석 | Linda는 좀처럼 커피를 마시지 않는다.

CHECK UP

1 **해석|** 날씨가 점점 더 더워지고 있다.

2 **해석|** 어떤 가수도 그녀만큼 인기 있지 않다.

4 **해석|** 나의 가장 친한 친구는 그녀가 마치 나의 엄마인 것처럼 나를 보살핀다.

5 **해석|** A: 그녀는 수영을 좋아하나요?
　　　　B: 아뇨, 하지만 그녀는 물은 정말 좋아해요.

6 **해석|** 큰 상자 하나가 문 앞에 있었다.
　　　　= 문 앞에 큰 상자가 있었다.

---

1 The more mistakes you make, the more you learn.　2 ①　3 ⑤　4 (1) didn't know　(2) were　5 John does want to go to the party.　6 does he make

---

1 **해설|** '~하면 할수록 더 …하다'는 「The + 비교급 + 주어 + 동사, the + 비교급 + 주어 + 동사」로 표현한다.

2 **해설|** 「No (other) + 단수명사 + 단수동사 + 비교급 + than ~」을 이용하여 최상급 의미를 나타낼 수 있다.
해석| Kate는 팀에서 키가 가장 큰 선수이다.
= 팀에서 어떤 선수도 Kate보다 키가 더 크지 않다.

3 **해설|** 현재 사실의 반대를 나타내는 가정법 과거 문장에서 if절의 동사는 과거형으로 쓴다.
해석| 그 셔츠가 비싸기 때문에 나는 그것을 사지 않겠다.
= 그 셔츠가 비싸지 않으면 나는 그것을 살 텐데.

4 **해설|** '(사실이 아닌데) 마치 ~인 것처럼'이라는 의미를 나타낼 때는 「as if + 주어 + 동사의 과거형」을 쓴다.
해석| (1) 그는 나를 알지만 마치 나를 모르는 것처럼 나를 보고 있다.
(2) 그녀는 여왕이 아니지만 마치 여왕인 것처럼 행동한다.
어휘| behave 행동하다

5 **해설|** 일반동사의 의미를 강조할 때는 「강조의 do동사 + 동사원형」을 쓴다. 주어가 3인칭 단수이고, 현재시제이므로 do동사의 형태는 does가 된다.
해석| John은 파티에 가고 싶어 한다.
→ John은 파티에 정말 가고 싶어 한다.

6 **해설|** 부정어 hardly가 문장 맨 앞으로 가면서 뒷부분은 의문문의 어순(do동사 + 주어 + 동사원형)이 된다.
해석| 그는 실수를 거의 하지 않는다.

전략 1 [필수 예제]

해설| 「The + 비교급 + 주어 + 동사, the + 비교급 + 주어 + 동사」 구문이므로 빈칸에는 happy의 비교급 happier를 써서 the happier가 와야 한다.
해석| 내가 너와 함께 더 많은 시간을 보내면 나는 더 행복해진다.
= 내가 너와 함께 더 많은 시간을 보낼수록 나는 더 행복해진다.

[확인 문제]

1 ⑤　2 (1) wiser　(2) more often　(3) longer

1 **해설|** '~하면 할수록 더 …하다'는 「the + 비교급」 뒤에 「주어 + 동사」가 온다. ⑤ → The more carefully you plan, the better the result will be.
해석| ① 내가 많이 달리면 달릴수록 나는 더 배고파진다.
② 그들이 크면 클수록 그들은 더 세게 넘어진다.
③ 그 음식이 매우면 매울수록 나는 그것이 더 좋다.
④ 당신이 운동을 열심히 하면 할수록 당신은 더 건강해진다.

2 **해설|** (1) 「비교급 + and + 비교급」은 '점점 더 ~한/하게'라는 뜻이다. (2), (3) 「The + 비교급 + 주어 + 동사, the + 비교급 + 주어 + 동사」 구문은 '~하면 할수록 더 …하다'라는 의미이고, 두 개의 절에 서로 관련이 있는 내용이 온다.
해석| (1) 책을 많이 읽어서 그는 점점 더 현명해졌다.
(2) 네가 외식을 자주 하면 할수록 너는 더 많은 돈을 쓴다.
(3) 연설이 길면 길수록 사람들은 더 지루해진다.

전략 2 [필수 예제]

해설| 뒤에 as popular as가 온 것으로 보아 원급을 이용한 최상급 표현이다. 따라서 빈칸에는 No가 와야 한다.
해석| Mark는 학교에서 가장 인기 있는 학생이다.
= 학교에서 어떤 학생도 Mark만큼 인기 있지 않다.

[확인 문제]

1 ③　2 faster than all the other horses

1 **해설|** as와 as 사이에는 원급을, than 앞에는 비교급을 쓴다. 첫 번째 빈칸에는 동사 sing을 수식하는 부사 well을 쓰고, 두 번째 빈칸에는 well의 비교급 better를 쓴다.
해석| 아무도 Maria만큼 노래를 잘하지 못한다.
= Maria는 다른 누구보다도 노래를 더 잘할 수 있다.

2 **해설|** 비교급을 이용한 최상급 표현으로 「비교급 + than all

the other + 복수명사」를 쓴다.

해석 | Bella는 다른 모든 말들보다 더 빨리 달린다.

전략 3 ﹇필수 예제﹈

해설 | 현재 사실의 반대를 나타내는 가정법 과거의 if절의 동사는 과거형을 쓴다. 이때, be동사는 주어의 인칭과 수에 상관없이 were를 쓴다. '아프지 않다'는 weren't sick이 맞다.

해석 | 그녀는 몸져 누워서 일하러 갈 수가 없다.

= 만약 그녀가 아프지 않다면 그녀는 일하러 갈 수 있을 텐데.

어휘 | be sick in bed 몸져 눕다

﹇확인 문제﹈

1 ④   **2** (1) could finish (2) were not for

1 해설 | ④ 현재 사실의 반대를 가정하는 내용으로 「If + 주어 + 동사의 과거형, 주어 + 조동사의 과거형 + 동사원형」의 형태로 쓴다.

2 해설 | (1) 가정법 과거 구문에서 주절의 형태는 「주어 + 조동사의 과거형 + 동사원형」이다. (2) Without은 '~이 없다면'이라는 뜻으로 If it were not for로 바꿔 쓸 수 있다.

해석 | (1) 나는 충분한 시간이 없어서 그것을 제 시간에 끝낼 수 없다.

= 충분한 시간이 있다면, 나는 그것을 제 시간에 끝낼 수 있을 텐데.

(2) 음악이 없다면 내 삶은 지루할 것이다.

어휘 | on time 제 시간에

전략 4 ﹇필수 예제﹈

해설 | ⑤ if절의 시제가 현재이기 때문에 주절에는 현재시제나 미래시제가 와야 한다. would be → will be

해석 | ① Helen을 보면 내가 너에게 알려줄 것이다.

② 커피를 마시면 나는 밤에 잠을 잘 수가 없다.

③ 내가 가장 좋아하는 가수를 만난다면 나는 기뻐서 펄쩍 뛸 텐데.

④ 나쁜 습관을 고치면 그는 더 나은 사람이 될 수 있을 텐데.

어휘 | in joy 기뻐서 spill the beans 비밀을 누설하다

﹇확인 문제﹈

1 ③   **2** (1) were (2) liked

1 해설 | ③ if절에 동사의 과거형을 쓴 것으로 보아 가정법 과거이므로 주절에는 「조동사의 과거형 + 동사원형」이 와야 한다. will → would

해석 | ① 만약 버스를 놓치면, 나는 택시를 탈 것이다.

② 그가 팀에 합류하면 내가 떠날 텐데.

④ 그들이 나에게 일자리를 제안하면 나는 그것을 받아들일 것이다.

⑤ 항공편이 더 싸면 나는 내 여동생을 함께 데려갈 수 있을 텐데.

어휘 | join 가입하다, 합류하다 flight 항공편

2 해설 | 뒤에 주절의 동사가 「조동사의 과거형 + 동사원형」이 온 것으로 보아 가정법 과거 문장이므로 if절에는 동사의 과거형을 쓴다. be동사는 were를 쓴다.

해석 | (1) 네 생일이면 내가 너와 저녁을 먹을 텐데.

(2) 그가 너를 좋아하면 네 문자 메시지에 답을 할 텐데.

어휘 | text 문자 메시지

2주 2일 필수 체크 전략 ❷   pp. 48~49

1 ③   **2** ③   **3** ④   **4** ②   **5** ①   **6** were not

1 해설 | more and more는 '점점 더 많은'이라는 뜻이고, 「The + 비교급 + 주어 + 동사, the + 비교급 + 주어 + 동사」는 '~하면 할수록 더 …하다'라는 뜻이다.

해석 | • 애완동물을 키우는 사람들이 점점 더 많다.

• 열심히 일할수록 그는 더 많은 돈을 번다.

어휘 | pet 애완동물

2 해설 | '다른 어떤 ~보다 더 …한'이라는 최상급의 의미를 나타내는 표현은 「비교급 + than any other + 단수명사」이다.

해석 | 이 영화는 올해 가장 흥미로운 영화이다.

= 이 영화는 올해 다른 어떤 영화보다 더 흥미롭다.

3 해설 | ④ 「비교급 + and + 비교급」은 '점점 더 ~한/하게'라는 뜻으로 비교급 앞에 the를 쓰지 않는다. the more → more

해석 | ① 아무도 너만큼 중요하지 않다.

② 그녀가 다른 누구보다 더 아름답다.

③ 우리가 더 빨리 시작하면 할수록 더 빨리 끝낸다.

⑤ 우리가 더 많이 연습하면 할수록 우리는 공연을 더 잘 할 수 있다.

어휘 | practice 연습하다

4 해설 | 사실이 아닌 것을 가정하는 내용이므로 가정법 과거 「If + 주어 + 동사의 과거형, 주어 + 조동사의 과거형 + 동사원형」을 쓴다. if절에 be동사 과거형을 쓸 때는 were를 쓴다.

어휘 | give it a try 한번 해보다

5 해설 | '어떤 ~도 A만큼 …하지 않다'라는 뜻은 원급을 이용한 최상급 표현인 「No (other) + 단수명사 + 단수동사 + as + 원급 + as + *A*」로 쓸 수 있다.

6 해설 | 가정법 과거 문장으로 if절에는 비가 오고 있는 현재 사실과 반대되는 내용이 와야 한다. if절에 be동사가 올 경우에는 were를 쓴다.
해석 | 비가 오지 않으면 우리는 소풍을 갈 텐데.

2주 3일 필수 체크 전략 ❶
pp. 50~53

전략 1 | 필수 예제

해설 | 현재 사실의 반대를 소망하는 I wish 가정법 과거에서는 과거시제를 쓰고 be동사의 경우 were를 쓴다.
해석 | 우리 아빠는 지금 외국에 계신다. 아빠가 나와 함께 여기 있으면 좋을 텐데.

확인 문제

1 ⑤   2 (1) were (2) weren't[were not]

1 해설 | 실현 가능성이 없는 일이나 현재 사실의 반대를 가정하는 가정법 과거 문장으로 빈칸 뒤에 동사원형이 있으므로 조동사의 과거형이 와야 한다.
해석 | •그녀는 마치 내 마음을 읽을 수 있는 것처럼 미소를 짓고 있다.
•내가 너와 영화 보러 갈 수 있으면 좋을 텐데, 나는 오늘 일을 해야 한다.

2 해설 | 현재 사실의 반대를 가정하는 I wish 가정법 과거나 as if 가정법 과거의 동사는 과거형을 써야 하는데 이때 be동사는 were를 쓴다.
해석 | (1) 저 갈색 드레스가 할인 중이면 좋을 텐데.(사실 그 갈색 드레스는 할인하지 않는다.)
(2) Amy는 마치 화가 나지 않은 것처럼 행동한다.(사실 Amy는 화가 났다.)

전략 2 | 필수 예제

해설 | I put salt in my coffee.에서 「It ~ that …」 구문으로 목적어 salt를 강조한 문장으로, It was와 that 사이에 salt를 넣고 that 뒤에 나머지 부분을 쓴다.

확인 문제

1 ⑤   2 was an expensive bottle of wine that

1 해설 | ⑤는 가주어 it이 쓰인 문장에서 명사절을 이끄는 that이고, 나머지는 모두 「It ~ that …」 강조 구문의 that으로 쓰였다.
해석 | ① 내가 이야기하고 싶은 것은 바로 Greg이다.
② 편지를 쓰고 있는 것은 바로 내 여동생이다.
③ 그녀가 세탁해야 하는 것은 바로 그녀의 옷이다.
④ 그가 나에게 전화한 것은 밤늦은 시간이었다.
⑤ 그가 답을 아는 것은 불가능하다.

2 해설 | an expensive bottle of wine을 It was와 that 사이에 넣어 강조할 수 있다.
해석 | Natalie는 비싼 와인 한 병을 샀다.
→ Natalie가 산 것은 바로 비싼 와인 한 병이었다.

전략 3 | 필수 예제

해설 | ④ 주어가 대명사 they이므로 부사구 뒤에는 도치가 되지 않는다. → Around the table they gathered.
해석 | ① 여기로 그 강연자가 온다.
② 언덕 위에 오래된 나무가 한 그루 서 있었다.
③ 거기에 지혜로운 왕이 살았다.
⑤ 거리 아래 작은 식료품점이 하나 있다.
어휘 | speaker 강연자, 연설자 gather 모이다 grocery store 식료품점

확인 문제

1 ⑤   2 On the desk lied, were notebooks

1 해설 | ⑤ 부사구 도치가 일어난 문장으로 주어가 his family pictures로 복수이므로 동사는 are를 쓴다. is → are
해석 | ① 의자에 한 노인이 앉아 있었다.
② 각 종이에는 숫자가 있었다.
③ 문 앞에 Lucas가 서 있었다.
④ 밖으로 의사와 간호사들이 나갔다.
어휘 | above ~의 위에

2 해설 | 장소를 나타내는 부사구를 강조하기 위해 「부사구 + 동사 + 주어」의 어순으로 쓴다.
해석 | 책상 위에 상자 하나가 놓여 있었다. 그 상자 안에는 공책들이 있었다.

전략 4 | 필수 예제

해설 | 주어와 동사가 도치된 문장이므로 빈칸에는 부정어나 장소

나 방향을 나타내는 부사구 등이 와야 하는데, 주어가 대명사 I이
므로 ② There는 올 수 없다.

해석 | 나는 그렇게 흥미로운 동물을 ① 한 번도 ③, ⑤ 좀처럼
④ 거의 본 적이 없다.

1 **해설 |** 부정어가 문장 맨 앞으로 갈 때 뒤에는 의문문의 어순
이 되어야 한다. 주어가 3인칭 단수이고 일반동사 현재시제이
므로 does를 주어 앞에 쓰고 주어 뒤에 동사원형을 쓴다.

2 **해설 |** '~도 또한 그렇다'라는 뜻을 나타낼 때 긍정문 뒤에는
「So + 동사 + 주어」를, 부정문 뒤에는 「Neither + 동사 + 주
어」를 쓴다. 앞에 쓰인 동사에 따라 be동사, 조동사, do동사
를 쓸 수 있다.

해석 | • Luisa와 Jack은 둘 다 스페인에 가고 싶다.
• Luisa도 Jack도 스페인어를 못한다.
Luisa: 나는 스페인에 가고 싶어.
Jack: 나도 그래. 하지만 나는 스페인어를 못해.
Luisa: 나도 못해.

her children이 주어로 복수이므로 동사의 형태는 make가
되어야 한다.

해석 | ① 내 여동생이 입고 있는 것은 바로 내 드레스다.
③ 내가 그 회의에 참석한 것은 바로 어제였다.
④ 내가 그를 도와준 것은 바로 그의 역사 과제였다.
⑤ 나에게 차를 운전하는 법을 가르쳐 준 사람은 바로 아빠였
다.

4 **해설 |** (1) 부정어가 문장 앞에 있으므로 뒤에는 의문문의 어
순을 쓴다. (2) 부사구 도치 구문으로 문장의 주어는 two
boxes of cookies이므로 복수형 동사를 쓴다.

해석 | (1) 더 이상 나는 TV를 볼 시간이 없다.
(2) 문간에 쿠키 두 상자가 있었다.

어휘 | doorstep 문간

5 **해설 |** 부정어 seldom이 문장 맨 앞에 왔으므로 뒤에 의문문
의 어순으로 써야 한다.

어휘 | area 지역

6 **해설 |** 엄마가 마치 집에 같이 있는 것처럼 말하고 있다는 의
미로 현재 사실의 반대를 가정하는 as if 가정법 과거를 쓴다.
as if 뒤에 과거시제를 써서 '마치 ~인 것처럼'을 표현한다.

해석 | 엄마: 소파에서 먹지 마.
지민: 엄마, 마치 여기에 계신 것처럼 말씀하시네요.

 필수 체크 전략 ❷ pp. 54~55

1 **해설 |** I wish 뒤에 과거시제를 써서 현재 사실의 반대를 나타
낸다. I hope 뒤에는 현재시제를 써서 실현 가능성이 있는 일
에 대한 소망을 나타낸다.

해석 | • 오늘 숙제가 없으면 좋을 텐데.
• 나는 그가 숙제하는 것을 잊지 않기를 바란다.

2 **해설 |** 동사원형 clean 앞에 동사의 의미를 강조하는 do의
과거형을 쓴다.

해석 | 엄마: 내가 너에게 방 청소하라고 말했잖니.
혜수: 저는 정말 방 청소를 했어요.
엄마: 그런데 왜 방이 아직 지저분해 보이니?

어휘 | messy 지저분한

3 **해설 |** ② 「It ~ that ....」 강조 구문으로 It is와 that을 생략하
면 강조하기 전 원래의 문장이 완성된다. 원래 문장에서는

 교과서 대표 전략 ❶ pp. 56~59

1 **해설 |** 「비교급 + and + 비교급」은 '점점 더 ~한/하게'라는 뜻
이다.

해석 | 밤에 별을 보는 것이 점점 더 어려워지고 있다.

2 **해설 |** as 뒤에 써서 '마치 ~인 것처럼'이라는 뜻을 나타내고,
가정법 구문에서 '(만약) ~라면'이라는 뜻을 나타내는 것은 if
이다.

해석 | • 그는 마치 그것이 침대인 것처럼 바닥에 누워 있다.
• 만약 나에게 요리하는 로봇이 있다면 내 삶이 더 편할 텐데.

3 **해설 |** 실제로 의자에 앉아 있지 않지만 '마치 그런 것처럼'이라는 의미이므로 as if/as though를 쓴다.
해석 | 마치 네가 의자에 앉아 있는 것처럼 몸을 낮춰라.
어휘 | lower 낮추다

4 **해설 |** 원급을 이용한 최상급 표현으로 「No (other) + 단수명사 + 단수동사 + as + 원급 + as + A」가 있다.
해석 | Irene은 다른 어떤 학생보다 더 많은 쿠키를 팔았다.
= 어떤 학생도 Irene만큼 많은 쿠키를 팔지 않았다.

5 **해설 |** '~하면 할수록 더 …하다'라는 뜻의 「The + 비교급 + 주어 + 동사, the + 비교급 + 주어 + 동사」 구문이다.
해석 | 네가 운동을 많이 하면 할수록 너는 더 힘이 세진다.

6 **해설 |** ③ 「the + 비교급」 뒤에 주어와 동사의 어순이 와야 한다. are his prices → his prices are
해석 | ① 네가 더 오래 일할수록 너는 더 많은 돈을 벌 것이다.
② 우리가 더 빨리 끝낼수록 우리는 더 일찍 점심을 먹을 것이다.
④ 더 많은 사람들이 파티에 올수록 우리는 더 많은 음식이 필요할 것이다.
⑤ 내가 그 문제에 대해 더 많이 생각할수록 나는 더 걱정이 된다.
어휘 | earn 벌다 price 가격 worried 걱정하는

7 **해설 |** that 뒤에 주어, 동사, 목적어가 다 있으므로 It was와 that 사이에 강조하는 내용으로 시간이나 장소를 나타내는 부사(구)가 와야 한다.
해석 | Mark가 Kelly를 만난 것은 바로 ① 어제였다 ③ 파티 이후였다 ④ 박물관에서였다 ⑤ 세 달 전이었다.

8 **해설 |** ④는 '다른 어떤 장소도 여기만큼 안전하다'라는 의미이고, 나머지는 모두 '여기가 가장 안전하다'라는 의미이다.
해석 | ① 여기가 가장 안전한 장소이다.
② 어떤 장소도 여기보다 더 안전하지 않다.
③ 어떤 장소도 여기만큼 안전하지 않다.
④ 어떤 다른 장소도 여기만큼 안전하다.
⑤ 여기가 다른 어떤 장소보다 더 안전하다.

9 **해설 |** ④ 부정어가 문장 맨 앞에 있으므로 뒤에는 의문문의 어순이 되어야 한다. 빈칸 뒤에 「주어 + p.p.(과거분사)」가 왔으므로 완료시제를 나타내는 have동사가 오는 것이 자연스럽다.
해석 | ① 바닥에 더러운 수건들이 있었다.
② 그는 마치 그녀를 봐서 기쁜 것처럼 웃는다.
③ 학교가 내 집에 더 가까우면 좋을 텐데.
④ 그녀는 해외여행을 가 본 적이 전혀 없다.
⑤ 날씨가 더우면 우리는 해변에 갈 텐데.

어휘 | foreign 외국의

10 **해설 |** 현재 사실의 반대를 나타내는 I wish 가정법 과거 구문으로 쓸 수 있다. 「I wish + 주어 + (조)동사의 과거형」의 어순으로 배열한다.
해석 | 내 차가 더 크면 좋을 텐데.

11 **해설 |** never before라는 부정어구가 문장 맨 앞에 있으므로 뒤에는 의문문 어순이 와야 한다. 빈칸 뒤에 「주어 + p.p.(과거분사)」가 있으므로 빈칸에는 완료시제를 나타내는 have동사가 와야 하는데 주어가 we이므로 have를 쓴다.
해석 | 우리는 그렇게 아름다운 일몰을 전에는 한 번도 본 적이 없다.
어휘 | sunset 일몰

12 **해설 |** (1) 부정어구가 문장 맨 앞에 왔으므로 의문문의 어순인 「조동사 + 주어 + 동사원형」의 순서로 쓴다. (2) neither 뒤에 도치가 일어나 「동사 + 주어」의 순서로 써야 하는데 주어가 my brother이므로 동사의 형태는 does가 되어야 한다.
해석 | (1) 내일 아침까지는 그는 집을 떠나지 않을 것이다.
(2) 나는 채소를 좋아하지 않고, 내 남동생도 그렇다.

13 **해설 |** 가정법 과거 구문에 현재 사실의 반대 내용을 쓴다. if절의 동사는 과거로, 주절의 동사는 「조동사의 과거형 + 동사원형」으로 쓴다.
해석 | 아기는 배가 고프지 않아서 울지 않는다.
→ 아기가 배고프면 울 텐데.

14 **해설 |** (1) It was와 that 사이에 강조하는 내용을 넣고 that 뒤에 문장의 나머지 부분을 쓴다. 강조하는 대상이 사람이라서 that 대신 who를 쓸 수도 있다. (2) 일반동사이자 과거형인 knew를 강조하는 것이므로 do동사의 과거형인 did를 이용해 did know로 쓴다.
해석 | (1) 지난주에 Deborah를 방문한 것은 바로 Noah였다.
(2) 장 씨는 Nick이 어디에 있는지 정말 알고 있었다.

15 **해설 |** 최상급의 의미를 나타내는 「No (other) + 단수명사 + 단수동사 + as + 원급 + as + A」 구문을 쓴다.
해석 | 이달의 학생 / Hannah는 이 학급에서 가장 많은 책을 읽었다!
→ 이 학급에서 어떤 학생도 Hannah만큼 많은 책을 읽지 않았다.

16 **해설 |** 현재 사실의 반대를 가정하는 가정법 과거 문장이므로 if절에 동사의 과거형을 써야 한다.
해석 | 나는 그에게 사실을 말하지 않았다. 그가 사실을 안다면 나를 용서하지 않을 것이다.
어휘 | forgive 용서하다

2주 4일 교과서 대표 전략 ❷   pp. 60~61

1 ② 2 ③ 3 ③ 4 ④ 5 happier than
6 (1) is (2) does 7 ② 8 The larger the backpack you have, the more books you can carry.

1 **해설 |** 가정법 과거 문장이므로 if절에는 동사의 과거형, 주절에는 「조동사의 과거형 + 동사원형」을 쓴다.
해석 | 그에게 10,000달러가 있다면 그가 요트를 살 텐데.
어휘 | yacht 요트

2 **해설 |** 형용사 앞에 more and more를 쓰면 '점점 더 ~한'이라는 뜻이고 less and less를 쓰면 '점점 덜 ~한'이라는 뜻이다.

3 **해설 |** ①은 도치 구문에 사용된 do, ②와 ④는 '~하다'라는 뜻의 일반동사 do, ⑤는 의문문을 만드는 조동사 do이다. 〈보기〉와 ③은 강조의 do이다.
해석 | 〈보기〉 나는 정말로 네가 취직하길 바란다.
① 나는 결코 그것을 원하지 않는다.
② 그는 할 일이 많다.
③ 너는 정말 너의 아빠를 닮았다.
④ 너는 숙제를 했니?
⑤ 너는 치즈를 안 좋아하지, 그렇지?

4 **해설 |** ④ He needs your advice now.에서 your advice를 강조한 문장으로 that 뒤에 주어와 동사가 도치되지 않는다. does he need → he needs
해석 | ① 그 사진을 찍은 것은 바로 동수였다.
② 그녀가 나에게 준 것이 바로 이 시계였다.
③ 그들이 팔고 있는 것은 바로 그들의 집이다.
⑤ 그가 차를 마시고 있던 곳은 바로 주방이었다.

5 **해설 |** '아무도 유미만큼 행복해 보이지 않는다'는 것은 '유미가 다른 누구보다 더 행복해 보인다'는 말로 바꿔 쓸 수 있다.
해석 | 그 사진 속 누구도 유미만큼 행복해 보이지 않는다.
= 유미는 그 사진 속에 있는 다른 어떤 사람보다 더 행복해 보인다.

6 **해설 |** (1)「so + 동사 + 주어」 구문으로 앞에 be동사가 있으므로 be동사를 쓰는데 주어와 수 일치를 시켜 is로 쓴다.
(2)「neither + 동사 + 주어」 구문으로 앞에 일반동사가 있으므로 do동사를 써야 하며, 주어와 수 일치를 시켜 does로 쓴다.
해석 | (1) James는 한국 음식을 먹고 있고, Lisa도 그렇다.
(2) James는 젓가락을 사용하는 법을 모르고, Lisa도 그렇다.
어휘 | chopstick 젓가락

7 **해설 |** '~라면 좋을 텐데'는 I wish 가정법 과거로 표현한다.
해석 | 나한테 우산이 있으면 좋을 텐데.

어휘 | umbrella 우산

8 **해설 |** '~하면 할수록 더 …하다'라는 표현은 「The + 비교급 + 주어 + 동사, the + 비교급 + 주어 + 동사」의 어순으로 쓴다. 비교급이 명사를 수식할 때는 「the + 비교급 + 명사」의 순서로 쓴다.

2주 누구나 합격 전략   pp. 62~63

1 ③ 2 ② 3 more sugar, the sweeter 4 ③, ⑤ 5 ⑤ 6 ④ 7 ③ 8 ① 9 were 10 as, as

1 **해설 |** 부정어구 never again이 문장 맨 앞에 쓰였으므로 뒤에는 의문문의 어순 「조동사 + 주어 + 동사원형」이 온다.
해석 | 나는 절대로 다시 그 극장에 가지 않을 것이다.

2 **해설 |** ② if절에 동사의 과거형이 있는 것으로 보아 가정법 과거 문장임을 알 수 있다. 주절에는 「주어 + 조동사의 과거형 + 동사원형」을 써야 한다. will → would
해석 | ① 비가 오면 너는 젖을 것이다.
③ 시간이 있으면 그는 이모를 찾아뵐 수 있을 텐데.
④ 네 도움이 없다면 그는 이 과제를 끝낼 수 없을 것이다.
⑤ 소파가 있으면 방이 더 편안할 텐데.
어휘 | comfortable 편안한

3 **해설 |** 두 개의 절 앞에 각각 「the + 비교급」을 써서 두 절을 연결하면 '~하면 할수록 더 …하다'라는 뜻을 나타낼 수 있다.
해석 | 만약 네가 커피에 더 많은 설탕을 넣으면, 그것은 더 달아질 것이다.
= 네가 커피에 설탕을 더 많이 넣을수록 그것은 더 달아질 것이다.

4 **해설 |** '마치 ~인 것처럼'이라는 뜻으로 as if 또는 as though 가정법 과거를 쓸 수 있다.
해석 | 와, 이 꽃들은 너무 예쁘네. 왜 내가 전에는 이것들을 못 봤을까?
그는 마치 누군가가 듣고 있는 것처럼 혼잣말을 하고 있다.
어휘 | talk to oneself 혼잣말하다

5 **해설 |** 주절에 「would + 동사원형」이 온 것으로 보아 현재 사실의 반대를 가정하는 가정법 과거 문장이므로 if절에는 were 또는 동사의 과거형으로 쓴다. ⑤ don't → didn't
해석 | ① 내가 혼자라면 ② 책이 없다면 ③ 내가 바쁘지 않다면 ④ 비가 온다면 나는 아주 지루할 텐데.

6 해설 | '~하면 할수록 더 …하다'는 「The + 비교급 + 주어 + 동사, the + 비교급 + 주어 + 동사」로 표현한다.

7 해설 | '~한 것은 바로 …다'라는 뜻의 강조 구문에서 강조하는 내용은 It is/was와 that 사이에 온다.

8 해설 | ① 부정어가 문장 맨 앞에 오면 뒤에 의문문의 어순이 온다. wore he → did he wear
해석 | ② 그는 그 이름을 전혀 들어 본 적이 없다.
③ Toby는 좀처럼 농담에 웃지 않는다.
④ 나는 전에 한 번도 그녀가 우는 것을 본 적이 없다.
⑤ 나의 엄마는 한 마디도 하지 않았다.

9 해설 | 부사구 도치 구문으로 뒤에 온 two cups and a tea pot이 주어이므로 복수동사가 와야 한다.
해석 | 식탁 위에는 두 개의 잔과 찻주전자가 하나 있었다.
어휘 | tea pot 찻주전자

10 해설 | Juan이 가장 키가 크므로 '아무도 A만큼 ~하지 않다'라는 뜻을 나타내는 「No one + 단수동사 + as + 원급 + as + A」를 쓴다.
해석 | 그의 가족 중 아무도 Juan만큼 키가 크지 않다.

2주 창의·융합·코딩 전략 ❶, ❷　　pp. 64~67

1 as if, were, I wish　**2** Step 1 (1) ⓐ (2) ⓒ (3) ⓑ
Step 2 the more you need to plan, the more time you will save, the easier it is to carry around
3 On the desk was, in the envelope were　**4** in the school gym, it was Eric, the viola that
5 deeper and deeper, colder and colder　**6** Step 1
(1) ⓒ (2) ⓐ (3) ⓑ　Step 2 (1) I wish I could afford a new car. (2) I wish I could go hiking. (3) I wish I had a sister. / I wish I were not an only child.　**7** the biggest (1) bigger, Brazil (2) as big, Brazil (3) bigger than, country (4) bigger than, countries　**8** so does, neither does

1 해설 | 첫 번째 빈칸에는 '마치 ~인 것처럼'이라는 뜻의 「as if + 주어 + 동사의 과거형」을 쓴다. 두 번째 빈칸에는 '내가 너라면'이라고 가정하는 의미의 If I were you를 쓴다. if절에서 be동사는 were로 쓴다. 세 번째 빈칸에는 '~하면 좋을 텐데'라는 뜻의 「I wish + 주어 + (조)동사의 과거형」을 쓴다.
해석 | 유리: 나 정말 화났어!

Nicole: 무슨 일이야?
유리: 도서관에서 공부하고 있는데 어떤 사람들이 마치 집에 있는 것처럼 큰 소리로 얘기하고 있어.
Nicole: 정말 예의 없다!
유리: 한 시간째 이야기하고 있어.
Nicole: 음, 내가 너라면 나는 그들에게 조용히 하라고 요청할 텐데.
유리: 나는 너무 소심해. 네가 여기 있어서 나를 도와주면 좋을 텐데.

2 해설 | '~하면 할수록 더 …하다'라는 뜻의 「The + 비교급 + 주어 + 동사, the + 비교급 + 주어 + 동사」 구문을 쓴다.
해석 | Step 1 (1) 당신의 여행이 더 짧다면 계획을 더 많이 세울 필요가 있다.
(2) 호텔이 지하철역에 더 가까이 있다면 당신은 더 많은 시간을 절약할 것이다.
(3) 당신의 짐이 더 가벼우면 들고 다니기 더 쉽다.
Step 2 짧은 여행을 계획하고 있는가?
당신의 여행이 짧으면 짧을수록 더 많이 계획할 필요가 있다. 지하철역과 가까운 호텔을 선택하라. 당신의 호텔이 지하철역에 더 가까울수록 당신은 더 많은 시간을 절약할 것이다. 또한, 짐을 가볍게 싸라. 당신의 짐이 더 가벼울수록 그것을 들고 다니기 더 쉽다.
어휘 | carry around 들고 다니다 pack 짐을 싸다

3 해설 | 장소를 나타내는 부사구를 문장 앞에 쓰고 주어와 동사를 도치시킨다. 이때 be동사의 수는 뒤에 오는 주어에 맞춘다.
해석 | 나는 오빠 방으로 들어갔다. 책상 위에 봉투가 하나 있었고, 그 봉투 안에는 10달러 지폐가 다섯 장 있었다.
어휘 | bill 지폐

4 해설 | 「It was + A + that ~」 구문을 써서 '~한 것은 바로 A였다'라는 뜻을 나타낸다. It was와 that 사이에 강조하는 내용을 넣고 나머지 내용은 that 뒤에 쓴다.
해석 | A: 봐. 이건 장기자랑 사진들이야. 약간 흐리네.
B: 장기자랑은 학교 식당에서 개최됐니?
A: 아니, 장기자랑이 개최된 건 바로 학교 체육관에서였어.
B: 누가 마술을 했니? Ted였니?
A: 아니, 마술을 한 건 바로 Eric이었어.
B: Sophie는 바이올린을 연주했니?
A: 아니, Sophie가 연주한 건 바로 비올라였어.
어휘 | gym 체육관 magic trick 마술 blurry 흐릿한 take place 개최되다, 일어나다

5 해설 | 비교급 + and + 비교급: 점점 더 ~한/하게
해석 | 바다는 무척 차가울 수 있다. 깊이 잠수하는 잠수부들은 이것을 알고 있다. 수면에서는 물이 따뜻할지도 모른다. 잠

수부가 점점 더 깊이 감에 따라 바다는 점점 더 차가워진다.

어휘 | diver 잠수부 dive 잠수하다 surface 표면, 수면

6 **해설 |** 현재 사실과 반대되는 일을 소망하거나 현재의 일에 대한 유감을 나타낼 때 「I wish + 주어 + (조)동사의 과거형」으로 나타내며 '~하면 좋을 텐데'라는 의미이다.

해석 | (1) 내 차는 너무 낡았지만, 새것을 살 여유가 없다.

→ 내가 새 차를 살 여유가 있으면 좋을 텐데.

(2) 나는 하이킹을 가고 싶지만 그럴 수 없다.

→ 내가 하이킹을 갈 수 있다면 좋을 텐데.

(3) 나는 언니가 있기를 원하지만, 외동이다.

→ 내가 언니가 있으면 좋을 텐데. / 내가 외동이 아니라면 좋을 텐데.

어휘 | only child 외동 afford ~을 살 돈이 있다

7 **해설 |** 원급 또는 비교급을 사용하여 최상급의 의미를 나타낼 수 있다.

해석 | 브라질은 남미에서 가장 큰 나라이다.

(1) 어떤 나라도 남미에서 브라질보다 더 크지 않다.

(2) 어떤 나라도 남미에서 브라질만큼 크지 않다.

(3) 브라질은 남미에서 다른 어떤 나라보다 더 크다.

(4) 브라질은 남미에서 다른 모든 나라보다 더 크다.

8 **해설 |** 앞 내용이 긍정일 때는 so, 부정일 때는 neither를 이용하여 동의하는 표현을 만든다. 둘 다 주어가 3인칭 단수이고, 동사가 일반동사 현재형이므로 does를 쓴다. neither에는 이미 부정의 의미가 있으므로 doesn't를 쓰지 않도록 유의해야 한다.

해석 | A: 누가 춤추는 것을 좋아하니?

B: Mary가 춤추는 것을 좋아해, 그리고 Mike도 그래.

A: 누가 컴퓨터 게임하는 것을 좋아하지 않니?

B: Mary는 컴퓨터 게임하는 것을 좋아하지 않아, 그리고 Anne도 그래.

BOOK 2 마무리 전략   pp. 68~69

1 ❶ where ❷ since ❸ who ❹ whose
   ❺ but also ❻ so that ❼ what ❽ which
2 ❶ were ❷ The harder, the more confident
   ❸ stopped ❹ have I imagined, as convenient as
   ❺ if/whether ❻ it, that

---

1 **해설 |** ❶ 관계사절에서 부사 역할을 하며 뒤에 완전한 절이 오므로 관계부사가 와야 한다. 선행사 a city가 장소이므로 관계부사 where가 알맞다. ❷ '~한 이후로'라는 의미의 시간을 나타내는 접속사 since가 알맞다. ❸ 선행사 my uncle이 사람이고 관계사절에서 주어 역할을 하므로 주격 관계대명사 who가 알맞다. ❹ 선행사가 an engineer로 사람이고 관계사절에서 소유격 역할을 하므로 소유격 관계대명사 whose가 와야 한다. 소유격 관계대명사 whose 다음에는 명사가 온다. ❺ not only A but also B: A뿐만 아니라 B도 ❻ so that은 '~하기 위하여, ~하도록'이라는 의미로 목적을 나타낸다. ❼ 앞에 선행사가 없으므로 '~한 것'이라는 의미의 관계대명사 what이 알맞다. ❽ 관계대명사의 계속적 용법으로 앞 문장의 a drawing of the Eiffel Tower가 선행사이며 그에 대한 보충 설명을 하고 있으므로 which를 쓴다.

해석 | 파리는 매년 수백만 명의 관광객들이 여행하는 도시이다. 나는 어렸을 때부터 파리를 방문하고 싶어 했다. 이번 여름, 나는 최근에 파리로 이사한 삼촌을 방문해서 즐거운 시간을 보냈다.

파리에는 관광 명소가 많은데, 내가 가장 좋아한 곳은 에펠 탑이었다. 에펠 탑은 공학자인 Gustave Eiffel의 이름을 따서 지었는데, 그의 회사가 그 탑을 디자인하고 건축했다. 1889년에 지어진 후, 에펠 탑은 파리의 상징일 뿐만 아니라 프랑스 전체의 상징이 되었다. 그곳에는 사람들이 올라가서 꼭대기에서 도시 전망을 즐길 수 있도록 엘리베이터가 있다. 만약 당신이 파리로 여행 간다면 에펠 탑 꼭대기에서의 전망을 볼 기회를 절대 놓치지 마라.

여기 내가 파리에서 가져온 것이 있다. 어린 왕자 머그잔이다. 이것에는 에펠 탑 그림이 그려져 있는데, 나에게 파리에서의 여행을 떠올리게 해준다.

어휘 | recently 최근에 tourist attraction 관광 명소 engineer 공학자 symbol 상징 view 전망, 경관 remind A of B A에게 B를 떠올리게 하다

2 **해설 |** ❶ I wish 가정법 과거는 '~라면 좋을 텐데'라는 의미로 이루기 힘든 소망이나 현실에 대한 아쉬움을 나타낸다. 「I wish + 주어 + (조)동사의 과거형」으로 쓴다. 가정법에서 be동사의 과거형은 were로 쓴다. ❷ 「The + 비교급 + 주어 + 동사, the + 비교급 + 주어 + 동사」는 '~하면 할수록 더 …하다'라는 의미이다. ❸ 가정법 과거는 '(만약) ~한다면 …할 텐데'라는 의미로 현재 사실과 반대되거나 실제로 일어날 가능성이 희박한 일을 가정할 때 쓴다. 「If + 주어 + 동사의 과거형 ~, 주어 + 조동사의 과거형 + 동사원형」으로 나타낸다. ❹ 부정어인 never를 강조하기 위해 문장의 맨 앞에 쓰면 의문문 어순처럼 주어와 동사를 도치시킨다. 「Nothing + 단수동사 + as + 원급 + as + A」는 '어떤 것도 A만큼 ~하지 않다'라는

의미로 원급을 이용하여 최상급을 나타낸다. ❺ 간접의문문에서 의문사가 없는 경우 '~인지 (아닌지)'라는 의미의 접속사 if 또는 whether를 쓴다. ❻ 「It ~ that ....」 강조 구문은 강조하는 내용을 It is/was와 that 사이에 쓴다.

해석 | ❶ 내가 수영을 잘하는 사람이면 좋을 텐데.

❷ 더 열심히 연습할수록 너는 더 자신감이 생길 거야.

❸ 만약 인터넷이 하루 동안 멈춘다면 너는 어떻게 할 거야?

❹ 나는 인터넷이 없는 내 삶을 전혀 상상해 본 적 없어. 어떤 것도 인터넷만큼 편리하지 않아.

❺ 나는 내 답이 맞는지 모르겠어. 아폴로 11호가 1968년에 달에 착륙한 거니, Carol?

❻ 아니, 아폴로 11호가 달에 착륙한 것은 바로 1969년이었어.

어휘 | land 착륙하다

신유형·신경향·서술형 전략 pp. 70~73

---

1 (1) who is using the copy machine (2) whom Lauren is talking to / to whom Lauren is talking **2** not only, but also, Neither, nor **3** (1) The hotter, the more ice cream (2) The more comfortable, the longer **4** if/whether I wanted to pet the dog, how old he was **5** (1) were, travel (2) lived, watch (3) snowed, build **6** (1) No (other) river is longer (2) higher than (3) larger than **7** (1) wish, could speak (2) as if, were **8** (1) it was at Suncity Mall that she/Yeji bought the present (2) it was *The Ickabog* that she/Yeji bought

---

1 **해설** | (1) 맥락상 the man은 Hunter이고 주격 관계대명사 who가 이끄는 절이 꾸며 주는 선행사이다. (2) the man은 Fred로 문장에서 is talking to의 전치사 to의 목적어로 쓰였으므로 목적격 관계대명사 whom을 쓰고 나머지 내용을 덧붙인다. 전치사 to는 whom 앞에 쓸 수도 있다.

해석 | Lauren은 Fred에게 이야기하고 있다.

Hunter는 복사기를 사용하고 있다.

A: 신입사원이 들어왔어. 그의 이름은 Fred야.

B: 그가 복사기를 사용하고 있는 남자야?

A: 아니. 그건 Hunter야. 그는 여기서 몇 달째 일하고 있어.

Fred는 Lauren이 이야기하고 있는 남자야.

어휘 | copy machine 복사기 for months 몇 달 동안

2 **해설** | 아영이는 테니스와 배구를 둘 다 하기 때문에 「not only A but also B」 구문을 쓰고, 아영이와 준수 모두 골프는 치지 않으므로 「neither A nor B」를 쓴다.

해석 | A: 아영이는 테니스를 치니?

B: 응. 아영이는 테니스뿐만 아니라 배구도 해.

A: 누가 골프를 치니?

B: 아영이도 준수도 골프를 치지 않아.

3 **해설** | '~하면 할수록 더 …하다'라는 표현은 「The + 비교급 + 주어 + 동사, the + 비교급 + 주어 + 동사」의 어순으로 배열한다. (1)에서 the more ice cream은 주어로 쓰였으므로 바로 뒤에 동사가 왔다.

해석 | (1) 날씨가 더울수록 더 많은 아이스크림이 팔린다.

(2) 침대가 더 편안할수록 나는 더 오래 잘 수 있다.

4 **해설** | 간접의문문의 어순은 「if/whether/의문사 + 주어 + 동사」이며, 간접의문문의 동사는 주절의 시제에 맞게, 인칭대명사도 전달자의 입장에 맞게 바꿔야 하는 것에 주의한다.

해석 | 너는 개를 쓰다듬고 싶니?

그는 몇 살인가요?

9월 24일. 맑음

오늘 나는 걷다가 한 여자 분과 그녀의 개가 벤치에 앉아 있는 것을 봤다. 그 개는 아주 귀여웠다. 그 여자 분이 나에게 개를 쓰다듬고 싶은지 물었다. 나는 그렇다고 답했다. 그녀는 나에게 그 개의 이름이 Max라고 말했고, 나는 그녀에게 그 개가 몇 살인지 물었다. 그녀는 개가 세 살이라고 말했다. 나는 Max가 정말 좋았고, 내 생각에 Max도 나를 좋아한 것 같아!

어휘 | pet 쓰다듬다

5 **해설** | 현재 사실의 반대를 가정하는 가정법 과거이므로 if절 동사는 과거형으로, 주절의 동사는 「조동사의 과거형 + 동사원형」으로 쓴다.

해석 | (1) 내가 더 젊다면, 나는 더 많이 여행할 텐데.

(2) 내가 혼자 산다면 내가 제일 좋아하는 텔레비전 쇼를 볼 수 있을 텐데.

(3) 눈이 온다면 우리는 눈사람을 만들 텐데.

6 **해설** | 「No (other) + 단수명사 + 단수동사 + 비교급 + than + A」는 '어떤 ~도 A보다 더 …하지 않다'라는 뜻이고, 「A + 동사 + 비교급 + than + any other/all the other + 단수명사/복수명사」는 'A가 다른 어떤/다른 모든 ~보다 더 …하다'라는 뜻이다.

해석 | (1) 어떤 강도 나일 강보다 더 길지 않다.

(2) 에베레스트 산은 다른 어떤 산보다 더 높다.

(3) 러시아는 다른 모든 나라들보다 더 크다.

7 **해설** | (1) I wish 뒤에 (조)동사의 과거형을 써서 현재 사실의 반대를 바라는 뜻을 나타낸다. (2) as if 뒤에 동사의 과거형을 써서 '(실제 그렇지 않은데) 마치 ~인 것처럼'이라는 뜻을

나타낸다.

해석 | (1) 내가 이탈리아어를 할 수 있으면 좋을 텐데.

(2) 한국 사람들이 매우 많아서 마치 내가 한국에 있는 것처럼 느껴진다.

8 **해설 |** '~한 것은 바로 A다'라는 뜻의 강조 구문은 「It is/was + A + that ~」으로 쓴다.

해석 | 11월 15일. 흐림

오늘 나는 여동생의 생일 선물을 사러 Suncity Mall에 갔다. 내 여동생이 책 읽는 걸 아주 좋아해서 나는 서점에 갔다. 판매원이 두 권의 책을 추천해주었다. 하나는 J. K. Rowling의 〈The Ickabog〉였고, 다른 하나는 Lois Lowry의 〈On the Horizon〉이었다. 내 여동생이 J. K. Rowling을 좋아해서 나는 〈The Ickabog〉을 골랐다. 그녀가 내 선물을 좋아하길 바란다.

(1) 예지는 Starway Mall에서 선물을 샀습니까? → 아니요, 그녀/예지가 선물을 산 곳은 바로 Suncity Mall이었습니다.

(2) 예지는 〈On the Horizon〉을 샀습니까? → 아니요, 그녀 /예지가 산 것은 바로 〈The Ickabog〉였습니다.

어휘 | salesperson 판매원

적중 예상 전략 | ❶

pp. 74~77

1 ⑤	2 ②	3 ③	4 ②	5 ⑤	6 ④	7 ③
8 ③	9 ④	10 ⑤	11 ②	12 ②	13 ⑤	

14 whose pen that is 15 (1) how much the shirt was (2) if/whether he could get a discount
16 whose car is 17 Neither, nor, not only hot [humid] but also humid[hot] 18 how 19 which

1 **해설 |** 선행사가 장소일 때 「장소 전치사 + 관계대명사」는 관계부사 where로 바꿔 쓸 수 있다.

해석 | 그가 살고 있는 집은 아주 아름답다.

2 **해설 |** '매우 ~해서 …하다'라는 뜻의 결과를 나타내는 접속사는 「so ~ that ....」이고 '~하기 위해서'라는 목적을 나타내는 접속사는 so that이다.

해석 | • 그 책은 매우 어려워서 나는 그것을 다 읽지 못했다.

• 나는 독감에 걸리지 않기 위해 독감 예방 주사를 맞을 것이다.

어휘 | flu shot 독감 예방 주사 flu 독감

3 **해설 |** 목적격 관계대명사는 생략할 수 있다. 하지만 전치사 뒤나 콤마(,) 뒤에서 계속적 용법으로 쓰인 경우에는 생략하지 않는다.

해석 | ① 그녀가 내 발을 밟았고, 그것이 나를 화나게 했다.

② 꽃집 옆에 있는 식당으로 가자.

③ 네가 파티에서 만났던 남자가 너와 이야기하고 싶어 한다.

④ 내가 이 책들을 사 준 소년은 책 읽는 것을 좋아하지 않는다.

⑤ 자신의 방이 깨끗하지 않았던 손님이 매니저에게 불평했다.

어휘 | step on foot 발을 밟다

4 **해설 |** 관계사절에 전치사 to의 목적어 역할을 하는 명사가 없으므로 선행사 the school을 수식하는 목적격 관계대명사를 쓴다.

5 **해설 |** ⑤ 관계대명사 that은 전치사 뒤에 쓸 수 없으므로 which를 써야 한다.

해석 | ① 내가 마시고 있는 차는 카페인이 없다.

② 맛이 이상한 감자들을 버려 주세요.

③ 너는 충분히 긴 암호를 선택할 필요가 있다.

④ 나는 내가 더 이상 사용하지 않는 컵들을 팔고 싶다.

⑤ 그는 그가 10년간 일해 온 회사를 떠나야 한다.

어휘 | caffeine 카페인 throw out 버리다 funny 이상한

6 **해설 |** ⓓ not only 뒤에 동사의 과거형이 왔으므로 but also 뒤에도 동사의 과거형을 쓴다. change → changed

해석 | ⓐ 우리 부모님도 내 여동생도 모두 집에 없다.

ⓑ 그는 노래하는 것과 춤추는 것을 둘 다 즐긴다.

ⓒ 너는 하얀 셔츠나 파란 스웨터 둘 중 하나를 입을 수 있다.

어휘 | diet 식습관

7 **해설 |** '~하는 동안'이라는 뜻으로 쓰이는 접속사는 while이다.

해석 | 그는 축구를 하다가 다리가 부러졌다.

8 **해설 |** ①, ② 관계대명사 that을 쓸 수 있다. ④ 「so ~ that ....」은 '매우 ~해서 …하다'라는 뜻의 접속사다. ⑤ so that은 '~하기 위해서'라는 목적의 의미를 나타내는 접속사다. ③ 전치사 with 뒤에는 관계대명사 that을 쓸 수 없고 which를 써야 한다.

해석 | ① 그녀는 최근에 새롭게 단장된 극장에서 그 영화를 봤다.

② 그는 들고 있던 컵을 떨어뜨렸다.

③ 내가 고기를 자르는 칼이 날카롭지 않다.

④ 그 영화가 매우 감동적이어서 나는 결국 울었다.

⑤ 그녀는 일찍 일어날 필요가 없도록 직장에 더 가까이 이사했다.

어휘 | remodel 개조하다 moving 감동적인

9 **해설 |** 선행사가 사물일 때 전치사 뒤나 계속적 용법의 콤마(,) 뒤에는 관계대명사 which를 쓴다. ⓑ 선행사가 없으므로 선행사를 포함하는 관계대명사 what을 쓴다.

해석 | ⓐ 나는 내 이름이 적힌 종이 한 장을 발견했다.

ⓑ 나는 어머니의 생신 파티를 위해 내가 필요한 것을 사는 걸

잊었다.

ⓒ 여기가 우리가 대부분의 시간을 보내는 방이다.

ⓓ 내 차가 식당 앞에 세워져 있었는데 사라졌다.

어휘 | a piece of paper 종이 한 장 gone 사라진

10 해설 | ⑤ 방법을 나타내는 선행사 the way와 관계부사 how는 함께 쓸 수 없으므로 둘 중 하나만 써야 한다.

해석 | ① 그는 지난주에 새 앨범을 발표한 그 가수를 좋아한다.

② 그는 자신의 아내가 좋아하는 꽃들을 샀다.

③ 우리는 아기가 뭘 원하는지 알고 싶다.

④ 그녀는 그녀의 부모님이 공부했던 나라를 방문했다.

11 해설 | ② 「neither *A* nor *B*」가 주어로 쓰일 경우 동사의 수는 B에 일치시킨다. contain → contains

해석 | A: 주문할 준비 되셨나요?

B: 네. 저는 치킨 샌드위치를 먹을게요.

A: 좋은 선택이세요! 그것은 맛있을 뿐만 아니라 건강에도 좋습니다. 또 수프와 함께 나옵니다.

B: 좋네요. 아, 제가 땅콩에 알레르기가 있다고 얘기하는 걸 깜빡했네요.

A: 걱정 마세요. 샌드위치도 수프도 땅콩이 들어 있지 않습니다. 샌드위치와 함께 커피나 차를 드시겠어요?

B: 음, 저는 카페인이 좀 들어 있는 것이 필요해요.

A: 커피와 차 둘 다 카페인이 있습니다.

B: 그러면, 커피를 마실게요.

어휘 | mention 말하다, 언급하다 allergic to ~에 알레르기가 있는 contain ~이 들어 있다 peanut 땅콩

12 해설 | 「if/whether/의문사 + 주어 + 동사」 어순의 간접의문문이 와야 한다. ② will it → it will

해석 | 나는 ① 그녀가 왜 늦는지 ③ 네가 어디 있었는지 ④ 내가 여기서 사진을 찍을 수 있는지 ⑤ 그가 언제 그 신발을 샀는지 궁금하다.

13 해설 | 선행사가 the only의 수식을 받거나 「사람 + 동물」인 경우 보통 관계대명사 that을 쓴다. 사물을 선행사로 하는 주격 관계대명사는 which나 that이다.

해석 | • Ally는 나를 이해했던 유일한 사람이었다.

• 나는 전 세계에서 인기가 있는 그 영화를 보고 싶다.

• 산책을 하고 있는 남자와 그의 당나귀를 봐라.

어휘 | donkey 당나귀

14 해설 | 직접의문문 Whose pen is that?을 간접의문문으로 바꾸면 「의문사(whose pen) + 주어(that) + 동사(is)」의 어순이 된다.

15 해설 | 간접의문문의 어순은 「의문사/if/whether + 주어 + 동사」이고, 이때 동사는 주절의 과거시제에 맞춰 과거로 쓰고 인칭도 소년을 나타내는 he로 바꿔야 한다.

해석 | (1) 셔츠 얼마예요? → 소년은 그 셔츠가 얼마인지 물

었다.

(2) 제가 할인을 받을 수 있나요? → 소년은 그가 할인을 받을 수 있는지 알고 싶었다.

어휘 | get a discount 할인을 받다

16 해설 | 그 남자의 차가 너무 크다는 내용이 들어가야 하므로 소유격 관계대명사 whose를 쓴다.

해석 | 내 차는 너무 커!

자신의 차가 너무 큰 남자가 주차를 하는 데 어려움을 겪고 있다.

17 해설 | 'A도 B도 아닌'은 「neither *A* nor *B*」로 쓰고, 'A뿐만 아니라 B도'는 「not only *A* but also *B*」로 표현한다.

해석 | 민수: 나는 여름이 싫어. 더워.

유진: 나도 그래. 습하잖아.

민수와 유진이는 둘 다 여름이 더울[습할] 뿐만 아니라 습하기[덥기] 때문에 여름을 좋아하지 않는다.

어휘 | humid 습한

18 해설 | 방법을 나타내는 선행사 the way는 관계부사 how와 함께 쓰지 않고 둘 중 하나만 쓴다.

해석 | 이것이 네가 손을 씻는 방법이다.

19 해설 | 다음날 발견한 것이 바로 앞 문장 전체 내용이므로 빈칸에는 계속적 용법의 관계대명사가 와야 한다. 등위접속사 and와 대명사 it은 계속적 용법의 관계대명사 which로 바꿔 쓸 수 있다.

해석 | 그녀는 문을 열어뒀고, 다음날 그것을 발견했다.

어휘 | discover 발견하다

적중 예상 전략 | ❷ pp. 78~81

1 ④ 2 ② 3 ① 4 ① 5 ④ 6 ③ 7 ②

8 ④ 9 ⑤ 10 ③, ⑤ 11 ③ 12 ⑤ 13 ⑤

14 could go 15 lower and lower 16 is a chair, are two cats 17 (1) taller than any other (2) No, as tall 18 were, could reach 19 (1) it is a comic book that he/George is reading (2) it is in his room that he/George is reading a comic book

1 해설 | 「The + 비교급 + 주어 + 동사, the + 비교급 + 주어 + 동사」는 '~하면 할수록 더 …하다'라는 뜻이고, 「비교급 + and + 비교급」은 '점점 더 ~한/하게'라는 뜻이다.

해석 | • 초콜릿이 쓰면 쓸수록 그것은 카카오 비율이 더 높다.

• 점점 더 많은 사람들이 한국어를 배우고 있다.

어휘 | bitter 쓴 percentage 백분율, 비율

2 해설 | 「No (other) + 단수명사 + 단수동사 + as + 원급 + as + *A*」는 '어떤 ~도 A만큼 …하지 않다'라는 뜻으로, 「*A* + 동사 + 비교급 + than any other + 단수명사」로 바꿔 쓸 수 있다.

해석 | 어떤 학생도 Adrian만큼 일찍 학교에 가지 않았다.
= Adrian은 다른 어떤 학생보다 일찍 학교에 갔다.

3 해설 | ① I wish 가정법 과거는 실현 가능성이 거의 없는 일에 대한 바람을 나타내는 표현으로 뒤에 「조동사의 과거형 + 동사원형」을 쓴다. can → could

해석 | ② 네가 마치 얼음 위에서 운전하는 것처럼 천천히 가라.
③ 내가 더 많은 책을 읽을 시간이 있으면 좋을 텐데.
④ 내가 학교에 가지 않아도 되면 좋을 텐데.
⑤ 그 아기는 마치 엄마가 말하는 것을 이해하는 것처럼 웃는다.

어휘 | hometown 고향

4 해설 | ① 부사구가 문장 맨 앞에 올 때 주어와 동사는 단순 도치된다. did a bus stand → stood a bus

해석 | ② 나무 아래에 수십 개의 사과가 있었다.
③ 그에게는 절대 여가 시간이 많지 않다.
④ 나는 더 이상 내 남동생보다 더 크지 않다.
⑤ 내 여동생은 그 영화를 좋아하지 않았고, 나도 그랬다.

어휘 | dozens of 수십 개의

5 해설 | '~하면 할수록 더 …하다'는 「The + 비교급 + 주어 + 동사, the + 비교급 + 주어 + 동사」로 표현한다.

6 해설 | ③ It is와 that 사이에 강조하는 내용을 쓰고 that 뒤에는 나머지 부분을 쓰면 되기 때문에 have 뒤에 it은 불필요하다.

해석 | ① Jimmy는 아주 열심히 일한다. → Jimmy는 정말 아주 열심히 일한다.
② Anne이 모든 쿠키를 먹었다. → Anne이 정말 모든 쿠키를 먹었다.
③ 나는 저녁으로 스테이크를 먹고 싶다.
④ Maria가 내 사전을 빌려 갔다. → 내 사전을 빌려 간 것은 바로 Maria였다.
⑤ 그는 어젯밤에 영화를 보러 갔다. → 그가 영화를 보러 간 것은 바로 어젯밤이었다.

어휘 | dictionary 사전

7 해설 | ③ 주절의 시제가 현재이므로 가정법 문장이 아닌 단순 조건문이다. 이때 조건을 나타내는 if절에는 현재시제를 쓴다.
② if it were not for는 '만약 ~이 없다면'이라는 의미로 가정법 과거를 나타낸다.

해석 | ① 네가 사실을 말하고 있다면 좋을 텐데.
② 내 전화기가 없다면 나는 길을 잃을 것이다.
③ 배가 고프면 너는 남은 내 샌드위치를 먹을 수 있다.
④ 그가 마치 아이들에게 이야기책을 읽어 주는 것처럼 들린다.

⑤ 그의 가격이 높으면 그는 손님이 많지 않을 것이다.

어휘 | get lost 길을 잃다 rest 나머지

8 해설 | 현재 사실의 반대를 가정하는 가정법 과거의 형태는 「If + 주어 + 동사의 과거형, 주어 + 조동사의 과거형 + 동사원형」이다.

해석 | 나는 그녀의 번호가 없어서 그녀에게 전화할 수 없다.
→ ④ 나한테 그녀의 번호가 있다면 그녀에게 전화할 수 있을 텐데.

9 해설 | 「No (other) + 단수명사 + 단수동사 + as + 원급 + as + *A*」, 「*A* + 동사 + 비교급 + than + any other/all the other + 단수명사/복수명사」는 모두 최상급의 의미를 나타낸다.

해석 | ① 이것이 가장 비싼 차이다.
② 어떤 차도 이 차만큼 비싸지 않다.
③ 이 차는 다른 어떤 차보다 더 비싸다.
④ 이 차는 다른 모든 차들보다 더 비싸다.
⑤ 어떤 차는 이 차보다 더 비싸다.

10 해설 | '~이 없다면 …할 것이다'라는 의미로 현재 사실의 반대를 나타내는 가정법은 「Without/But for/If it were not for + 명사(구), 주어 + 조동사의 과거형 + 동사원형」으로 쓴다.

해석 | 그의 도움이 없다면 나는 컴퓨터를 고칠 수 없을 것이다.

11 해설 | ③은 진주어인 명사절을 이끄는 접속사 that이고, 나머지는 모두 「It ~ that ....」 강조 구문의 that이다.

해석 | ① 내가 그녀에게 사 준 것은 바로 캐러멜이었다.
② 내가 우리 반에서 가장 좋아하는 사람은 바로 Audrey다.
③ 그녀가 직장을 그만둔 것은 사실이다.
④ 그가 그녀를 기다렸던 곳은 바로 도서관이었다.
⑤ 내가 그 연극을 본 것은 바로 지난 금요일이었다.

어휘 | play 연극

12 해설 | ⓐ 앞 문장에 일반동사 과거형이 쓰였으므로 neither 뒤에 did를 써야 한다.

해석 | ⓑ 그녀는 자전거 타는 법을 전혀 배우지 않았다.
ⓒ 내 남동생은 더 이상 축구를 하지 않는다.
ⓓ 점심식사 이후까지 너는 컴퓨터 게임을 할 수 없다.

13 해설 | ⑤는 ask의 목적어로 쓰인 명사절을 이끄는 접속사로 '~인지 (아닌지)'라는 뜻이다. 나머지는 모두 가정법 문장으로 '만약 ~라면'이라는 뜻이다.

해석 | ① 내가 그녀가 여기 있기를 원하면 그녀는 그럴 텐데.
② 그는 머리를 염색하면 더 좋아 보일 텐데.
③ 병이 비어 있으면 더 가벼울 텐데.
④ 네가 초능력이 있다면 뭘 하겠니?
⑤ 내 옆에 앉아 있던 남자는 나에게 도움이 필요한지 물었다.

어휘 | light 가벼운 superpower 초능력

14 해설 | 콘서트에 같이 갈 수 없어서 아쉽다는 뜻이므로 I wish 뒤에 「주어 + 조동사의 과거형 + 동사원형」을 쓴다.

해석 | 나는 너와 함께 콘서트에 갈 수 없어서 아쉽다.

= 내가 너와 함께 콘서트에 갈 수 있으면 좋을 텐데.

15 해설 | '점점 더 ~한/하게'는 「비교급 + and + 비교급」으로 표현한다.

해석 | 출생률이 점점 더 낮아지고 있다.

어휘 | birth rate 출생률

16 해설 | 부사구가 문장 앞에 쓰이면 주어와 동사를 도치한다. 이때 주어에 따른 동사의 수 일치에 주의한다.

해석 | 침대 옆에 의자가 하나 있고, 의자 위에는 고양이 두 마리가 있다.

17 해설 | 최상급의 의미를 나타내는 표현으로 「A + 동사 + 비교급 + than any other + 단수명사」, 「No (other) + 단수명사 + 단수동사 + as + 원급 + as + A」가 있다.

해석 | (1) 기린은 그 동물원에 있는 다른 어떤 동물보다 키가 더 크다.

(2) 그 동물원에 있는 어떤 동물도 기린만큼 키가 크지 않다.

18 해설 | '~라면 …할 텐데'라는 현재 사실의 반대를 나타내는 가정법 과거의 형태는 「If + 주어 + 동사의 과거형, 주어 + 조동사의 과거형 + 동사원형」이다.

해석 | 나는 꼭대기 선반에 닿을 수가 없어.

소년이 키가 더 크면 꼭대기 선반에 닿을 텐데.

어휘 | reach 닿다 shelf 선반

19 해설 | '~한 것은 바로 A이다'라는 강조 구문은 「It is + A + that ~」으로 표현한다.

해석 | (1) George는 소설을 읽고 있나요? → 아니요, 그/George가 읽고 있는 것은 바로 만화책입니다.

(2) George는 거실에서 만화책을 읽고 있나요? → 아니요, 그/George가 만화책을 읽고 있는 곳은 바로 그의 방입니다.

어휘 | comic book 만화책

내신 고득점을 위한 필수 심화 학습서

중학 일등전략

전과목 시리즈

체계적인 시험대비

주 3일, 하루 6쪽 구성
총 2~3주의 분량으로
빠르고 완벽하게 시험 대비!

1등을 위한 공부법

탄탄한 중학 개념 기본기에
실전 문제풀이의 감각을 더해
어떠한 상황에도 자신감 UP!

문제유형 완전 정복

기출문제 분석을 통해
개념 확인 유형부터 서술형,
고난도 유형까지 다양하게 마스터!

완벽한 1등 만들기! 전과목 내신 대비서

국어: 예비중~중3(문학1~3/문법1~3)

영어: 중2~3

수학: 중1~3(학기용)

사회: 중1~3(사회①, 사회②, 역사①, 역사②)

과학: 중1~3(학기용)

정답은
이안에
있어!